Américaine, Martha Grimes est née à Pittsburgh,
dans l'Ohio. Après des études de lettres à l'université du Maryland, elle a suivi le très réputé atelier
d'écriture de l'université d'Iowa. Docteur ès lettres,
elle a longtemps enseigné l'anglais avant de se
consacrer à plein temps à l'écriture.
Dès *L'énigme de Rackmoor*, son premier roman paru
en 1990, ses enquêtes policières portent la griffe du
commissaire Richard Jury et de son complice
Melrose Plant. À l'exception de *Jetée sous la lune*
(1994) et du *Meurtre du lac* (1999), on les retrouve
dans tous ses romans, parmi lesquels *Le mystère de
Tarn House* (1994), *La nuit des chasseurs* (1996), et
L'énigme du parc (2000). Outre son sens très fin de
la psychologie, son habileté à recréer l'atmosphère
propre aux romans policiers britanniques «classiques» lui a valu d'être admirée de part et d'autre
de l'Atlantique.
Martha Grimes partage actuellement son temps entre
les États-Unis et l'Angleterre où de nombreux sé-
jours sont nécessaires à ses repérages romanesques.

LE MAUVAIS SUJET

MARTHA GRIMES

LE MAUVAIS SUJET

Traduit de l'anglais par
Didier Sénécal

Titre original :

THE MAN WITH A LOAD OF MISCHIEF

© Martha Grimes, 1981
Excerpt from *The Grave Maurice* © Martha Grimes, 2002.
© Pocket, un département de Univers Poche
pour la traduction française.

ISBN : 2-266-13359-4

A June Dunnington Grimes
et Kent Holland

Approchez, ma chère patronne, comment allez-
vous ?
Où donc la pure Cicely, et Prudence, et Sue sont-
elles passées ?
Où se trouvent la veuve qui logeait au-dessous
Et le valet d'écurie qui chantait voilà huit
années ?

Même si ma vie, messire, en dépendait,
Je ne saurais par quelle question commencer ;
Car les choses, depuis votre départ, ont suivi un
cours étrange.
Le valet a été pendu, la veuve s'est remariée.
Prue a laissé un nourrisson à la charge de la
paroisse,
Et Cicely avec la bourse d'un gentilhomme a
décampé.

Matthew Prior
(poète anglais, 1664-1721)

1

Samedi 19 décembre

Un chien grogna devant la Forge.

A l'intérieur du pub, assis dans un renfoncement qui lui masquait la vue sur la Grand-Rue, Melrose Plant lisait Rimbaud devant une chope d'Old Peculiar.

De nouveau le chien poussa un grondement rauque, puis il recommença à aboyer, comme il le faisait par intermittence depuis un quart d'heure.

Les rayons du soleil, filtrés par les tulipes bleu céleste et vert foncé qui ornaient la baie vitrée, projetaient un arc-en-ciel sur la table de Melrose Plant. Le chien, un jack russel hirsute, appartenait à Miss Crisp, qui tenait la brocante de l'autre côté de la rue. D'habitude, il grimpait sur une chaise disposée devant la boutique, mais ce jour-là il avait traversé la chaussée et s'était assis dans la neige en face de la Forge. Et il s'obstinait à grogner.

— Dick, dit Melrose Plant, j'attire votre attention sur le comportement étrange de ce chien en plein jour.

A l'autre bout de la salle, Dick Scroggs, le patron, cessa d'astiquer le miroir biseauté situé derrière le bar.

— Pardon, milord ?

— Rien, dit Melrose Plant. Je paraphrasais simplement Sir Arthur.

— Sir Arthur, milord ?

— Sir Arthur Conan Doyle. Vous savez, Sherlock Holmes...

Melrose but une gorgée de bière et se replongea dans Rimbaud. Mais il ne put lire que quelques lignes avant que le chien reprenne son raffut.

— En toute franchise, dit-il en refermant sèchement son livre, je croyais que ce genre d'aboiement n'avait lieu que la nuit.

Scroggs était toujours en train de briquer son miroir.

— Le jour ou la nuit, tout ce que je demande, c'est que ce maudit chien la ferme. Il me rend dingue. Comme si je n'avais pas déjà les nerfs à vif depuis qu'il y a eu ce meurtre chez Matchett !

Malgré sa taille imposante et sa corpulence, Scroggs était une petite nature. Depuis qu'un crime avait été commis à Long Piddleton, il ne cessait de regarder par-dessus son épaule et dévisageait avec suspicion les étrangers qui franchissaient le seuil de la Forge.

Melrose Plant songea que c'était sans doute cette affaire qui lui avait fait penser à Conan Doyle. Même si les assassinats sont beaucoup plus captivants dans la fiction que dans la réalité, il fallait bien admettre que celui-ci n'était pas dépourvu de style : la tête de la victime avait été enfoncée de force dans un tonneau de bière.

Et le vacarme continuait.

Ce n'était pas le genre d'aboiement par lequel un chien salue un congénère par-dessus une clôture. Le bruit n'était pas particulièrement fort, mais sa persistance était insupportable. A croire que l'animal s'était posté devant la Forge pour y monter la garde et délivrer son message canin à la Terre entière.

Scroggs jeta son torchon et se dirigea vers la rangée de fenêtres situées juste derrière la table de Plant, et qui donnaient sur la Grand-Rue. Des flocons de neige entrèrent dans la salle quand il ouvrit l'un des vantaux.

— Je vais sortir m'occuper de toi, satané clébard ! Tu ferais bien de te méfier !

— Où est passé votre flegme britannique ? dit Melrose en chaussant ses lunettes cerclées d'or et en rouvrant son Rimbaud.

Cette édition originale des *Illuminations* lui avait coûté une petite fortune. Sur le coup, il s'était dit qu'il avait bien mérité de célébrer dignement son quarantième anniversaire, mais à présent il n'en était plus aussi certain.

Les menaces n'avaient fait qu'aggraver la situation, car le chien savait désormais qu'on lui prêtait attention. Scroggs ouvrit la porte et sortit pour lui montrer qu'il ne plaisantait pas. Plant avait réussi à lire une partie d'« Enfance », lorsque soudain il entendit la voix entrecoupée de Scroggs :

— Mon Dieu ! Venez vite, milord !

Encadré par la fenêtre, au milieu des flocons, le visage de l'aubergiste était aussi livide que les gargouilles qui ornaient les solives extérieures et donnaient à son vénérable établissement un petit air ecclésiastique.

Plant sortit du pub, pataugea dans la couche de neige qui lui montait à la hauteur des chevilles, et rejoignit Dick Scroggs et le petit jack russell au pelage marron. Debout côte à côte, l'homme et le chien regardaient en l'air.

— Bonté divine ! murmura Melrose Plant tandis que résonnaient les douze coups de midi.

Un paquet de neige se détacha de l'enseigne fixée sur la poutre qui faisait saillie au-dessus du trottoir. Mais il ne s'agissait pas de l'automate habituel : un forgeron qui sonnait les heures en abattant son marteau sur une enclume.

— On dirait M. Ainsley, milord, lâcha Scroggs d'une voix tremblante. Il est arrivé hier soir et a pris une chambre. Je me demande depuis combien de temps il est là.

Melrose Plant était d'ordinaire d'un sang-froid à toute épreuve, mais compte tenu des circonstances il préféra s'éclaircir la gorge avant de répondre :

— Difficile à dire. Peut-être depuis des heures. Voire depuis hier soir.

— Et personne ne l'a remarqué ?

— Il est à six mètres au-dessus du sol, Dick, et recouvert de neige.

Plop. Sous l'effet du soleil, un nouveau paquet de neige s'écrasa à leurs pieds.

— Je suggère que l'un d'entre nous aille chercher le sergent Pluck au poste de police.

Ce ne fut pas nécessaire. Les aboiements du chien et leur présence en face de ce spectacle macabre avaient tiré la Grand-Rue de sa torpeur ouatée ; des gens apparaissaient aux fenêtres, sur le seuil des boutiques et au débouché des ruelles. Melrose vit le sergent Pluck sortir du poste de police et se diriger vers eux dans son manteau bleu marine.

— Quand je pense que la patronne se demandait s'il allait commander un petit déjeuner ! grogna Dick.

— Dans l'état où il est, dit Melrose Plant en nettoyant les verres de ses lunettes, je crois que la nourriture n'a plus grande importance pour M. Ainsley.

La Forge était coincée entre le magasin d'antiquités de Marshall Trueblood et une mercerie judicieusement baptisée « la Boutique », qui ne renouvelait que deux fois par an, à Noël et à Pâques, sa devanture de pelotes de laine, de couvre-théières et d'échantillons de tissus. En face se trouvaient un petit garage, la boucherie Jurvis, un magasin de vélos mal éclairé et la brocante de Miss Crisp. Un peu plus loin, juste avant le pont qui enjambait la Piddle River, on apercevait le poste de police de Long Piddleton.

Le pub avait longtemps arboré une peinture bleu outre-mer tout à fait mémorable. Mais son trait le plus remarquable était l'ornement de façade auquel il devait son nom : debout sur une poutre, Jack le Forgeron brandissait une reproduction d'un marteau de forge du XVIIe siècle. Quand la grosse horloge accrochée sous la poutre sonnait les heures, la statue de bois levait son marteau et l'abattait sur une enclume.

La poutre faisait saillie à environ six mètres au-dessus du trottoir ; elle mesurait deux mètres de long sur une soixantaine de centimètres de circonférence. La figurine (à présent détachée de son socle) était presque de la taille d'un homme. A l'origine, elle affichait une veste bleu roi et un pantalon bleu outre-mer, mais avec le temps les couleurs avaient passé, des cloques s'étaient formées, et la peinture était partie en lambeaux. Jack était un sujet rituel de plaisanteries, surtout parmi les enfants du village, qui s'amusaient quelquefois à le travestir ou à le décrocher de son enseigne. Il était même devenu une sorte de trophée : il arrivait qu'une bande de vauriens originaires du bourg voisin de Sidbury l'emmènent en otage, obligeant ainsi leurs confrères de Long Piddleton à organiser une expédition punitive pour récupérer ce qu'il fallait bien appeler la mascotte municipale.

Le 5 novembre précédent, lors de la fête de Guy Fawkes, plusieurs gamins s'étaient introduits dans le pub pendant que Dick et la patronne dormaient à poings fermés. Après avoir gravi l'escalier de service et pénétré dans le débarras qui surplombait la poutre, ils avaient détaché Jack de son socle (opération rendue très facile par des années de farces du même acabit) et étaient allés l'enterrer dans le cimetière de l'église St Rules.

— Pauvre Jack ! s'était lamentée Mme Withersby, assise comme à son habitude au coin du feu. Il n'a même pas eu des obsèques chrétiennes. Ils l'ont enterré comme un chien, dans un carré de terre non consacré. Ça va nous apporter le mauvais sort, moi je vous le dis. Pauvre Jack !

Comme les pouvoirs prophétiques de Mme Withersby étaient un tant soit peu émoussés par le gin, on ne lui avait guère prêté attention. Pourtant le mauvais sort était bien là. Vingt-quatre heures seulement avant la découverte du corps de M. Ainsley, on avait trouvé un autre cadavre dans une auberge située à guère plus d'un kilomètre de la Grand-Rue de Long Piddleton : un gentleman du nom de William Small.

En apprenant qu'un tueur rôdait dans les parages, les villageois s'étaient calfeutrés chez eux — ce qu'ils auraient fait de toute façon à cause de la neige. Celle-ci tombait depuis deux jours sur le comté de Northampton, et sur tout le nord de l'Angleterre. Une jolie couche de poudreuse recouvrait les toits et s'amoncellait sur le rebord des fenêtres, dont les vitres reflétaient les tons mordorés et rubis des feux de bois qui flambaient à l'intérieur. Avec les flocons qui voletaient et les volutes de fumée qui s'élevaient des cheminées, Long Piddleton ressemblait à une carte postale — en dépit du meurtre.

Les chutes de neige s'étaient interrompues dans la matinée du 19 décembre, et un soleil bien franc avait fait fondre le manteau blanc qui masquait les cottages, révélant ainsi des couleurs riantes, voire un brin audacieuses. Jusqu'au pont, la Grand-Rue présentait un visage qu'en fonction de son goût on pouvait qualifier de fascinant, de séduisant ou de franchement bizarre. Un peu comme si des peintres en bâtiment dérangés s'étaient donné rendez-vous à leur sortie de l'asile. Las du sobre calcaire si typique du comté de Northampton, ils avaient choisi des couleurs tapageuses dignes d'un marchand de glaces : rouge fraise, jaune citron, vert pistache, vert émeraude. Quand le soleil était haut dans le ciel, la rue scintillait littéralement. Le soir, le pont aux nuances feuille morte devenait presque acajou, de sorte que les enfants avaient l'impression de marcher entre d'énormes sorbets pour rejoindre un pont en chocolat.

Bref, ce n'était vraiment pas le théâtre idéal pour un crime. Et encore moins pour deux crimes.

— Pourriez-vous m'expliquer dans quelles circonstances le corps a été découvert, monsieur ? demanda le commissaire Pratt, de la police du comté de Northampton, qui était arrivé la veille à Long Piddleton.

Melrose Plant lui relata les faits, tandis que le

sergent Pluck notait ses propos avec zèle. Ce dernier était d'une maigreur presque cadavérique, mais son visage de chérubin, d'un rose encore avivé par la morsure de l'hiver, évoquait une pomme d'amour de fête foraine. Pluck était un fort brave type, malgré son penchant pour les ragots.

— D'après vous, cet Ainsley était un étranger dans la région ? demanda le commissaire Pratt en consultant son carnet. Tout comme l'autre victime, un certain... William Small.

— Oui, pour autant que je sache, répondit Melrose.

Pratt le dévisagea avec des yeux bleu clair qui n'étaient certainement pas aussi naïfs qu'ils en avaient l'air.

— Vous avez des raisons d'en douter, monsieur ?

— Bien sûr, commissaire. Pas vous ?

— Je prendrai un whisky, Dick. Sans eau, s'il vous plaît. Et servez-vous-en un, vous aussi.

Depuis le départ de Pratt et des spécialistes de la police scientifique, Melrose Plant et Dick Scroggs étaient de nouveau seuls à la Forge.

— C'est pas de refus. Vous parlez d'un gâchis !

Scroggs était encore livide, bien que plusieurs heures se soient écoulées depuis l'examen du corps par le médecin légiste et son transport dans un sac en plastique. Le commissaire avait chargé Pluck d'apposer les scellés sur la chambre de la victime, et c'est ainsi qu'ils avaient découvert avec effroi la touche de Grand Guignol ajoutée par le meurtrier à son forfait : Jack, le forgeron de bois, était couché dans le lit du mort.

Rien d'étonnant, donc, à ce que Dick Scroggs ramassât d'une main tremblante la pièce de 50 pence que Melrose Plant venait de poser sur le comptoir. Ils restèrent un bon moment à examiner leur verre en silence, chacun perdu dans ses pensées.

Ils n'étaient d'ailleurs pas tout à fait seuls, puisque Mme Withersby, qui faisait parfois le ménage chez Scroggs pour pouvoir s'offrir à boire, était assise sur son tabouret habituel et crachait dans le feu — un feu entretenu en permanence depuis au moins un siècle. Elle aussi, entre beaucoup d'autres, avait été interrogée par Pratt.

Voyant que les deux hommes allaient s'en jeter un petit derrière la cravate, elle s'approcha en traînant ses vieilles savates. La commissure de ses lèvres était ornée d'un mégot et d'une coulée de bave. Elle saisit le premier entre le pouce et l'index et essuya la seconde d'un revers du poignet.

— Milord paie sa tournée ? s'exclama-t-elle.

Dick Scroggs interrogea Plant du regard.

— Bien entendu, dit Melrose en déposant un billet d'une livre sur le comptoir. Rien n'est trop beau pour la femme avec laquelle j'ai dansé une nuit entière à Brighton.

Dick s'apprêtait à lui servir un whisky lorsque Mme Withersby protesta :

— Gin ! Je veux du gin, pas cette espèce de lavasse.

Puis elle s'assit au bar à côté de son bienfaiteur. Ses cheveux jaunâtres étaient hérissés sur sa tête, comme si elle venait de contempler une vision d'épouvante. Elle regarda Dick remplir son verre.

— En ajoutant une pincée de poudre de taupe desséchée, ça nous protégerait du palu.

De la poudre de taupe ? s'interrogea Melrose en ouvrant son élégant porte-cigarettes.

— Ma maman gardait toujours un morceau de taupe déshydraté à la maison. Si vous en prenez neuf jours de suite mélangé avec du gin, ça vous remet d'aplomb pour un bout de temps.

Ou cela vous envoie rouler sous la table, songea Melrose. Il tendit son porte-cigarettes à Mme Withersby, qui en prit deux. Elle s'en planta une entre les lèvres et fourra l'autre dans la poche de sa robe à carreaux.

— Moi, au moins, j'ai répondu franchement. On peut pas en dire autant de la reine des folles à côté.

Du pouce, elle désigna la boutique d'antiquités de Trueblood, dont les penchants sexuels étaient pour les villageois l'objet de sempiternelles discussions.

— Cessez de vous répandre en allégations irréfléchies, dit Plant.

Il lui alluma sa cigarette, et pour toute récompense elle lui souffla sa fumée en plein visage. Son haleine mêlée de tabac, de bière et de gin évoquait les remugles d'un port de commerce.

— Et v'là maintenant ce dingo lâché dans la nature, au milieu des innocents, grogna Mme Withersby. Sauf qu'il a rien d'humain, l'assassin. C'est le diable en personne, je vous le garantis. Je savais qu'il y aurait un mort le jour où cet oiseau est tombé dans ta cheminée, Dick Scroggs. On va bientôt voir marcher les morts ! Prenez-y garde ! On va bientôt voir marcher les morts !

Elle était tellement excitée qu'elle faillit tomber du haut de son tabouret. Mais elle se calma en constatant que son verre était vide et que personne ne songeait à le remplir. Elle fit appel à la ruse :

— Et comment se porte votre brave tante, milord ? Quelle femme généreuse ! Toujours prête à me payer un coup.

Melrose fit signe à Scroggs de la resservir. Dès qu'elle eut son verre de gin en main, elle reprit :

— Une vie toute simple, pas fière pour un sou, et tous les ans elle distribue ses cadeaux de Noël.

Tandis que Mme Withersby vantait les mérites de la tante de Melrose et que celui-ci s'apprêtait à avaler un morceau d'œuf mariné, Dick fut pris d'une violente quinte de toux. La commère lui cita aussitôt le remède approprié :

— Dites à la patronne de faire rôtir une souris. Ma mère avait toujours un bout de souris rôtie contre la toux.

Melrose contempla l'œuf qui tremblotait dans son assiette et décida qu'en fin de compte il n'avait pas faim. Il régla l'addition et prit congé très courtoisement de Mme Withersby, ivrogne de service, pharmacienne de garde et oracle du village.

2

Dimanche 20 décembre

— Ces meurtres me rappellent des événements survenus à l'Autruche, dans le bourg de Colnbrook, dit le pasteur.

Il mordit à pleines dents dans son gâteau, et son plastron se couvrit de miettes de pâte frite et de sucre en poudre. Lady Agatha Ardry lui répondit entre deux bouchées :

— Je suis persuadée que nous avons un nouvel Éventreur parmi nous.

— Ma chère tante, intervint Melrose Plant, Jack l'Éventreur ne s'intéressait qu'aux femmes. Et de petite vertu, de surcroît.

Lady Ardry termina sa pâtisserie et s'épousseta les mains.

— Celui-ci n'est peut-être pas normal, dit-elle en foudroyant le pasteur du regard. Mais vous ne m'avez rien laissé, Denzil !

A travers les fenêtres à meneaux du presbytère, on voyait une pluie délicieusement anglaise recouvrir le cimetière d'un voile léger. L'église

St Rules se dressait sur une modeste butte dominant la place du village. Elle se trouvait de l'autre côté du pont situé dans le prolongement de la Grand-Rue, dans un environnement beaucoup plus sobre. La place était entourée de bâtiments de style Tudor, recouverts de chaume ou de tuiles en S, et douillettement accolés les uns aux autres.

Melrose n'aimait guère venir prendre le thé au presbytère, surtout quand sa tante était invitée. La gouvernante du pasteur n'avait rien d'un cordon-bleu : ses gâteaux auraient pu servir de projectiles à l'armée britannique en cas d'épuisement des munitions. Melrose passa en revue le plateau de pâtisseries, en quête d'un objet comestible. Les rochers congolais méritaient bien leur nom, les religieuses devaient dater du mariage de la reine Victoria, et les petits pains de Bath avaient dû venir à pied. Cela faisait près de deux heures qu'il écoutait sa tante et le pasteur radoter sur les deux meurtres, et il commençait à mourir de faim. D'une main fébrile, il s'empara d'un biscuit au cognac et demanda poliment :

— Vous avez mentionné un établissement nommé l'Autruche ?

Ainsi encouragé, le révérend Denzil Smith démarra au quart de tour :

— Oui. Quand l'aubergiste accueillait un client d'apparence aisée, il lui donnait une chambre dans laquelle le lit était fixé sur une trappe. Dès que le malheureux dormait profondément, sans se douter de rien, la trappe s'ouvrait, et il était précipité dans un chaudron d'eau bouillante.

— Vous ne pensez tout de même pas que Matchett et Scroggs puissent infliger le même sort à leurs hôtes, mon révérend?

Lady Ardry trônait dans la bibliothèque, aussi solide, avenante et grise qu'un bloc de béton, les jambes croisées, tels des jambons, avec un second gâteau aux raisins secs dans ses doigts boudinés.

— Non, non, répondit le pasteur.

— Il s'agit à l'évidence d'un psychopathe dément, dit Lady Ardry.

Melrose Plant ne releva pas le pléonasme et demanda:

— Qu'est-ce qui te fait penser que le tueur est un fou, Agatha?

— Tu es sot ou quoi? Quelle personne sensée irait s'amuser à disposer un cadavre sur une poutre? A six mètres au-dessus du sol?

— King Kong? suggéra Plant en reniflant d'un air méfiant son biscuit au cognac.

— Melrose, dit le révérend Denzil Smith, vous semblez prendre cette horrible histoire un peu à la légère.

Lady Ardry s'adossa dans son gigantesque fauteuil de style victorien.

— N'attendez aucune compassion de sa part, Denzil. A force de vivre dans une maison immense avec pour seule compagnie ce Ruthven, il ne faut pas s'étonner s'il n'est plus très sociable.

Melrose soupira. Le fait de venir prendre le thé au presbytère était pourtant une preuve d'extrême sociabilité. Mais sa tante avait le chic pour nier l'évidence. Il commença à grignoter le biscuit avec d'infinies précautions, et le regretta aussitôt.

— Alors ? dit Lady Ardry.

Melrose haussa les sourcils :

— Alors, quoi ?

Elle empoigna la théière et remplit les tasses.

— J'aurais cru que tu serais plus bavard à propos de ces meurtres. Tu étais tout de même sur place avec Scroggs. Mais bien sûr, c'est Dick Scroggs qui a découvert le corps. Tu n'as donc pas éprouvé le choc que j'ai ressenti quand je suis descendue dans cette cave et que j'ai vu ce M. Small enfoncé dans son baril de bière.

— Ce n'est pas toi qui l'as trouvé, c'est Daphne Murch.

Melrose se passa la langue sur le palais : la crème avait un arrière-goût métallique. Mais même une boulette empoisonnée aurait été moins nocive que la conversation d'Agatha.

— Es-tu sûre que la crème de ces biscuits au cognac n'a pas tourné ? Ils ont un goût étrange.

Il reposa le gâteau dans sa soucoupe en se demandant dans combien de temps la voiture viendrait le rechercher.

— Il y a eu une affaire semblable en... 1892, dit le pasteur. Une certaine Betty Radcliffe, la patronne de la Cloche. Une auberge du Norfolk. Assassinée par son amant, un jardinier, si je ne m'abuse.

Denzil Smith n'était pas particulièrement pieux, mais sa curiosité d'esprit faisait de lui un excellent compagnon pour Lady Agatha Ardry. Ils étaient très liés, un peu comme deux gibbons qui ont besoin l'un de l'autre pour s'épouiller mutuellement. Il était le dépositaire de la mémoire du village et de toute la région, une sorte de chronique locale ambulante.

Aux yeux de Melrose, le presbytère était un cadre qui lui convenait à merveille. Sombre et aussi poussiéreux que les fruits en cire conservés sous des cloches de verre. Une chouette empaillée, les ailes écartées, était fixée sur le manteau de la cheminée. Les fauteuils et le canapé aux bras énormes, recouverts de chintz, arboraient des pieds incongrus en forme de pattes d'animaux, de sorte que Melrose avait l'impression de prendre le thé dans l'antre d'un grizzli. Des tiges de clématite et de liseron masquaient en partie les fenêtres. Il se demanda quel effet cela faisait d'être étranglé par un liseron. Ce n'était sans doute pas pire que d'avaler un rocher congolais. Du coup, il songea au meurtre de William Small : on l'avait étranglé avec un de ces morceaux de fil de fer qui servent à maintenir le bouchon sur les bouteilles de champagne.

Lady Ardry mentionna alors la visite très attendue de Scotland Yard :

— La police du comté a appelé le Yard. Je le tiens de Pluck. Je me demande à qui ils vont confier l'affaire.

Melrose Plant bâilla :

— A ce brave Swinnerton, sans doute.

Elle se redressa sur sa chaise, les lunettes

remontées sur ses cheveux gris frisés, à la manière d'un pilote de course.

— Swinnerton ? Tu le connais ?

Il regretta aussitôt d'avoir inventé ce patronyme (n'y a-t-il pas toujours un Swinnerton dans les parages ?), car à présent elle allait ronger cet os comme un vieux chien. Parce que Melrose était né avec son titre (alors qu'elle n'avait acquis le sien que par mariage), elle s'imaginait qu'il connaissait tout le monde, depuis le bas de la hiérarchie jusqu'au Premier ministre. Il préféra changer de sujet :

— Je ne sais pas pourquoi ils ont besoin du Yard, alors qu'ils t'ont sous la main, Agatha.

Elle lui tendit les ignobles gâteaux en minaudant pour le remercier d'avoir reconnu son génie.

— C'est vrai, je construis des intrigues assez captivantes.

Depuis quelque temps, Long Piddleton attirait des artistes et des écrivains, et Lady Ardry, qui vivait là depuis une éternité, s'était soudain piquée de reprendre le flambeau après la mort de la Reine du Crime. Mais en fait de flambeau, elle se contentait de l'agiter, et ses fameux romans policiers en étaient encore au stade du brouillon. Elle les couvait, elle les dorlotait, mais il n'en était encore rien sorti de tangible, et Melrose attendait toujours qu'elle lui montre une de ses « intrigues captivantes ».

Agatha se donna un coup de poing dans la paume de la main.

— Je suis certaine que Scotland Yard voudra m'interroger sur-le-champ.

— Je vais vous laisser, dit Melrose en se levant et en s'inclinant légèrement.

Il redoutait de devoir entendre sa tante raconter pour la énième fois son rôle dans les deux assassinats.

— J'aurais cru que tu serais un peu plus enthousiaste, dit Agatha. Mais il est vrai que c'est Scroggs qui a découvert *ton* cadavre.

Elle ne voulait à aucun prix donner trop d'importance au témoignage de son neveu.

— C'est plus précisément un jack russell qui l'a repéré. Et c'est probablement ce chien que le Yard interrogera en priorité. Au revoir, Agatha.

Tandis que le pasteur le raccompagnait jusqu'à la porte du presbytère, la voix de Lady Ardry s'éleva sous la voûte gothique de la bibliothèque :

— Tu ne devrais pas tourner en dérision une affaire aussi épouvantable, Melrose. Mais au fond ça ne m'étonne pas de toi.

La voix de stentor s'éleva encore d'un cran et rattrapa Melrose dans le hall d'entrée :

— N'oublie pas que nous dînons ce soir chez Matchett. Passe me chercher à 9 heures.

Melrose Plant, accablé par le destin, dut encore prêter l'oreille au pasteur, qui lui raconta le meurtre effroyable d'une serveuse, perpétré quelques années auparavant dans un pub de Cheapside.

3

Le manoir d'Ardry End était surnommé par les
villageois la Grande Maison. Ses tours et ses tou-
relles de grès rouge arboraient toute une palette de
roses et de fauves, en fonction de l'inclinaison du
soleil. Les abords étaient aussi élégants que le
bâtiment proprement dit, puisque la route fran-
chissait la rivière Piddle sur un pont construit dans
la même pierre, puis traversait des hectares de
prairies verdoyantes, à présent recouvertes de
plaques de neiges. Le cadre était si sublime, avec
ses ruisseaux, ses moutons et ses collines aux couleurs lavande, que Lady Agatha Ardry aurait
pleuré de rage à l'idée de ne pas en être la propriétaire. Elle n'avait jamais accepté que son mari ne
soit pas le huitième comte de Caverness et dou-
zième vicomte Ardry, mais simplement l'honorable Robert Ardry, l'humble frère cadet du père
de Melrose Plant. Quand celui-ci avait abandonné
son titre de Lord Ardry, elle s'était empressée de
le récupérer et du jour au lendemain s'était bom-
bardée « Lady » Ardry. L'oncle de Melrose était
mort à l'âge de cinquante-neuf ans dans un casino,

après avoir dilapidé ses dernières livres sterling, condamnant ainsi sa veuve à dépendre de la générosité de son frère. Le père de Melrose était un membre très actif de la chambre des Lords et le vice-président d'une compagnie d'agents de change. A sa mort, il avait laissé une fortune supérieure à toutes les attentes et assuré une pension confortable à la veuve de son frère.

Les marbres et les parquets d'Ardry End étant pour elle hors d'atteinte, Agatha multipliait les allusions à « la présence indispensable d'une femme dans une telle demeure ». Melrose feignait de croire qu'elle souhaitait ainsi le pousser au mariage, alors qu'à l'évidence elle redoutait par-dessus tout l'arrivée d'une épouse : elle priait avec ferveur, il en aurait mis sa main au feu, pour qu'une maladie rare l'emporte précocement et qu'elle hérite de ses biens — hypothèse d'autant plus vraisemblable qu'elle ne lui connaissait aucun autre parent.

Melrose Plant considérait sa tante comme un boulet légué par son oncle. Un boulet ramassé par l'honorable Robert Ardry à Milwaukee, Wisconsin, durant un voyage aux États-Unis. Oui, Agatha était américaine... Mais elle tentait de dissimuler ses origines derrière des tailleurs de tweed, des cannes, des chaussures confortables et des sandwiches au concombre ; en outre, elle possédait une bonne oreille pour saisir les expressions typiquement anglaises, même si elle était fâchée avec les noms propres.

Tous les prétextes lui étaient bons pour venir à

Ardry End et jeter un coup d'œil plein de convoitise sur les biscuits de porcelaines, les portraits de famille, les paravents chinois, les tentures de William Morris, le jardin d'agrément, les cygnes et autres ornements de cette demeure majestueuse et sereine. Lady Ardry déboulait à l'improviste, à n'importe quelle heure de la journée et par tous les temps. Il fallait avoir les nerfs solides lorsque, entrant à minuit dans la bibliothèque, alors qu'une pluie hivernale tombait à seaux, on voyait surgir à l'extérieur des portes-fenêtres, illuminée par un éclair d'orage, une silhouette en cape noire et au visage blême. Il était également très éprouvant de voir cette masse dégoulinante s'introduire dans la pièce, s'ébrouer comme un gros chien sur les tapis persans et se comporter comme si tout cela était votre faute : pourquoi cette nouille de Ruthven (elle écorchait toujours le nom du majordome) n'avait-il pas répondu à la porte d'entrée ? Puis elle soupirait et lançait un regard désolé sur la bibliothèque, comme si son neveu avait été un aubergiste au cœur de pierre qui lui refusait une chambre et l'obligeait à dormir sur une meule de foin.

Sur son vélo, Melrose respirait à pleins poumons l'air de décembre tout en réfléchissant aux deux meurtres survenus à vingt-quatre heures d'intervalle. Depuis qu'ils avaient été commis, les villageois avaient un autre sujet de conversation que son célibat prolongé. Et ils hésitaient longuement avant de s'aventurer seuls sur une route déserte — ce qu'il était justement en train de faire. S'il n'était pas particulièrement courageux, en revanche il avait un bon sens à toute épreuve. Un rapide examen des événements l'avait convaincu qu'il n'entrait pas dans le schéma opératoire du tueur. Les deux assassinats avaient été perpétrés dans une auberge, et selon des modalités si grotesques qu'elles confinaient à l'absurde. Le tueur avait une idée très précise derrière la tête et semblait prendre du plaisir à échafauder des scénarios diaboliques. Ou du moins il ne rechignait pas aux effets spectaculaires.

Plant roula jusqu'à l'entrée d'Ardry End. La grille de fer était gardée par deux lions dorés posés sur d'imposants piliers de pierre. Sa tante se demandait souvent à haute voix pourquoi ses hôtes n'étaient pas accueillis par quelques molosses de grande race : sans doute avait-elle un peu trop lu *Le chien des Baskerville* dans sa jeunesse. Melrose referma la grille derrière lui et marcha à côté de son vélo en essayant de contempler les abords du manoir avec le regard acéré de sa tante. De chaque côté de l'avenue, deux haies d'aubépines se dressaient fièrement. Il avait presque été obligé d'assommer le jardinier à coups de binette pour l'empêcher de les tailler en sculptures topiaires — art très apprécié par sa plus proche voisine, Lorraine Bicester-Strachan.

Bien qu'Ardry End ne ressemblât pas au château royal d'Hampton Court, M. Peebles, le jardinier, estimait qu'il supportait favorablement la comparaison avec Hatsfield House. Lady Ardry applaudissait à toutes ses tentatives de transformer la propriété en parc d'attraction. Ils s'entendaient comme larrons en foire et rêvaient de planter des hectares d'arbustes ornementaux ou exotiques, de remodeler le paysage, de remanier les vastes prairies livrées par Melrose au vent et aux intempéries. Ils ne songeaient qu'à créer des vues, des panoramas, des *coups d'œil*, peut-être même un Panthéon en miniature de l'autre côté du lac, avec des colonnes corinthiennes éclatantes de blancheur sous un soleil ardent. S'il les avait laissés faire, ses pelouses naturelles et ses bois auraient été étouffés par des boqueteaux artificiels et des figures géométriques tracées au cordeau avec des buissons taillés sans pitié : buis, troènes, épines noires et ifs. Peebles, soutenu par sa tante, avait réussi à lui imposer un étang orné de lis, ceint d'une haie d'ifs, avec en son milieu une petite fontaine très discrète. Il avait tenté de lâcher subrepticement des poissons rouges, mais Melrose lui avait ordonné de les retirer. Pour se faire pardonner, Melrose avait accepté l'arrivée de deux cygnes et d'une famille de canards. Mais ses concessions s'étaient arrêtées là, de peur que Lady Ardry et M. Peebles n'inscrivent son nom sur la pelouse en lettres florales, comme dans un parc municipal.

Le majordome lui ouvrit la porte d'entrée. Non seulement Ruthven était un serviteur de la vieille école, mais on aurait pu croire que tous les majordomes du royaume avaient suivi son enseignement. Melrose le connaissait depuis sa tendre enfance, et il aurait été incapable de dire s'il avait cinquante ou cent ans.

Il en avait hérité en même temps que des portraits, des actions en Bourse et des tentures de Morris. Une seule ombre avait entaché leur longue relation : la décision prise par Melrose de renoncer à son titre après avoir assisté à quelques séances de la chambre des Lords. Melrose lui avait annoncé la nouvelle au petit déjeuner, sur le ton détaché avec lequel on décline une nouvelle assiette de harengs saurs :

— A propos, Ruthven, je vous demanderai de ne plus m'appeler « milord ».

Ruthven s'était figé, comme une statue de pierre, le visage impassible. Il avait incliné la tête et tendu un plat d'œufs frits entourés de saucisses dodues.

— Voyez-vous, il m'a paru inapproprié d'exercer un métier tout en conservant ce titre encombrant. De toute manière, je n'ai jamais été intéressé par ce siège à la chambre des Lords. C'est affreusement ennuyeux.

Plop, avait fait une saucisse en retombant dans le plat. Puis Ruthven avait demandé à son maître de bien vouloir l'excuser, car il ne se sentait pas bien.

Lady Ardry avait accueilli la nouvelle avec des sentiments plus nuancés. D'un côté, elle pouvait enfin prendre sa revanche : elle se rengorgeait à l'idée d'être désormais titrée, alors que Melrose ne l'était plus. Mais d'un autre côté, c'était si peu *anglais* de prendre une telle décision. Comment osait-il rejeter un privilège qui avait exigé des siècles d'efforts et d'éducation irréprochable ? Lors des rares visites de ses lointains cousins d'Amérique, Lady Ardry leur montrait avec orgueil sa « demeure ancestrale » et son cher neveu, « le neuvième comte de Caverness et treizième vicomte Ardry », et ils examinaient Melrose de la tête aux pieds, comme on contemple une œuvre d'art. Elle était donc en proie à un dilemme : au plaisir délicieux de présenter son neveu comme un simple roturier s'opposait le dépit de ne plus susciter l'admiration des visiteurs.

Si à présent elle l'emportait sur le plan de la noblesse, c'était bien le seul domaine où elle pouvait rivaliser avec lui. Il n'était ni richissime, ni beau comme un dieu, ni gigantesque, mais très à l'aise, plutôt joli garçon et d'une taille très respectable. Lorsqu'il ôtait ses lunettes à monture d'or pour essuyer les verres, ses yeux d'un vert pur et lumineux frappaient les observateurs. Et s'il ne s'étendait guère sur sa « profession », il convient de préciser qu'il occupait la chaire de poésie romantique française à l'université de Londres ; il enseignait environ quatre mois par an et laissait résonner les échos de ses cours pendant les huit mois suivants.

Il pouvait donc se prévaloir du titre de professeur, pour le plus grand dépit de Lady Ardry. Il était une sorte de Chat aux neuf vies, de Masque de Fer, de Mouron Rouge : un homme aux multiples facettes qui pouvait sans dommage renoncer à certaines de ses identités.

De plus, il possédait un vice qui causait d'horribles souffrances à sa tante : il était beaucoup trop intelligent. Les mots croisés du *Times* ne lui résistaient jamais plus d'un quart d'heure. Elle l'avait un jour provoqué en duel, mais il lui avait fallu une demi-heure rien que pour comprendre les définitions, de sorte qu'elle avait abandonné, dégoûtée, en prétendant que c'était une occupation puérile et inutile. Le pire, c'est qu'il n'avait même pas besoin de travailler pour vivre... Aussi se prenait-elle pour une malheureuse Cendrillon privée de bal, préposée aux corvées, pendant que certaines personnes (à commencer par Melrose) dansaient des nuits entières, dormaient dans des draps de satin et trouvaient à leur réveil leur petit déjeuner tout prêt et les mots croisés du *Times*.

Assis devant son âtre, Melrose poussa un soupir désabusé. A présent, sa tante allait vouloir appliquer ses prétendues facultés de déduction à ces répugnant assassinats. Et de fil en aiguille, elle allait l'attirer dans cette histoire. De toute manière, il était déjà concerné du fait de sa présence à la Forge le samedi matin. Il n'avait aucune envie de discuter de cette affaire à longueur de journée, ni de s'intéresser aux deux victimes, mais il savait qu'il risquait d'en entendre parler pendant le restant de ses jours.

Par ailleurs, il n'avait pas une confiance aveugle dans les facultés de déduction de Scotland Yard.

4

Lundi 21 décembre

L'inspecteur principal Richard Jury s'abrita les yeux, comme un homme aveuglé par le soleil, et dévisagea d'un air soupçonneux le commissaire Racer. Celui-ci était assis de l'autre côté d'un bureau entièrement vide — il était prompt à se décharger de son travail sur les autres — et fumait paisiblement un gros cigare. Son autre main tripotait la chaîne de montre qui pendait entre les deux poches de son gilet. Il portait une chemise bleu pâle à manchettes françaises et un costume en tweed de Donegal fait sur mesure. L'inspecteur Jury considérait son supérieur hiérarchique comme un mélange de dandy, de dilettante et — très accessoirement — de policier.

Jury ne nourrissait aucune illusion sur l'intégrité et le dévouement de ses collègues de New Scotland Yard. Le bobby londonien au casque ovale, toujours prêt à renseigner les touristes, appartenait à la légende. De même que l'inspecteur vêtu d'un complet impeccable dont la silhouette se découpait sur le pas de la porte, et qui déclarait à la maîtresse de maison en robe de chambre : « Ce n'est qu'une enquête de routine, madame. » Non, tous les policiers n'étaient pas des défenseurs flegmatiques et spirituels de la Loi et de l'Ordre. Mais Racer ne relevait franchement pas la moyenne. Dans ses vêtements élégants, il pensait sans aucun doute à son prochain dîner ou à sa dernière conquête avec laquelle il allait le partager, laissant à Jury et à ses pairs le soin de régler les problèmes.

Les doigts toujours en visière, Jury l'examina avec l'espoir qu'il s'agissait d'une mauvaise plaisanterie :

— Un type avec la tête enfoncée dans un tonneau de bière ?

— Vous n'avez jamais entendu parler du duc de Clarence ? répondit Racer avec un sourire aigrelet.

Le commissaire aimait rivaliser d'esprit avec Jury et, comme tous les masochistes et tous les joueurs, il ne déclarait jamais forfait malgré ses défaites systématiques. L'inspecteur le devança, l'empêchant ainsi d'étaler le peu d'érudition dont il disposait :

— Il s'est noyé, c'est du moins ce qu'on raconte, dans un tonneau de Malmsey.

Vexé, Racer fit claquer ses doigts comme pour rappeler un chien.

— Venons-en aux faits.

Jury soupira. On venait de lui fournir un résumé des deux meurtres du comté de Northampton, et

Racer lui demandait de tout répéter comme un vulgaire magnétophone. Or, le commissaire était toujours à l'affût de la moindre erreur.

— La première victime, William Small, a été retrouvée dans la cave à vins du Mauvais Sujet. Étranglée avec du fil de fer et la tête enfoncée dans un tonneau de bière. Le propriétaire brasse lui-même sa bière à l'occasion...

— Ces vieilles auberges sont trop souvent rachetées par des brasseurs ! Je préfère les pubs en gérance libre...

Racer sortit son petit cure-dents en or, s'attaqua aux molaires du fond et fit signe à Jury de poursuivre son exposé.

— La seconde victime, Rufus Ainsley, a été découverte à la Forge, sur une poutre en bois située au-dessus de l'horloge, à la place de l'habituel forgeron...

De nouveau, Jury regarda Racer en espérant qu'il allait lui avouer que c'était un canular. Mais le commissaire gardait un mutisme obstiné, comme si les lutins du conte de fées étaient venus lui coudre les lèvres. Le plus insupportable dans son attitude, c'est qu'il avait l'air de trouver tout cela parfaitement naturel. Puisque le duc de Clarence avait connu un sort semblable, il n'y avait pas lieu de s'étonner en face d'une tête enfoncée dans une barrique de bière.

— L'une des serveuses de l'auberge, Daphne Murch, a découvert le corps de William Small, et elle a appelé son patron, Simon Matchett. Il y avait pas mal de monde au bar, et tous les témoins ont déclaré ne pas connaître la victime. Selon le propriétaire, Small était arrivé le jour même et lui avait demandé une chambre. Le second assassinat a été commis vingt-quatre heures plus tard. Le corps d'Ainsley a été disposé sur la poutre à la place de l'automate...

Il s'interrompit, car ce meurtre en forme de mauvaise blague lui faisait froid dans le dos.

— Continuez.

— Il semblerait que le corps ait été descendu par la fenêtre d'un débarras situé juste au-dessus de la poutre. La hauteur de cette poutre et la neige expliqueraient que personne n'ait rien remarqué pendant plusieurs heures. Les deux victimes étaient donc des étrangers arrivés à Long Piddleton à un ou deux jours d'intervalle...

— Un ou *deux* jours ? Qu'est-ce que c'est que cette salade ? Où vous croyez-vous, Jury ? A un concours de pronostics ? Sur un champ de courses ? Le métier de policier consiste à être précis !

Il venait d'enfourner son gros cigare dans sa bouche lorsque son interphone bourdonna. Il pressa un bouton.

— Oui ?

L'une des filles de la documentation l'informa que le dossier du comté de Northampton venait d'arriver.

— Dans ce cas, apportez-le-moi en vitesse, grogna Racer.

Fiona Clingmore fit son entrée et prit bien soin de respecter l'ordre des priorités : elle adressa un sourire chaleureux à Jury avant de remettre une enveloppe en papier kraft à Racer. Elle portait une de ses habituelles tenues 1940 : chaussures à hauts talons noires munies d'une bride boutonnée, jupe noire très ajustée, corsage en nylon noir à manches longues évoquant un négligé. Comme toujours, elle dévoilait un décolleté profond et une longueur de jambes vertigineuse. A croire qu'elle portait le deuil de sa virginité, songea Jury.

Le commissaire la déshabilla du regard, vêtement après vêtement, comme on pèle un oignon, avant de la chasser d'un revers de main. Elle sortit après avoir lancé une œillade à Jury. Racer se fit sarcastique :

— Vous êtes un sacré séducteur, Jury ! A présent, pourrions-nous en revenir aux choses sérieuses ?

Il étala plusieurs photos sur son bureau et tapota la première de l'index.

— Small, William. Assassiné le 17 décembre entre 9 heures et 11 heures du soir, d'après les gars du comté de Northampton. Quant à Ainsley, il a trouvé la mort le 18 septembre après 7 heures du soir. Vingt-quatre heures d'intervalle. Ni l'un ni l'autre n'ont été identifiés. Nous ne connaissons leurs noms que parce qu'ils ont signé les registres. Small est descendu du train à Sidbury, mais nous ignorons sa gare de départ. Aucun lien n'a été établi avec un habitant du village. Voilà le topo. Ils ont dû tomber sur un dingue.

Racer entreprit alors de se curer les ongles avec un canif.

— J'aurais préféré qu'ils nous appellent tout de suite, dit Jury. Maintenant la piste est froide...

— Oui, mais ils ne nous ont pas appelés, mon vieux. Allez-y et débrouillez-vous. Vous voudriez vous faciliter la vie, Jury, mais le métier de policier est un long calvaire. Il serait temps que vous vous en rendiez compte.

Jury le regarda refermer son canif et s'enfoncer le petit doigt dans l'oreille : sans doute n'avait-il pas eu le temps de faire sa toilette chez lui.

A l'évidence, Racer était furieux de devoir lui confier l'affaire. Tous les membres de la brigade criminelle estimaient que Jury aurait dû être commissaire à sa place. Mais Jury s'en moquait un peu. Il n'avait aucune envie de diriger le service, et encore moins de perdre son temps à traiter les plaintes déposées contre d'autres policiers. N'ayant ni femme ni enfant à sa charge, il pouvait se contenter d'un salaire plus modeste mais amplement suffisant pour ses modestes besoins. Et puis ces questions hiérarchiques ne signifiaient pas grand-chose. Il connaissait de simples agents de police dont les compétences et l'expérience valaient bien celles de Racer et de tous ces personnages considérables qui vivaient sur leur petit nuage.

— Quand voulez-vous que je parte, monsieur ?

— Hier, répliqua Racer.

— J'ai toujours le crime de Soho...

— Vous voulez parler de ce restaurant chinetoque ?

Le commissaire fut interrompu par la sonnerie du téléphone.

— Oui ?

Un rictus peu amène se dessina sur ses lèvres minces.

— Oui, il est ici. 1,85 mètre, cheveux châtains, yeux gris foncé, dents saines, sourire charmeur. C'est bien notre ami Jury. Dites-lui qu'il la rappellera. Nous sommes occupés.

Racer raccrocha si brutalement que plusieurs stylos tressautèrent sur le bureau.

— Si l'on excepte le « sourire charmeur », la description aurait aussi bien pu s'appliquer à un cheval.

— Puis-je vous demander qui voulait me parler ? demanda Jury sans se départir de son calme.

— Une serveuse du restaurant de Soho.

Racer consulta sa montre et se souvint qu'il avait lui aussi un rendez-vous. Il lança le dossier en direction de Jury.

— Emmenez Wiggins avec vous. Il ne fiche rien de la journée, en dehors de soigner son maudit rhume.

Jury soupira. Comme d'habitude, Racer ne le laissait pas choisir son adjoint. Le sergent Wiggins était un jeune homme vieilli prématurément à force de s'inventer des maladies. Un brave type, efficace, mais toujours à deux doigts de tomber dans les pommes.

— Bien, je vais le prévenir, et nous partirons demain matin de bonne heure.

Racer était déjà en train d'enfiler un pardessus

merveilleusement coupé. Jury ignorait d'où provenait l'argent de son supérieur. De pots-de-vin ? Au fond cela lui était égal. De nouveau, le commissaire consulta sa montre-bracelet en or massif.

— Je dîne au Savoy. Je suis attendu par une amie.

Il mima des formes opulentes avec une mine lubrique et se retourna une dernière fois sur le pas de la porte :

— Et s'il vous plaît, Jury, n'oubliez pas que vous travaillez dans mon service. Quand vous serez dans ce trou perdu, envoyez-moi vos rapports, pour changer.

Jury parcourut le long couloir — un couloir bien terne comparé à l'élégance toute victorienne de l'ancien siège de Scotland Yard. Ici, pas trace de marbre ni d'acajou. Même si l'ancien bâtiment était exigu et bourré à craquer, il le regrettait. En arrivant à la porte de son bureau, il constata que Fiona Clingmore rôdait dans les parages — prétendument par le plus grand des hasards. Elle achevait de boutonner son manteau noir.

— Alors, inspecteur Jury, vous avez enfin terminé votre journée ? dit-elle, pleine d'espoir.

Jury lui sourit et décrocha son pardessus du porte-manteaux. Comme ses collègues étaient tous partis, il éteignit la lumière et referma la porte. Elle paraissait moins jeune de près que de loin. Une petite toque était perchée tout en haut de ses cheveux jaunes empilés en chignon.

— Fiona, savez-vous à quoi vous me faites penser ? A ces vieux films des années 1940, lorsque les soldats américains envahissaient Londres et tombaient amoureux des petites Anglaises.

Elle pouffa :

— Je n'étais même pas née à l'époque.

Elle avait raison, bien sûr, et pourtant elle semblait débarquer d'une autre planète. Même si elle ne frôlait pas encore la quarantaine, elle ne devait plus en être très loin.

— Je ne crois pas que mon jules apprécierait de vous entendre me parler comme ça, inspecteur Jury, minauda-t-elle.

Elle mentionnait sans cesse ce jules que personne n'avait jamais vu. Jury en avait déduit depuis un certain temps que son existence était plus que douteuse. Elle en avait peut-être eu un, mais ce n'était plus le cas. Devant son sourire implorant et ses yeux vides, il ressentit une bouffée de compassion, presque de solidarité.

— Écoutez, je dois me rendre à Soho pour une enquête. Comme il s'agit d'un restaurant et que je n'ai pas encore dîné... Voulez-vous manger un morceau avec moi ? Je peux bien m'offrir une petite pause.

Elle abaissa ses cils chargés de mascara et répondit :

— Je ne sais pas si mon jules serait d'accord, mais...

— Jules n'a pas besoin d'être au courant, non ?

Elle releva la tête, et il lui adressa un clin d'œil appuyé.

Peu avant minuit, Jury put enfin échapper aux Chinois de Soho et au bavardage incessant de Fiona. Lorsqu'il émergea de la station de métro Angel, il était si fatigué qu'il se serait volontiers passé de prendre un train dès le lendemain matin pour le comté de Northampton. Il se consola en songeant qu'il ne serait pas déplaisant de quitter Londres pendant quelques jours, voire pendant quelques semaines. Il n'avait nulle part où aller fêter Noël, si ce n'est chez son cousin, qui habitait une maison minable et dont les deux enfants étaient insupportables.

Il souleva la brique disposée à l'entrée du métro pour prendre un exemplaire du *Times*, déposa quelques pièces sur la maigre pile et regagna son logement.

Il s'était mis à neiger — une fine poudreuse assez sèche, et non pas les gros flocons humides qui s'accrochent à vos cils et vous restent collés sur la langue. Jury aimait la neige, mais pas la variété londonienne qui se transforme en bouillie grisâtre et ne sert qu'à gêner la circulation. Les flocons tombaient de plus en plus drus, un peu comme du sucre en poudre, et lui cinglaient le visage tandis qu'il remontait Islington High Street en direction d'Upper Street. Il bifurqua dans Camden Passage, dont il appréciait beaucoup le silence inquiétant à cette heure de la nuit ; celui-ci n'était rompu que par le froissement des petits bouts de papiers emportés par le vent. Le marché de Camden Head était fermé et les stands des brocanteurs démontés. Aux heures d'ouverture, la place était bondée, et Jury traînait parfois dans le coin pour observer le travail des pickpockets. Son voleur à la tire préféré, un certain Jimmy Pink, était un habitué de Camden Passage : il était capable de vous arracher votre poche avec son contenu sans que vous vous rendiez compte de rien. Jury l'avait coincé si souvent qu'il avait fini par lui suggérer de louer un stand.

Il prit ensuite par Charlton Place et Colebrook Row, une voie en arc de cercle bordée de jolies demeures qui ne lui auraient pas déplu, puis arriva dans sa propre rue. La plupart des maisons avaient été partagées en appartements ; elles étaient un peu décrépies, mais plutôt agréables à vivre, car il y avait un petit jardin en face, dont les résidents possédaient la clef.

Jury occupait un appartement au second étage. Il voyait rarement les cinq autres locataires du fait de ses horaires particuliers, mais connaissait très bien la dame qui habitait l'appartement en demi-sous-sol, Mme Wasserman. Il vit briller une lumière derrière les grilles robustes et les rideaux. Hiver comme été, deux géraniums se faisaient face de chaque côté des marches. Et, comme toujours, Mme Wasserman n'était pas encore couchée.

Il entra chez lui et alluma le plafonnier. Le spectacle de la pièce en désordre le consterna comme à l'accoutumée : on aurait dit que des cambrioleurs venaient de retourner tout l'appartement et de s'enfuir en catastrophe. C'étaient surtout les livres qui donnaient cette impression. Ils s'empilaient sur les étagères et sur les tables. Son bureau se trouvait près de la baie vitrée donnant sur le jardin. Il alla y déposer son dossier et retira son manteau. Puis il s'assit afin d'examiner une fois de plus l'invraisemblable série de photos.

La première, prise dans la cave à vins du Mauvais Sujet, était sombre et gâtée par le grain, mais on distinguait avec une netteté surprenante le corps presque sans torse. La tête et les épaules de la victime étaient enfoncées dans un tonneau d'environ un mètre de haut et destiné à de la bière de fabrication artisanale, et le reste du corps pendait sur le côté.

Jury était perplexe. Pourquoi le meurtrier, après avoir étranglé Small avec du fil de fer, s'était-il donné la peine d'exécuter une mise en scène aussi grotesque?

La photographie de la Forge était encore plus bizarre. Le corps de Rufus Ainsley était maintenu par une étroite barre métallique prévue pour fixer l'automate sur la poutre. Cette barre avait été glissée à l'intérieur de la chemise, puis l'assassin avait noué une corde à mi-hauteur et recouvert le tout en boutonnant le veston. On voyait des plaques de neige encore intactes sur ses épaules. Pour dissimuler le cadavre, il l'avait disposé à la vue de tous — la meilleure des cachettes. Étant de petite taille — environ 1,67 mètre —, la victime pouvait aisément être confondue avec le forgeron de bois. Personne ne pouvait dire combien de temps se serait écoulé avant qu'un passant ne la remarque, car les gens ne voient que ce qu'ils s'attendent à voir.

Là encore, une question se posait : pourquoi une pareille mise en scène ?

Il rangea les photos, ouvrit un tiroir et glissa l'enveloppe à côté d'un petit cadre dont on ne voyait que le dos. Jury avait ôté ce portrait de son bureau, mais n'avait pu se résoudre à le jeter. Dans sa jeunesse, il n'avait jamais songé à se marier. A présent il y pensait. Mais en quarante ans, il n'avait pas rencontré beaucoup de femmes qui lui inspirent ce genre de sentiment ; Maggie était l'une d'entre elles.

Il était en train de fermer le tiroir à clef lorsqu'on frappa à sa porte. Il alla ouvrir. La femme qui se tenait sur le seuil se tordait les mains d'angoisse.

— Inspecteur Jury, il est encore là. Je ne sais pas quoi faire. Pourquoi ne me laisse-t-il pas tranquille ?

— Je viens de rentrer, madame Wasserman.

— Je sais, je sais, et j'ai horreur de vous déranger, dit-elle avec un geste d'impuissance.

Elle était corpulente et portait une robe noire ornée d'une broche en filigrane. Ses cheveux bruns étaient ramenés dans un chignon très strict. En la voyant se malaxer les doigts et remonter nerveusement la manche de son gilet jusqu'au coude, il ne put s'empêcher de songer à un ressort prêt à se détendre.

— Je descends avec vous, dit Jury.

— Ce sont les mêmes chaussures, inspecteur. Vous savez, je le reconnais à ses chaussures. Que me veut-il ?... Pourquoi ne me laisse-t-il pas en paix ?... Vous croyez que ma grille est assez solide ?... Pourquoi revient-il sans arrêt ?...

Ils descendirent jusqu'à son appartement.

— Vous voulez que je jette un coup d'œil ? demanda Jury.

— Oui, s'il vous plaît.

Elle porta les mains à son visage, comme si le simple fait de regarder dehors avait pu les mettre en danger tous les deux. Située juste en face de sa porte, une petite fenêtre s'ouvrait au niveau du trottoir.

— Il n'y a personne, madame Wasserman.

Il le savait d'avance. La crise se reproduisait tous les deux mois environ. Mme Wasserman consacrait une bonne partie de son temps à observer les pieds qui passaient à la hauteur de ses yeux sur le trottoir, et dont elle ne distinguait pas les propriétaires. Elle faisait une fixation sur une paire de chaussures particulières, qui selon elle revenait sans cesse la harceler. Les Pieds s'immobilisaient devant sa fenêtre. Ils attendaient. Ils la terrorisaient.

Au début, Jury avait tenté de la convaincre que les Pieds n'existaient pas et qu'elle ne courait aucun risque. Jusqu'à ce qu'il s'aperçoive qu'il aggravait encore la situation. Elle avait besoin d'y croire. Depuis un an, il l'avait donc aidée à transformer son appartement en forteresse inexpugnable : grilles renforcées, verrous de sûreté, chaînes, alarmes. Malgré cela, elle continuait à venir le trouver. Chaque fois, il lui conseillait de rajouter une serrure ou un système de sécurité; chaque fois elle éprouvait un énorme soulagement. Il la faisait presque rire en lui affirmant qu'il était plus facile de cambrioler le nouveau siège de Scotland Yard que de s'introduire chez elle. Malheureusement, il avait fini par épuiser son stock d'idées.

Il examina le trottoir et vérifia la solidité de la grille, tandis qu'elle l'observait avec anxiété. Il ne devait pas hésiter trop longtemps, de peur qu'elle ne perde confiance. Alors il sortit une petite pièce ronde et métallique de sa poche.

— Madame Wasserman, je ne devrais pas vous donner cela car ce n'est pas légal...

Il lui sourit, et elle fit de même, ravie de partager un secret avec lui. Il souleva le téléphone, le retourna et fixa le petit disque sur la plaque métallique de l'appareil.

— Voilà. Maintenant, si jamais quelqu'un vous ennuie, vous n'avez qu'à saisir le combiné et à pousser de côté ce dispositif. Mon téléphone sonnera aussitôt à l'étage. Mais écoutez-moi bien : vous ne devez y avoir recours qu'en cas d'urgence absolue, parce que c'est relié au standard de la police et que je risque de gros ennuis.

Le soulagement qui se dessina sur son visage avait quelque chose de pathétique. Il savait qu'elle n'en ferait pas usage : elle voulait seulement être

52

rassurée, et il obtenait ainsi deux mois de répit. Ensuite, la tension remonterait, et les Pieds réapparaîtraient, selon le même schéma que chez un délinquant sexuel ou un toxicomane. Elle avait si peu de moyens pour se distraire de son obsession, elle avait une vie si vide : quand Jury regardait ses petits yeux noirs, il avait l'impression de s'y voir comme dans un miroir.

— Oh ! inspecteur, qu'est-ce que je ferais sans vous ? C'est un tel soulagement de vivre à côté d'un authentique policier de Scotland Yard.

Elle se dirigea vers la cheminée ornée d'une bûche électrique et saisit un paquet sur le manteau de plâtre blanc.

— Votre cadeau de Noël. Allez-y, ouvrez-le.

— Je ne sais pas quoi dire. Merci beaucoup.

Il défit le ruban et le mince papier. C'était un livre. Un beau livre : reliure en cuir, lettres dorées et marque-pages en soie noire. L'*Énéide* de Virgile.

— Je vous ai vu lire ça un jour au restaurant. Vous vous souvenez ? Je sais que vous adorez lire. Pour moi, ces choses-là sont trop compliquées. C'est de l'hébreu ! Je me contente de magazines de cinéma, de romans à l'eau de rose et de ce genre de bêtises. Alors, ça vous plaît ?

A l'évidence, elle espérait de tout son cœur avoir fait le bon choix.

— C'est formidable, madame Wasserman. Sincèrement. Joyeux Noël à vous aussi. Vous vous sentez mieux maintenant ?

Jury remonta l'escalier avec son livre. Pauvre Mme Wasserman ! Dans quelles circonstances avait-elle vu ces Pieds qui la terrifiaient ? Se trouvaient-ils sur le trottoir ? Sur le paillasson ? Heureusement pour elle, ils s'étaient arrêtés devant sa fenêtre grillagée et n'avaient pas défoncé la porte de sa mémoire.

5

L'auberge anglaise se dresse au confluent de l'histoire, du souvenir et de l'imaginaire. Qui n'a jamais rêvé, du haut d'une galerie de bois, aux diligences entrant dans la cour pavée, au martèlement des fers, à l'haleine des chevaux aussi dense que la brume par une nuit d'hiver ? Qui n'a jamais senti le charme de ces longues bâtisses percées de fenêtres à meneaux ; des ces planchers affaissés et inégaux ; de ces poutres massives et de ces murs recouverts d'objets de cuivre ; de ces cuisines où jadis les rôtis tournaient à la broche sous les jambons suspendus au plafond ? Assis sur un tabouret au coin de l'âtre, les clients de condition modeste buvaient un verre de bière. La patronne, très affairée, menait les servantes à la baguette. Sur le seuil des lourdes portes de chêne, des bataillons de femmes de chambre chargées de draps à l'odeur de lavande, de marmitons, de laquais, de garçons, de palefreniers et d'hommes à tout faire se tenaient prêts à remplir leur service auprès des voyageurs. Ceux-ci devaient parfois se contenter d'une botte de foin ou enjamber des dormeurs pour gagner la salle à manger. Mais l'inconfort de la nuit était vite oublié devant la table du petit déjeuner : pâtés en croûte aux rognons ou au pigeon, feuilletés d'agneau, chopes de bière, petits pains ronds, thé, œufs pochés et épaisses tranches de bacon.

Qui n'est jamais descendu, en compagnie de Mr Pickwick, dans la cour du Lion Bleu à Muggleton ? Qui n'a jamais mangé d'huîtres avec Tom Jones à la Cloche, dans le comté de Gloucester ? Qui n'a jamais souffert avec Keats dans l'auberge de Burford Bridge ? La gorge sèche et l'estomac vide y trouvent toujours un remède sous la forme d'une pinte de bitter et d'un morceau de fromage : stilton veiné de bleu, cheshire écailleux ou cheddar. Chacun connaît d'avance les plaisirs qui l'attendent : le laiton astiqué, le bois ciré, la flambée de bûches, le patron vêtu de tweed ; et puis, à l'étage, les couloirs étroits et sombres, et la chambre douillette mais presque inaccessible : montez deux marches, descendez-en trois, tournez à droite, montez cinq marches, avancez de dix pas, un peu comme dans les parties de cache-cache de notre enfance. Même si les fastes d'antan sont révolus, même si le patron n'est plus qu'un fantôme souriant, ces souvenirs enchanteurs suffisent à nous faire oublier que la livre sterling n'est plus ce qu'elle était.

Le Mauvais Sujet était l'un de ces lieux vénérables : un relais de poste en colombages du

XVIe siècle. Melrose Plant franchit le porche voûté au volant de sa Bentley et se gara dans la cour des écuries désaffectées, là où s'arrêtait jadis la diligence de Barnet, tandis que les sabots résonnaient sur les pavés et qu'au-dessus, dans les galeries, des femmes légères adressaient des gestes suggestifs aux laquais. Aux yeux de Lady Ardry, cet établissement incarnait la quintessence de l'auberge anglaise. A la belle saison, la clématite rivalisait avec les roses grimpantes pour étendre ses vrilles sur la façade. Construite sur une colline exposée au sud, la longue bâtisse semblait constituée d'éléments disparates réunis par un architecte ivre. Enchâssées dans un toit de chaume, ses fenêtres aux vitres en losanges donnaient sur le village de Long Piddleton, par-delà les champs dont l'aspect variait au fil des saisons : verdoyants en été, recouverts d'argent par le givre ou noyés par la brume en hiver.

Lorsque Melrose Plant et Lady Ardry arrivèrent, l'obscurité rendait l'entrée bien éclairée encore plus accueillante. Le Mauvais Sujet était une auberge indépendante, et son propriétaire avait bien l'intention de ne pas se laisser avaler par une chaîne de brasseries.

Simon Matchett, le maître des lieux, leur souhaita la bienvenue sur le seuil. Il se montra très chaleureux avec Agatha, mais se contenta d'un petit signe de tête et d'un sourire crispé à l'égard de Melrose. Ce dernier n'aimait guère Matchett, car derrière sa courtoisie de façade, il devinait la vulgarité de l'arriviste intéressé uniquement par l'argent et la position sociale. Pour être juste, il se demandait parfois si cette antipathie n'était pas le fruit de la jalousie. Matchett, en effet, avait beaucoup de succès auprès des femmes, et Melrose n'appréciait pas du tout les excellents rapports qu'il semblait entretenir avec Vivian Rivington.

Le passé de Matchett — une autre femme avait été plus ou moins impliquée dans la mort tragique de son épouse — accentuait encore son image romantique, un peu comme ces cicatrices qui autrefois balafraient le visage des duellistes. Mais cette histoire était si ancienne que même Lady Ardry n'avait pu en reconstituer les détails.

Agatha et Simon Matchett traversèrent en bavardant le hall d'entrée aux lumières tamisées, orné de scènes de sports et d'oiseaux empaillés. Derrière eux, Melrose s'appuya contre un mur, effleurant avec le haut du crâne un couple de faisans aux couleurs passées. Il observa les gravures sur le mur opposé : une diligence se renversait, projetant ses passagers sur un talus enneigé, puis elle entrait joyeusement dans la cour du relais de poste, saluée par une accorte jeune femme. Melrose s'étonna qu'à l'époque les voyages en diligence fussent considérés comme un sport, au même titre que le rugby ou le jeu de boules. Alors que sa tante et Matchett se dirigeaient vers le bar sans se soucier de lui, il s'approcha de l'escalier étroit qui montait jusqu'aux chambres mansardées du premier étage. Une autre série de gravures représentait des grouses et des faisans suspendus par les pattes. A droite se trouvait la salle à manger, dont le plafond bas à poutres apparentes reposait sur plusieurs blocs de pierre monolithiques qui délimitaient une succession de renfoncements dans lesquels les tables étaient réparties. Ces blocs de pierre brute donnaient un air bizarre à la pièce. Selon sa tante, il s'agissait d'un ancien réfectoire monastique, et elle avait sans doute raison. Melrose, quant à lui, avait toujours l'impression de dîner sur le site préhistorique de Stonehenge. Mais cet aspect glacial était atténué par les tapis persans, les bouquets de fleurs coupées, les lampes à globes rouges posées sur les tables et les assiettes en cuivre étincelantes qui recouvraient les murs. Twig, le vieux serveur, s'efforçait d'avoir l'air occupé en disposant des serviettes rouges dans les verres à eau. Pendant ce temps, la petite Daphne Murch abattait la vraie besogne : elle apportait un plateau surchargé à deux douairières très guindées qui s'étaient installées dans un renfoncement. Il n'y avait pas grand monde ce soir-là ; peut-être le meurtre récent avait-il refroidi certains clients.

Twig marmonnait des reproches à l'adresse de Daphne Murch. Pauvre Daphne ! Elle faisait toujours tout de travers. Il lui arrivait même de trouver des cadavres à la cave !

— Melrose ! s'écria Lady Ardry. Tu comptes rester longtemps à rêvasser près de la salle à manger ? Allez, viens !

Une vraie tata qui morigène son neveu en culotte courte...

Agatha s'était assise à une petite table, devant la baie vitrée, en prenant soin de choisir un siège bien rembourré et de laisser le banc à Melrose. Matchett se prélassait à sa droite. Les vitres en losange reflétaient les lueurs dansantes de la gigantesque cheminée, où des bûches énormes étaient empilées n'importe comment dans l'âtre de pierre, sans la protection d'un pare-étincelles. Les flammes jaillissaient, se recroquevillaient, puis bondissaient de nouveau, comme sous le coup de la colère. Inconscient de se trouver aux portes de l'enfer, un gros chien au pedigree douteux somnolait devant le feu. Lorsque Melrose fit son entrée, il ouvrit un œil et le regarda traverser la salle. Dès que Melrose se fut assis, il étira sa carcasse velue et se dirigea lourdement vers la table. Melrose n'avait jamais compris pourquoi cet animal l'aimait autant, parce que ce sentiment était loin d'être partagé et qu'il s'efforçait d'ignorer ses avances. Mais autant essayer d'ignorer un mammouth : l'énorme boule de poils lui fourra sa truffe sous le bras.

— Descends de là, Mindy, ordonna Matchett sans grande conviction.

Twig vint prendre leurs commandes : un martini pour Melrose, un pink gin pour Agatha. Celle-ci croisa les bras sur son ample poitrine et dit :

— A présent, mon cher Matchett, vous allez faire venir Murch. Peut-être se souviendra-t-elle d'un nouvel indice.

Melrose jugeait totalement stupide l'habitude prise par sa tante d'appeler les hommes par leur nom de famille (« mon cher Matchett », « mon cher Plant »). Plus personne ne s'exprimait ainsi en dehors du sanctuaire inviolable des clubs masculins, peuplés de vieilles momies poussiéreuses. Et il savait qu'elle bouillait d'interroger Daphne Murch sur le ton d'un inspecteur de Scotland Yard.

— Pourquoi ne laisses-tu pas cette pauvre fille tranquille ? demanda-t-il en craquant une allumette pour allumer son cigare.

— Parce que cette sinistre affaire m'intéresse, contrairement à toi. Et qu'elle va peut-être se rappeler un détail bizarre.

— Je présume qu'on peut qualifier de détail bizarre le fait de trouver la tête d'un client dans un tonneau de bière. Il est même difficile d'imaginer quelque chose de plus bizarre.

— Il vaut mieux la laisser en paix, acquiesça Matchett. Cette histoire l'a bouleversée, Agatha.

Lady Ardry se renfrogna. A l'évidence, elle avait espéré obtenir des informations pour étayer le récit de son propre rôle dans la découverte du corps — récit qu'elle trouvait le moyen d'enjoliver chaque fois qu'elle en faisait profiter un nouvel auditeur. A l'inverse, la petite Murch n'avait jamais varié d'un iota dans son témoignage, sans doute parce qu'elle craignait d'être envoyée en cour d'assises à la moindre incohérence.

— Et vous, Plant, quelle est votre opinion ? demanda Matchett, tandis que Twig posait les verres sur la table.

Melrose examina son cigare d'un air méditatif.

— Je pense comme Oscar Wilde que le

meurtre est une erreur. Il ne faut jamais commettre un acte qu'on ne puisse avouer à des amis.

— Tu es d'un cynisme..., commença Agatha.

Mais elle s'interrompit car Matchett se levait pour aller accueillir deux clients.

— Voici Oliver et Sheila.

Melrose vit sa tante mimer plusieurs sourires avant de choisir le bon. Elle les détestait autant l'un que l'autre, mais se gardait bien de le laisser paraître. S'il partageait son antipathie à l'égard d'Oliver Darrington, Melrose estimait en revanche que Sheila était une brave fille. Elle se présentait comme la « secrétaire » de Darrington, mais tout le monde savait qu'elle était sa maîtresse. Et malgré son allure de starlette au bras du producteur, Melrose la soupçonnait d'être deux fois plus intelligente que lui — ce qui n'avait d'ailleurs rien d'une performance. Mais elle préférait mettre en évidence ses formes généreuses et son visage avenant. Melrose n'était pas très attiré par ce genre de joli petit lot, mais il comprenait que beaucoup d'hommes le soient. Ce qui lui plaisait, c'étaient les femmes au regard clair et franc, comme Vivian Rivington, par exemple. Les yeux de Sheila, au contraire, étaient si maquillés qu'il avait parfois l'impression d'avoir en face de lui une ravissante otarie.

Les nouveaux arrivants posèrent leur manteau sur le dos d'une chaise et entrèrent aussitôt dans le vif du sujet, au désespoir de Melrose.

— Oliver a une théorie, dit Sheila.

— Une seule ? ironisa Melrose en contemplant

au-dessus du bar une tête d'élan dont les lèvres en plâtre craquelées auraient eu besoin d'être rafraîchies par un taxidermiste.

— Elle est extrêmement brillante, dit Sheila. Laissez-moi vous l'exposer.

Melrose bâilla :

— Qu'est-ce qui est extrêmement brillant ?

— La théorie d'Oliver ! dit Sheila en faisant la moue. Sur les meurtres. Vous ne m'avez pas écoutée.

— Ne vous occupez pas de Melrose, intervint Lady Ardry, il n'écoute jamais personne.

Quand sa tante ajusta son col de fourrure en renard, Melrose eut l'impression que l'animal l'implorait de ses petits yeux de verre. Puis il se retourna vers l'élan. Était-il en train de devenir un amoureux de la faune sauvage ?

Sans se soucier de ses objections, Sheila se pencha au-dessus de la table et débita la théorie d'Oliver :

— Quelqu'un en veut à Long Piddleton. Quelqu'un qui a été maltraité par le village. La blessure a suppuré pendant des années, et aujourd'hui il se venge.

— Pourquoi ne jette-t-il pas son étoile dans la poussière ? demanda Melrose en faisant tomber la cendre de son cigare. Comme Gary Cooper dans *Le train sifflera trois fois* ?

Il adorait les vieux westerns. Sheila écarquilla les yeux, et Oliver abandonna son petit sourire supérieur. Agatha commanda un second pink gin.

— Je vous ai dit de ne pas vous occuper de lui, Sheila. Faites comme s'il n'était pas là.

Mais la jeune femme s'entêta :

— Oliver écrit un livre, vous savez. Une sorte de document romancé sur le sujet.

— Sur *ce* genre de sujet ? demanda Melrose.

— Oui, sur les assassinats particulièrement étranges.

— Voyons, Sheila, ne lui raconte pas tout, dit Darrington. Tu sais bien que je n'aime pas parler d'une œuvre en chantier.

Agatha fit grise mine. Il était son principal rival à Long Piddleton, et avait même acquis une modeste réputation d'auteur de romans policiers. Mais depuis sa dernière publication, il était en nette perte de vitesse — ce qui la comblait d'aise.

Oliver eut un petit rire condescendant :

— Qui a dit « Quand j'ai envie de lire un bon livre, je l'écris moi-même » ?

Sans doute toi, pensa Melrose en se retournant vers l'élan.

Malgré le dédain que lui inspirait Darrington, Simon Matchett s'efforça de jouer son rôle de maître de maison.

— Votre théorie est séduisante, Oliver. Une vengeance... Mais il s'agit bien sûr d'un psychopathe.

— Mon Dieu, quelle personne saine d'esprit irait noyer les gens dans la bière ou monterait les accrocher sur une poutre ? Comme les deux victimes sont de parfaits étrangers, quel autre mobile pourrait-il...

Un peu énervé par cette manie de déformer les faits à son avantage, Melrose lui coupa la parole :

— Pour être plus précis, nous *supposons* qu'il s'agit de parfaits étrangers.

Tous les regards convergèrent sur lui, comme s'il venait de sortir un lapin de son chapeau.

— Que voulez-vous dire ? s'exclama Sheila.

Melrose la vit poser sa main sur celle de Matchett. Bien que prête à tuer la moitié du village pour garder Oliver, elle ne pouvait résister au charme de Simon Matchett.

— A mon avis, intervint celui-ci, il veut dire que quelqu'un connaissait ces deux hommes à Long Pidd. Dans ce cas, qui est responsable ?

— Responsable de quoi ?

— De ces meurtres, mon vieux ! répondit Simon en riant. Puisque vous les attribuez à un habitant de notre cher village.

Melrose regretta de ne pas avoir tenu sa langue. Maintenant, il allait devoir participer à ce petit jeu idiot.

— Vous, probablement.

Tout le monde se figea autour de la table : les mains s'immobilisèrent au milieu d'un geste, les mâchoires se décrochèrent, les verres s'arrêtèrent au bord des lèvres, les cigarettes tremblotèrent. Au milieu de cette nature morte, seul Simon Matchett continuait à rire à gorge déployée.

— Formidable ! Peut-être ai-je défendu l'honneur de mes clientes menacé par les avances répugnantes de William Small ?

Melrose s'émerveilla de la facilité avec laquelle il transformait une insulte voilée en compliment.

— Melrose, dit Agatha, ton sens de l'humour est révoltant.

— Il fait toujours cet effet-là quand on a l'estomac vide, ma chère tante.

6

Mardi 22 décembre

L'inspecteur principal Richard Jury et le sergent Alfred Wiggins descendirent du train de Londres à 14 h 05. A l'autre bout du quai, une silhouette fantomatique se dessina au milieu du nuage de fumée. Lorsque la vapeur de la locomotive se dissipa, il s'avéra qu'elle appartenait au sergent Pluck, de la police du comté de Northampton.

— Le commissaire Pratt vous attend à Long Piddleton, monsieur, dit Pluck en chargeant la valise toute râpée de Jury dans le coffre d'une Morris d'un bleu éclatant. Il vous demande de l'excuser de ne pas être venu vous chercher en personne.

— C'est sans importance, sergent.

Tandis qu'il entrait dans la petite ville de Sitbury, Jury demanda :

— Avez-vous une idée de la raison pour laquelle on a disposé le corps d'Ainsley au-dessus de cette horloge ?

— Bien sûr, monsieur. Le coupable ne peut être qu'un dément.

— Tiens donc, un dément ?

Wiggins était assis à l'arrière dans un état d'immobilité totale ; s'il ne s'était pas mouché régulièrement, on aurait pu douter de son appartenance au monde des vivants.

Ils arrivèrent à un rond-point très embouteillé, mais Pluck ne se laissa pas impressionner pour autant : il s'élança bille en tête, au risque d'envoyer une Mini s'écraser contre le pare-chocs arrière d'une Ford Cortina. Le girophare bleu qui trônait sur le toit dissuada les conducteurs de manifester leur indignation à coups de klaxon.

— Ce n'est pas passé loin, dit Pluck, comme si la faute en incombait aux autres.

Une fois sur la route menant de Sidbury à Dorking Dean, il atteignit rapidement la limite des 40 kilomètres à l'heure, se pencha sur le volant pour monter à 80 et doubla un camion dans un tournant, évitant par miracle une Mercedes noire qui arrivait en face. Voyant que Jury s'était arc-bouté des deux mains sur le tableau de bord, il tapota d'un air rayonnant sur le compteur de vitesse.

— Une sacrée bagnole, n'est-ce pas, monsieur ? Nous l'avons eue le mois dernier.

— Au train où vous la menez, sergent Pluck, vous ne l'aurez peut-être plus le mois prochain. J'imagine que les journalistes fourmillent dans les parages.

— Oh oui ! « Le meurtrier des auberges »,

comme ils disent. Quant aux gens du coin, ils ont tous une peur bleue d'être assassinés dans leur lit.

— Tant qu'ils évitent les chambres d'auberge, ils ont peut-être une chance de s'en sortir.

— Vous avez raison, monsieur. Ah, cette maudite Vauxhall qui se traîne comme un veau !

Pluck rongeait son frein derrière une voiture verte hors d'âge occupée par deux vieillards maigrelets qui ne dépassait pas les 30 kilomètres à l'heure. Mais il préféra prendre son mal en patience plutôt que d'accomplir une nouvelle cascade mortelle en présence d'un supérieur hiérarchique.

Long Piddleton apparut alors en vue. A droite, une rangée de cottages en pierre calcaire échelonnés sur une butte ; à gauche, des vaches dans les prés, puis une autre rangée de cottages aux toits de chaumes ; en travers de la route, un petit ruisseau dans lequel barbotait un canard solitaire. Quand ils tournèrent à gauche, Jury vit une femme vêtue d'un imperméable Burberry franchir précipitamment une barrière recouverte de plantes grimpantes. Elle leva un bras et regarda la voiture avec une telle intensité qu'il s'attendit presque à la voir tendre le pouce.

— A Londres, dit le commissaire Pratt, vous avez dû croire que nous avions perdu la boule ?

— Pour être franc, j'ai cru qu'on nous faisait une blague, répondit Jury tout en continuant à lire

69

la déposition du révérend Denzil Smith. Qui est cette dénommée Ruby Judd ?

Selon le pasteur, sa bonne n'était pas revenue d'une visite à Weatherington, où habitaient ses parents.

— Ah ! oui, Ruby Judd. Je ne pense pas qu'elle ait un rapport avec les meurtres. Miss Judd est... disons... une habituée de ces congés prolongés. Elle a un faible pour les hommes, vous comprenez ?

— Je vois. Mais il semblerait qu'elle ne soit pas du tout allée chez ses parents. Est-elle toujours absente ?

— Oui. Cependant, j'imagine qu'elle préfère donner au pasteur une adresse respectable avant de s'évaporer dans la nature. Je ne connais pas cette fille, mais...

— Moi, je la connais ! s'écria Pluck avec un sourire lubrique. Je pense que le commissaire est dans le vrai, monsieur.

— Je vois, répéta Jury, qui ne comprenait toujours pas comment cette fille avait pu disparaître depuis près d'une semaine. A présent, venons-en à l'identification de William Small.

— Nous n'avons encore rien, dit Pratt. Small est arrivé par le train à Sidbury, puis il a pris le car de Dorking Dean. Le chef de gare l'a reconnu quand nous lui avons montré sa photo. Il se rappelle seulement qu'il est arrivé par le train de Londres à 11 heures du matin. Mais il s'agit d'un tortillard qui s'arrête partout entre Londres et Sidbury, et nous n'avons pas pu déterminer où il était monté. Et si jamais il a pris le train dans la capitale, inspecteur...

Le commissaire écarta les bras pour signifier son impuissance.

— Et l'autre victime, Ainsley ?

— Il est venu en voiture. Nous avons remonté la piste du véhicule jusqu'à un marchand de voitures d'occasion de Birmingham. Vous connaissez la chanson : si vous m'achetez la voiture, je vous refile des plaques d'immatriculation. Le vendeur a joué au crétin avec nous : « Allons, commissaire, je ne suis qu'un pauvre commerçant. Ce type a débarqué avec deux cents billets dans la poche et il voulait absolument cette vieille bagnole... » Je vous fais grâce du boniment. La voiture ne nous a menés nulle part. Je présume que ce n'est pas son vrai nom. En tout cas, il n'y a pas d'Ainsley à l'adresse bidon qu'il a donnée au vendeur.

— Rien de neuf, par conséquent ?

— Non, rien du tout. Vous savez que le ministère de l'Intérieur a un labo à Weatherington, bien entendu. Vous y trouverez toutes les pièces à conviction si vous le souhaitez.

Jury avait peine à croire que les experts de la police scientifique n'aient obtenu aucun résultat. Avec les méthodes modernes, on n'avait plus besoin d'empreintes bien nettes dans le sable ou de gouttes de sang sur le rebord d'une fenêtre.

— Le tueur a tout de même dû laisser quelque chose derrière lui ? Des fibres textiles ou des cheveux ?

— Oh ! il y avait bien des cheveux de la serveuse et du type avec lequel Small a bu quelques verres. Un certain Marshall Trueblood, je crois... Vous réussirez peut-être à établir un lien, mais le mobile n'est vraiment pas évident. En ce qui concerne les empreintes digitales, elles appartiennent toutes à des gens qui avaient accès aux chambres de Small et d'Ainsley : les patrons des deux auberges, les bonnes, et ainsi de suite. Deux des clients qui ont dîné à l'auberge le soir où Small a été tué étaient déjà fichés.

Le commissaire reprit le dossier qu'il avait donné à Jury et chaussa une paire de lunettes.

— Le dénommé Marshall Trueblood et Sheila Hogg, dit-il avec un petit sourire. Une tapette et une prostituée. Enfin, pas exactement. Disons plutôt une actrice de films porno. Très appréciée par la brigade des mœurs.

— Et Trueblood ?

— Dealer à ses moments perdus. Rien d'important. Il fournissait ses petits copains. On a fait une descente chez lui à Londres.

Pratt semblait si épuisé que Jury lui suggéra d'aller se coucher.

— Merci, inspecteur. Ça me fera du bien de dormir un peu. Au fait, nous savons que la signature sur le registre est bien celle de Small, car nous l'avons comparée avec celle du chèque qu'il a rempli pour régler son dîner. En revanche, quelqu'un peut très bien avoir inscrit le nom d'Ainsley sur le registre de la Forge.

— Je ne vois pas pourquoi. Il s'est servi du même nom pour acheter la voiture, n'est-ce pas ?

— C'est exact. Je pensais simplement que l'assassin voulait nous empêcher d'identifier ses deux victimes.

Jury sortit un paquet de Players chiffonné et en alluma une.

— Comment voyez-vous les choses ?

Pratt posa ses pieds sur le bureau et se renversa en arrière.

— Vous voulez mon avis ? Ce Small arrive de Londres, où il s'est mis dans de sales draps. Un de ses petits copains le suit dans ce trou perdu, découvre qu'il a pris une chambre dans cette auberge, et y voit une bonne occasion de lui régler son compte.

— D'autres personnes sont-elles descendues du train à Sidbury ?

— Oui, plusieurs. Nous nous en occupons.

— Donc, il suit Small, puis tue Small *et* Ainsley ?

Pratt l'arrêta de la main :

— Je sais, je sais. Admettons que le petit copain habite à Long Piddleton ou dans les environs. Small et Ainsley s'y retrouvent dans un but que nous ignorons encore. Le petit copain est informé de leur présence, se sent en danger, et s'empresse de les liquider.

Jury acquiesça :

— C'est déjà plus plausible. On peut concevoir qu'Ainsley se soit arrêté ici par hasard, puisqu'il était en voiture. Mais pas Small. Personne ne prend le car qui mène de Sidbury à Long Piddleton sans avoir une idée précise derrière la tête.

— Alors Small devait connaître quelqu'un dans la région. Ou du moins il avait une raison de venir ici. Cela vous semble-t-il prématuré d'en conclure qu'il existe un lien entre les deux hommes ?

— Non, dit Jury. Après tout, ils ont été tous deux assassinés.

Après le départ de Pratt, Jury s'installa à son bureau pour lire les dépositions des témoins qui se trouvaient au Mauvais Sujet le soir du crime. Il fut brusquement interrompu dans son travail lorsque la porte de la petite antichambre s'ouvrit et que Pluck introduisit une dame d'un certain âge vêtue d'un Burberry. Il reconnut la personne qu'il avait aperçue en arrivant à Long Piddleton. A l'évidence, Pluck avait tenté de lui barrer le passage, estimant à juste titre que les habitants du village ne devaient pas entrer dans le bureau de l'inspecteur comme dans un moulin.

— Désolé, monsieur... bredouilla Pluck. C'est Lady Ardry.

— Vous n'avez pas à vous excuser, sergent, dit Agatha. L'inspecteur Swinnerton sera ravi de discuter avec moi.

— Swinnerton ? Non, madame, je suis l'inspecteur Richard Jury. Vous désirez me parler ?

Le visage de Lady Ardry se décomposa quand il déclina son identité, mais elle se reprit vite.

— Inspecteur, je n'aurais pas affronté votre cerbère sans une raison majeure. Bien sûr que je désire vous parler. Ou plutôt c'est vous qui devriez vous réjouir de ma visite. Qui prend des notes ? Inutile de soupirer, sergent Pluck. Si vous et votre commissaire dont le nom m'échappe aviez toute votre tête, vous n'auriez pas eu besoin d'appeler Scotland Yard à la rescousse. Je parie que l'inspecteur voudra entendre mon témoignage.

Jury dit à Pluck d'aller chercher Wiggins pour qu'il enregistre la déposition. Il avait l'impression de s'être fait réprimander par une vieille tante autoritaire.

— Je vous écoute, Lady Ardry.

Elle s'assit, lissa sa jupe et s'éclaircit la gorge.

— C'est moi qui ai découvert le corps. Avec la fille Murch.

A l'entendre, on aurait pu croire que la malheureuse serveuse était sourde, muette et aveugle.

— J'étais en train de me rendre aux... euh... toilettes, quand ladite Murch a surgi de la cave, aussi livide que si elle venait de voir le diable. Elle était hors d'elle. Elle a désigné l'escalier, puis elle s'est effondrée sur une chaise en marmonnant dans son tablier, de sorte que j'ai dû prendre les choses en main. Pendant que les autres se contentaient de la réconforter, j'ai dévalé les marches et je suis tombée sur ce Small. La cave empestait la bière.

— Vous l'avez reconnu, Lady Ardry ?

— Reconnu ? Certainement pas. Il avait la tête dans la barrique. Voyons, mon cher, je ne me suis pas amusée à le sortir de là pour examiner son visage. Je sais parfaitement qu'il ne faut toucher à rien en pareil cas. Je possède une certaine expérience de ces choses...

Jury vit Wiggins avaler deux cachets avec sa tasse de thé. Il connaissait déjà ce témoignage grâce au rapport de Pratt (hormis les rajouts relatifs à l'hystérie de la serveuse et au calme olympien de Lady Ardry) et n'en croyait pas un mot.

— Qu'avez-vous fait ensuite ?

Elle se redressa et appuya son menton sur le pommeau de sa canne.

— J'ai relevé tous les détails, car je savais que ça pouvait être important par la suite. Étant écrivain, je dispose de grandes facultés d'observation. L'homme n'était pas grand, même s'il est difficile d'estimer la taille d'un corps qui pendouille de cette façon. On l'a étranglé, n'est-ce pas ? Son costume en pied-de-poule faisait un peu penser à un bookmaker. Après avoir examiné la pièce et pris des notes mentalement, j'ai rejoint les autres.

— Vous voulez parler des gens qui se trouvaient dans la salle à manger et au bar ? Il y avait pas mal de monde, je crois. Pourriez-vous me dire quelques mots sur ces personnes.

Rien n'aurait pu lui faire plus plaisir. Elle approcha sa chaise du bureau et sortit un bloc-notes de son sac en cuir.

— J'ai jeté quelques idées sur le papier, dit-elle en remontant ses lunettes. Le personnel d'abord, c'est-à-dire Murch et Twig, une petite écervelée et un vieux serveur tout tremblotant et à moitié sénile. Pas vraiment le suspect idéal, j'imagine.

Ensuite, mon neveu Melrose Plant, qui habite Ardry End. La renommée de ma famille est peut-être parvenue jusqu'à vous ? Elle remonte au baron Mountardry of Swaledale — aux alentours de l'an 1600 —, dont le patronyme « Ardry-Plant » a été raccourci en « Plant », marquis d'Ayreshire et de Blythedale, vicomte de Nithorwold, Ross et Cromarty. Le père de Melrose, huitième comte de Caverness, a épousé Lady Patricia-Marjorie Mountardry, la seconde fille du troisième comte de Farquhar. Le père de ce dernier était le commandant Clive d'Ardry De Knopf, quatrième vicomte de...

— Je suis un peu perdu, Lady Ardry. Votre lignée est tout à fait impressionnante, mais elle me donne le vertige.

— Je vous comprends, répliqua-t-elle sèchement. Mon neveu n'a eu qu'à se donner la peine de naître. Il a hérité du titre de Lord Ardry, neuvième comte de Caverness, et de tout le reste. Et cet idiot n'en a pas voulu.

— De quoi n'a-t-il pas voulu ?

— Du titre qu'on lui apportait sur un plateau.

— Ce genre de refus est tout à fait exceptionnel. Quelle raison a-t-il donnée ?

— Oh, il ne voulait pas être obligé d'aller siéger à la chambre des Lords, à Londres, et de laisser Ardry End à la merci des vandales, des squatters et autres nuisances. Je lui ai proposé de garder la maison à sa place et il m'a répondu... je ne sais plus ce qu'il m'a répondu... une bêtise, comme d'habitude. Melrose est souvent incompréhensible. Je crois qu'il est un peu fou.

Elle brandit sa canne, comme pour frapper une effigie de son neveu.

— Enfin, aujourd'hui il s'appelle Melrose Plant tout court.

— Et les autres clients ?

— Il y avait Oliver Darrington et Sheila Hogg.

— Darrington. Ce nom m'est familier. S'agirait-il de ce type qui écrit des romans policiers ?

— Des livres lamentables, oui. Sheila est sa secrétaire... Une de ces mijaurées aux ongles rouge sang, décolletée jusqu'au nombril. Secrétaire est d'ailleurs une façon de parler. Elle ne doit pas être souvent assise devant une machine à écrire. Elle habite avec lui.

Agatha eut un reniflement méprisant.

— Il y avait aussi Vivian Rivington. Une poétesse. Pas très causante. Effacée. Elle porte des vestes en laine marron, et elle a toujours les mains enfoncées dans les poches. Il faut se méfier de ces personnes trop tranquilles, vous ne croyez pas ? Elle a un petit faible pour Melrose, mais on raconte qu'elle va épouser Simon Matchett, le propriétaire du Mauvais Sujet. Un homme absolument délicieux. Il paraît qu'ils sont presque fiancés, mais je n'en ai aucune preuve. Vivian n'est pas du tout le genre de Simon. Ni de Melrose d'ailleurs. Je ne vois pas à qui ce genre de femme pourrait plaire.

— Où se trouvait M. Matchett quand vous avez découvert le corps ?

— Au rez-de-chaussée avec les autres. Lorsque la fille Murch s'est mise à hurler, il a été le premier à se précipiter à la cave. Enfin, après moi. Vous pouvez imaginer sa réaction devant le cadavre d'un de ses clients.

— Bien sûr, dit Jury. Voulez-vous continuer ?

— Isabel Rivington, la demi-sœur de Vivian. Elle a au moins quinze ans de plus qu'elle, mais elle ne les fait pas. A moins que ce ne soit Vivian qui fasse plus vieille que son âge. Une espèce de petite souris pâlichonne. Isabel s'occupe de Vivian depuis toujours et gère sa fortune. En effet, l'argent appartient à Vivian, ou du moins lui appartiendra le jour de ses trente ans ou avant si elle se marie. J'ignore à combien s'élève son patrimoine... Mais c'est une riche héritière. Elle aurait donc intérêt à se marier, non ? Malheureusement, les hommes ne sont guère attirés par ce genre de femme. A moins d'en vouloir à son argent, bien entendu. Le père de Vivian est mort dans un accident. Elle n'aime pas en parler. Je crois que ça lui a un peu dérangé la cervelle.

— D'autres personnes ?

— Lorraine et Willie Bicester-Strachan. Ils ne forment pas le couple le plus uni de Long Pidd. Willie doit avoir cent ans de plus que Lorraine, et ce n'est pas une lumière. Un ami du pasteur : ils picolent ensemble, ils lisent de vieux bouquins et discutent du passé lointain de la région. Ah oui, le pasteur aussi était venu dîner. Franchement, je trouve que les hommes d'Église devraient un peu moins forcer sur le vin rouge, même les jours de

79

congé. Vous n'êtes pas d'accord avec moi ? Le pasteur est un rat de bibliothèque, un passionné d'histoire locale. Voilà, je crois avoir fait le tour...

Après une brève hésitation, elle se donna une grande claque sur le genou.

— Ah, mon Dieu ! J'allais oublier notre antiquaire, Marshall Trueblood. Cette chère Marsha, comme nous le surnommons. Vous voyez ce que je veux dire ? Chemises roses et lunettes aux verres teintés.

— Hum... D'après mes informations, il y avait un cadenas brisé sur la porte de la cave. L'auriez-vous remarqué par hasard ?

— J'aurais dû.

Jury ne releva pas sa réponse ambiguë.

— Votre soirée avait déjà commencé quand William Small est entré dans la salle à manger, n'est-ce pas ?

— Je me souviens vaguement de lui. Je crois que quelqu'un lui a offert un verre. Peut-être Marshall Trueblood.

— Vous rappelez-vous quelle heure il était ?

Elle dévisagea Jury, comme si celui-ci avait pu lui souffler la réponse.

— Pas... précisément. Sans doute avant le dîner. C'est-à-dire avant ou juste après 9 heures. J'avais une faim de loup. En hors-d'œuvre, j'ai pris un cocktail de crevettes, pas très fraîches d'ailleurs...

— Et vous n'avez pas revu Small avant de descendre à la cave ?

— Non. D'ailleurs *personne* ne l'a revu. Il a dû

remonter dans sa chambre. Marshall Trueblood ne vous a pas dit que Small était un peu pompette ?

— M. Trueblood m'éclairera sans doute sur ce point.

Jury était convaincu qu'elle avait un souvenir extrêmement nébuleux de ce qui s'était passé avant la découverte macabre. Il préféra donc changer de sujet.

— Et à propos d'Ainsley ?

— Oh, celui-là ! dit-elle en haussant les épaules.

A l'évidence, elle se souciait fort peu des cadavres qu'elle n'avait pas personnellement fréquentés.

— Étiez-vous à la Forge ce soir-là ?

— Non. Mais je suis passée dire un mot à Scroggs dans l'après-midi.

— Vous n'avez donc rien à ajouter.

Elle dut en convenir à contrecœur.

— Je vous remercie, Lady Ardry.

Jury se leva. Wiggins referma son carnet et demanda une tasse de thé à Pluck, qui lui versa le fond de la théière.

— Je suis désolé, Lady Ardry, dit Jury. Nous aurions dû vous en proposer.

Elle épousseta sa jupe et planta sa canne devant elle avec énergie.

— Ce n'est rien. Je n'ai pas de temps à perdre en mondanités dans de pareilles circonstances. Où êtes-vous descendu, inspecteur ?

Le sergent Pluck, qui était en train d'ouvrir un paquet de biscuits, répondit à sa place :

— Je vous ai retenu une chambre au Mauvais Sujet, monsieur. J'ai pensé que vous aimeriez séjourner sur les lieux du crime.

Lorsque Jury la raccompagna jusqu'à la porte, elle lui saisit la manche et chuchota :

— Puis-je vous dire un mot en privé ?

— Oui, bien sûr.

Ils entrèrent dans une petite pièce donnant sur la rue.

— Inspecteur, comptez-vous interroger mon neveu Melrose Plant sur cette affaire ?

— J'ai l'intention d'interroger l'ensemble des témoins.

— C'est bien ce que je pensais. Le problème — autant être franche —, c'est qu'il existe une certaine animosité entre nous.

— Vous sous-entendez qu'il pourrait essayer de vous impliquer ?

Agatha serra sa canne contre sa poitrine.

— Moi ? *Moi ?* C'est inconcevable !

— Je croyais que...

— Si jamais il ose faire une chose pareille, si jamais il tente de déformer les faits...

Sa main droite se referma sur la canne, tandis que de la gauche elle attrapait Jury par le revers de sa veste.

— Tout le monde ici vous expliquera à quel point il est intelligent. Intelligent, mon œil ! Il donne vaguement un cours à l'université. Mais il a toujours été incapable de décrocher un poste à plein temps. Et ce n'est pas parce qu'il peut terminer les mots croisés du *Times* en moins de quinze minutes que...

— Quinze minutes !

— Eh oui, mon cher monsieur ! Si vous n'aviez rien d'autre à faire que de rester assis au coin du feu avec une bouteille de porto, vous aussi vous feriez des progrès. Mais vous comme moi, nous devons travailler pour gagner notre vie. Nous ne sommes pas nés avec une cuiller en argent dans la bouche. La vérité, c'est que j'ai des droits sur Ardry End. Mon mari, l'oncle de Melrose, s'attendait sans doute à ce qu'il me traite de manière plus généreuse.

Comme Jury ne répondait pas, elle le secoua par la manche :

— Le problème...

— C'est que votre neveu pourrait éventuellement dire des choses désagréables sur votre compte.

— Exactement. Et vous savez désormais qu'il ne faut y prêter aucune attention.

— Je m'en souviendrai.

— Vous avez la tête sur les épaules, inspecteur. Je l'ai su au premier regard.

Sur quoi elle franchit la porte que Jury lui tenait grande ouverte.

Abandonnant Wiggins et Pluck à leurs tasses de thé, Jury sortit sur le trottoir. Debout sous le panneau d'un bleu vif qui indiquait POLICE, il observa la Grand-Rue, fasciné par les couleurs bariolées des boutiques, dont le crépuscule hivernal tempérait l'éclat. Conformément aux heures d'ouverture réglementaires, la Forge était fermée à double tour. Jury mit ses mains en visière pour jeter un coup d'œil à l'intérieur, mais ne distingua que des tables et des chaises à travers la vitre. Le personnel avait sans doute pris son après-midi. Il s'écarta de la fenêtre pour regarder la poutre sur laquelle on avait retrouvé le corps.

C'est alors qu'un homme d'allure plutôt juvénile apparut sur le seuil du magasin d'antiquités mitoyen. Pensant qu'il s'agissait du propriétaire, Jury se dirigea vers lui.

La boutique était installée dans un charmant petit bâtiment Régence, doté de baies vitrées en saillie, et qui par miracle avait échappé au pinceau des peintres.

— Monsieur Trueblood ? demanda Jury en lui présentant son insigne.

— Oui, c'est moi. Je me disais que vous deviez être l'inspecteur de Scotland Yard. Quelle histoire abominable !

— Pourrais-je vous poser quelques questions, monsieur Trueblood ?

— Entrez, entrez. Je viens de mettre une bouilloire à chauffer. Asseyez-vous.

Il indiqua à l'inspecteur un canapé dont les pieds Louis XV ornés de feuille d'acanthe paraissaient bien délicats pour un homme de son gabarit.

— Époque géorgienne, dit Trueblood comme s'il s'était adressé à un client. Une pièce absolument ravissante. Ne vous inquiétez pas, c'est plus solide que ça n'en a l'air.

Trueblood s'installa dans un fauteuil et posa ses mains sur ses genoux. Il portait une chemise turquoise et des verres teintés, confirmant ainsi la description de Lady Ardry. Jury regarda autour de lui tout en sortant un paquet de cigarettes. Si les préférences sexuelles de Trueblood étaient discutables, en revanche il avait un goût parfait en matière de meubles. Il y en avait au moins pour 15 000 livres sterling.

— Monsieur Trueblood, vous vous trouviez au Mauvais Sujet le soir du premier meurtre.

— C'est exact, inspecteur. Le pire, c'est que j'ai même offert un verre à cet homme.

A voir la façon dont il appuya son front contre sa main manucurée, on aurait pu penser que le verre en question contenait de la ciguë.

— C'est ce qu'on m'a dit. De quoi avez-vous parlé ?

Trueblood inspira profondément, comme s'il avait eu besoin de faire le plein d'oxygène pour réfléchir. Ses yeux s'écarquillèrent derrière les verres teintés.

— Nous n'avons parlé que de la météo. Après deux jours de neige, la pluie avait recommencé à tomber à seaux ce soir-là. Le genre de conversation habituel...

— Small n'avait pas l'air tendu, préoccupé ?

— Au contraire, il rayonnait de bonheur.

— De bonheur ?

— Oui, comme quelqu'un qui vient de recevoir

d'excellentes nouvelles ou de gagner aux courses. « Laissez-moâ vous dire, mon p'tit vieux, c'est pas tous les jours qu'un gârs a un coup de bol pareil. » Il jubilait. Mais je n'ai pas pu savoir en quoi consistait ce coup de bol.

— C'était avant le dîner, n'est-ce pas ?

— Oui, vers 8 heures, 8 heures et demie. Il avait déjà mangé. Je me souviens que Lorraine — Lorraine Bicester-Strachan — m'a presque fait descendre de force de mon tabouret pour me conduire à table.

— Et vous ne l'avez pas revu ensuite ? Personne ne l'a vu pendant plus de deux heures.

— Je pense que ce pauvre chéri n'était pas dans son assiette. Il m'a dit qu'il montait dans sa chambre. Il n'avait pas cessé de picoler depuis deux ou trois heures.

Une bouilloire siffla dans l'arrière-boutique.

— Vous allez m'acompagner. J'ai un merveilleux darjeeling et des petits fours sublimes qu'un ami m'a offerts pour Noël.

Sans attendre la réponse, il s'éloigna à petits pas maniérés. Pendant son absence, Jury passa le stock en revue : fauteuils Heppelwhite et Sheraton, secrétaires, commodes, boîtes à thé en citronnier, objets en verre de Waterford dans un meuble à contour brisé. A côté de lui, une pendule en or moulu et panneaux de porcelaine émettait un doux tic-tac ; elle devait coûter l'équivalent de six mois de salaire.

Trueblood revint avec un délicat service à thé sur un plateau d'argent. Jury n'était pas habitué à un tel raffinement. L'anse de sa tasse en forme de conque était si frêle qu'il eut presque peur de la saisir. De minuscules gâteaux recouverts d'un ravissant glaçage étaient posés sur une assiette.

— Vous étiez donc à la Forge vendredi soir ?

— Oui, je suis allé prendre un Campari-citron vers 6 heures.

— Et vous n'avez pas vu le dénommé Ainsley ? Je veux dire un peu plus tard. Il a dû se présenter entre 7 heures et 7 heures et demie.

— Non.

— La Forge dispose bien d'une entrée de service qui est presque toujours ouverte ?

— Oui, et il m'arrive de l'utiliser. Ah ! je vois où vous voulez en venir. Vous croyez que l'assassin est passé par-derrière, comme dans l'affaire Small ?

Jury, qui ne croyait rien de tel, leva les yeux au plafond.

— Vous avez un appartement là-haut ?

— Non, inspecteur. J'y logeais autrefois, mais avec le bruit du pub...

— Vous n'avez donc rien vu ni rien entendu ?

Trueblood secoua la tête avant de porter sa tasse à ses lèvres.

— Et... où habitez-vous ?

— Dans un cottage, de l'autre côté du pont.

Jury se remémora de tête le rapport de Pratt.

— Vous avez vécu à Londres, n'est-ce pas ? A Chelsea, pour être exact ? Vous aviez une boutique sur Jermyn Street ?

— Grands dieux ! s'exclama Trueblood en se

frappant le front avec ironie. Vous autres policiers, vous avez le don de nous mettre notre passé sous le nez.

— Le comté de Northampton n'est pas un endroit très en vue.

Trueblood lui lança un regard rusé.

— Vous voulez dire pour quelqu'un comme moi.

Sa voix, devenue soudain plus grave, trahit son inquiétude, ou son irritation, ou un mélange des deux. Mais il se reprit aussitôt :

— J'en avais assez de Londres. Et on m'avait dit qu'il y avait du beau monde dans ce village : des gens aisés, des artistes, des écrivains.

— Je présume que, de par votre métier, vous connaissez bien les gens d'ici ? Par exemple le gentleman qui dirige le Mauvais Sujet ?

— Simon Matchett ? Un type charmant. Mais tout ce vieux chêne anglais est si vermoulu qu'il ne devrait plus tarder à s'écrouler. Enfin, il faut bien qu'une auberge ressemble à une auberge. Isabel Rivington est amoureuse de cet endroit. A moins que ce ne soit du propriétaire. J'ai peine à imaginer une personne moins rustique qu'Isabel.

En se levant pour tendre l'assiette de petits fours à Jury, Trueblood jeta un coup d'œil à travers la vitrine.

— Tiens, la voilà, toute pomponnée comme un caniche !

— Qui donc ?

— Lorraine Bicester-Strachan, répondit l'antiquaire avec une moue. La reine du Louis XV.

— Vous faites allusion à son compagnon ou au style ?

— Très drôle, inspecteur. Au style. Elle est d'ailleurs incapable de distinguer un original d'une copie. C'est une sale petite garce. Je ne voudrais pas être à la place de Willie, son pauvre mari, même si on m'offrait un meuble signé Oeben. Elle aussi court après Matchett. Elle perd la boule dès que Simon adresse un regard un peu appuyé à Vivian Rivington. De toute façon, elle court après tout ce qui porte un pantalon. Elle a failli ne jamais s'en remettre, cette chère Lorraine, quand Melrose Plant lui a demandé de lui ficher la paix. Plant est un homme de goût. Et l'un de mes meilleurs clients, un grand amateur de la reine Anne Stuart. Ça fait d'ailleurs enrager l'espèce de dingue qui lui tient lieu de tante : elle adore le style victorien. Vous n'êtes pas encore allé chez elle ? Un bric-à-brac cauchemardesque ! Un musée des horreurs !

— Si j'ai bien compris, son neveu s'appelle, ou plutôt s'appelait Lord Ardry.

— Vous vous rendez compte, inspecteur ? Du jour au lendemain, il a renoncé à son titre. Ça ne viendrait à l'idée de personne. Mais justement, Melrose n'est pas n'importe qui.

— Pouvez-vous m'en dire un peu plus long sur Small ?

— Je ne sais pas grand-chose. Quand je lui ai demandé où il se rendait, il m'a répondu en riant : « Je viens d'arriver. » Il m'a fait penser à ces types qui passent leur vie sur les champs de course.

Jury reposa sa tasse et se leva.

— Intéressant. Merci de m'avoir consacré un peu de votre temps, monsieur Trueblood. A propos, vous ne connaîtriez pas par hasard la bonne du pasteur, Ruby Judd ?

Trueblood se trémoussa sur sa chaise, un peu gêné, et se leva à son tour.

— Je la connais, comme tout le monde. C'est en quelque sorte notre belle de nuit locale. Si l'on excepte Sheila. Mais je deviens une vraie langue de vipère... Que voulez-vous savoir sur Ruby ?

— Il semblerait qu'elle ait disparu depuis environ une semaine.

— Ça ne m'étonne pas. La rumeur court qu'elle fréquente des hommes à droite et à gauche.

— Bien, merci encore, dit Jury en regardant les meubles. Vous avez de bien jolies choses ici, mais je ne suis qu'un ignorant en matière d'antiquités.

— Oh ! j'ai peine à croire que vous soyez ignorant dans quelque domaine que ce soit, inspecteur.

Le compliment était sincère, mais non dénué d'arrière-pensées. Jury éprouva une bouffée de sympathie à son égard : il y avait quelque chose en lui qui pouvait attirer aussi bien les hommes que les femmes. Peut-être était-il vraiment homosexuel, mais il en faisait un peu trop avec son foulard de soie, ses verres teintés, ses froufrous et ses minauderies.

Jury s'arrêta sur le seuil du magasin.

— Je me demande ce qu'il voulait dire par là.

— Qui donc, inspecteur ?

— Small, quand il vous a dit : « Je viens d'arriver. » Cela signifie sans doute qu'il avait l'intention de venir à Long Piddleton.

Trueblood éclata de rire.

— Qui voudrait venir ici en plein hiver ? Et un parfait étranger, par-dessus le marché !

— Peut-être n'était-il pas un parfait étranger. Au revoir, monsieur Trueblood.

Lorsque le vieux serveur introduisit Jury et le sergent Wiggins dans le bar du Mauvais Sujet, Simon Matchett était en pleine conversation avec une femme brune, très élégante et d'âge indéterminé : entre trente-cinq et cinquante-cinq ans.

Dès que Matchett eut ouvert la bouche pour se présenter, Jury comprit pourquoi il plaisait tant aux femmes. Si le rapport de Pratt n'avait pas mentionné son âge — quarante-trois ans —, il lui en aurait donné dix de moins. Des cheveux châtains, frisés et coupés court, une tête carrée, des lèvres fines, mais souriantes. Une allure à la fois chaleureuse et très étudiée. Son visage aux traits burinés évoquait un masque aristocratique. Ses yeux bleus comme un ciel d'hiver avaient la faculté de se concentrer sur son interlocutrice, et de la persuader qu'elle était l'unique objet de ses prévenances et peut-être même de ses pensées. Ce jour-là, son regard d'azur était rehaussé par une chemise en laine bleue, dont il avait laissé le col ouvert et roulé les manches au-dessus des poignets.

Cette demoiselle Rivington n'avait rien d'« une

petite souris pâlichonne » ; elle portait une robe de laine bleue très habillée, peut-être choisie pour s'harmoniser avec les yeux de Matchett et pour souligner à quel point ils formaient un couple harmonieux. Un torrent de perles d'ambre russe lui ruisselait presque jusqu'à la ceinture, et elle avait posé son manteau de vison sur le tabouret voisin.

Matchett présenta Isabel Rivington aux deux policiers et leur approcha deux tabourets en chêne.

— Puis-je vous offrir un verre, à vous et au sergent ?

Wiggins, raide comme un bâton, demanda quelque chose de chaud, une tasse de thé par exemple, car il commençait à s'enrhumer. Matchett les quitta pour aller passer la commande en cuisine.

— J'aimerais venir chez vous tout à l'heure, dit Jury à Isabel Rivington. J'ai quelques questions à vous poser.

— Je ne vois pas trop ce que je pourrais ajouter. J'ai déjà répondu en détail au commissaire.

— Oui, je sais. Mais peut-être avez-vous omis un ou deux points secondaires.

— Pourquoi ne pas m'interroger maintenant ?

Elle se tourna vers la porte que Simon Matchett venait de franchir, comme si elle avait eu besoin d'un soutien moral. Puis elle porta à ses lèvres son breuvage d'aspect maléfique et examina Jury par-dessus le rebord du verre. Ses yeux sombres étaient très maquillés, avec des paupières aux ombres lavande et des cils gaînés de mascara.

— J'ai d'abord quelques questions à poser à monsieur Matchett, dit Jury.

Elle reposa son verre et saisit son vison.

— Je suppose que c'est une manière polie de me demander de partir.

Matchett les rejoignit sur ces entrefaites et dit à Wiggins que la cuisinière avait mis une bouilloire à chauffer.

— Bien, je dois m'en aller, dit Isabel Rivington en se laissant glisser du haut de son tabouret. A tout à l'heure, Simon.

Et elle ajouta avec un ton acidulé :

— A moins qu'un nouveau meurtre ne soit commis.

Dès qu'elle fut sortie, Jury envoya Matchett lui chercher le registre de police. En date du 17 décembre, il trouva le nom de William T. Small inscrit en lettres assez grossières.

— Il s'est présenté l'après-midi. Vers 3 heures, je crois. J'allais partir chercher une roue de Stilton à Sidbury. Comme les boutiques ferment de bonne heure le jeudi, je voulais être sûr d'arriver à temps.

— Il n'a mentionné aucune raison particulière de s'arrêter à Long Piddleton ?

— Non, aucune.

Jury dressa alors la liste des clients présents à l'auberge dans la soirée du 17.

— Je n'ai oublié personne ?

— Non. Ah si ! Il y a aussi Betty Ball. Elle m'a apporté les desserts vers 6 ou 7 heures. C'est elle qui tient la boulangerie du village. Si je vous en parle, c'est parce qu'elle est entrée par-derrière, et qu'elle aurait donc pu remarquer la porte de la cave. Mais bien sûr, elle est passée avant les événements...

— Très bien, j'irai la voir, dit Jury. Wiggins !

Le sergent somnolait au coin du feu en compagnie d'un gros chien tout poilu. Il releva brusquement la tête et suivit les deux hommes dans un couloir situé à l'arrière de l'auberge. Juste avant l'escalier de la cave, deux portes ornées de petites silhouettes très coquettes se faisaient face : les toilettes.

— La porte du sous-sol est-elle fermée d'habitude ?

— Non. Nous y descendons toute la journée. La moitié de la superficie est aménagée en cave à vins.

— Tout le monde y a donc accès par ici ?

— Oui, j'imagine. Mais comme je l'ai dit à la police locale, la porte de derrière a été forcée.

Jury ne fit aucun commentaire. Le sous-sol était spacieux. La moitié gauche était encombrée de caisses et d'objets divers. A droite, des rangées de bouteilles étaient couchées dans des casiers, le col légèrement incliné vers le bas. La petite porte donnant sur l'extérieur se trouvait juste en face du bas de l'escalier. Jury et Wiggins examinèrent les charnières rouillées et le verrou encore retenu par un clou au vieux panneau de bois. Ils ouvrirent la porte pour jeter un coup d'œil sur un escalier en ciment recouvert par une couche de feuilles mortes en décomposition. Même un individu d'une force très moyenne aurait été capable d'enfoncer cette porte, mais Jury, contrairement à l'opinion générale, n'était pas certain que cela se soit produit.

— Vous voyez, inspecteur, comme elle était encore intacte dans la journée, il est probable que l'assassin s'est introduit par là.

Jury rentra dans la cave. Entre les rangées de casiers à bouteilles se dressaient de grosses barriques en bois.

— C'est celle-ci, dit Matchett. Depuis un an, j'essaie de brasser ma propre bière. Sans grand succès, hélas! C'est ici que Daphne a découvert le corps... pendouillant... Quelqu'un l'a-t-il suivi jusqu'à Long Piddleton? Avait-il un casier judiciaire?

— Nous n'avons pas encore reconstitué le passé de M. Small. Nous sommes en train de réunir les indices.

— Oui, bien sûr, dit Matchett en replaçant le couvercle de bois rond sur le tonneau désormais vide.

— Désirez-vous voir autre chose ici, inspecteur?

— Non. Je souhaiterais interroger la serveuse, si c'est possible.

Quand ils entrèrent dans la salle à manger, Twig était en train de préparer les condiments tandis que Daphne Murch disposait les couverts sur les tables.

— Twig, Daphne, je vous présente l'inspecteur principal Jury, qui vient de Londres et qui aimerait vous poser quelques questions. Je serai au bar si vous avez besoin de moi, inspecteur.

La jeune fille pâlit et se mit à tirer son tablier, manifestant une inquiétude à laquelle Jury s'attendait.

— Vous êtes donc monsieur Twig?

— Twig tout court, monsieur, répondit le vieil homme au garde-à-vous.

— Et vous, vous êtes Miss Murch? Puis-je vous appeler Daphne?

Il lui adressa son sourire le plus réconfortant, sans se forcer car la malheureuse paraissait prête à s'évanouir. Elle hocha la tête de façon presque imperceptible.

— Je suis sûr que vous avez dit ce que vous saviez au commissaire, mais j'aimerais beaucoup revenir sur certains détails. Peut-être pourrions-nous nous asseoir?

Les deux employés ouvrirent de grands yeux, comme si une telle chose était absolument impensable. Jury approcha une chaise de Daphne, qui s'assit d'un air hésitant.

— Twig, ce soir-là, vous êtes descendu à la cave entre 8 heures et demie et 9 heures. Tout était normal?

— Il devait être 9 heures moins le quart, monsieur. Il n'y avait rien d'inhabituel. Comme je l'ai dit à M. Pratt.

— Le verrou de la porte de derrière était bien fermé?

Twig gratta sa tête chenue.

— La porte était fermée, monsieur. Pas comme nous l'avons trouvée un peu plus tard. Mais je ne pourrais pas vous assurer que le verrou était intact. Je me suis creusé la cervelle pour essayer de me rappeler.

— Très bien. Maintenant, à vous, Daphne...

Elle inspira profondément, comme une élève qui s'apprête à réciter sa leçon à une maîtresse tyrannique.

— Vous avez très bien réagi, Daphne. La plupart des gens n'auraient pas su garder leur sang-froid.

Ce n'était pas ce que Lady Ardry lui avait raconté, mais il n'avait aucune confiance dans son témoignage. Twig émit un petit grognement méprisant.

Les joues de la jeune fille rosirent, et elle se tourna vers Twig avec une énergie renaissante :

— Inutile de grommeler, monsieur Twig. Ce n'est pas vous qui avez descendu l'escalier l'esprit insouciant, pour tomber sur ce malheureux.

Elle porta ses mains à sa bouche, et ses yeux s'emplirent de larmes.

— Cela a dû être une expérience affreuse ? dit Jury.

— Horrible, monsieur. La moitié du corps dans le tonneau, l'autre moitié dehors. Je n'arrivais pas à y croire. On aurait dit une mauvaise plaisanterie. Comme à la fête de Guy Fawkes. Et puis j'ai reconnu M. Small à son costume.

— Qu'avez-vous fait ensuite ?

— J'ai remonté l'escalier en courant, au moment où Lady Ardry sortait du petit coin... Excusez-moi, monsieur. J'avais du mal à parler, car mon cœur battait la chamade. Elle m'a demandé ce qui se passait, et tout ce que j'ai pu faire, c'est lui montrer l'escalier du doigt. Alors elle est descendue, et quelques secondes plus tard, je l'ai entendue hurler. Elle est remontée en quatrième vitesse en poussant des cris d'orfraie. Comme tout le monde devenait dingue, je suis allée me réfugier dans la cuisine.

Jury posa la main sur son bras.

— Merci, Daphne. Je n'ai pas d'autres questions.

Il songea alors que Daphne Murch était sans doute la seule à lui avoir dit la vérité, toute la vérité, rien que la vérité.

Matchett apparut sur le seuil de la salle à manger.

— Inspecteur, si votre sergent et vous-même désirez dîner de bonne heure, ce sera prêt d'ici peu.

Entre-temps, sous prétexte d'avoir pris froid dans la cave humide, Wiggins avait rejoint le chien au coin du feu.

— Volontiers, dit Jury. Auparavant, j'aimerais m'entretenir avec votre cuisinière.

Comme prévu, cette dernière n'avait guère d'informations à lui fournir. Mme Noyes n'avait pas vu William Small, et le meurtre l'avait tellement secouée que Matchett avait eu le plus grand mal à la dissuader de rendre son tablier. Jury la remercia et regagna le bar, où Matchett était occupé à jeter des bouteilles vides.

— En faisant appel à votre mémoire, pourriez-vous me détailler les faits et gestes de Small ce soir-là ?

Matchett versa deux whiskys et réfléchit.

— Il a dîné vers 7 heures, avant l'arrivée des autres. Puis il s'est éclipsé, probablement dans sa chambre, et il est réapparu vers 8 heures ou 8 heures et demie. Il a bu un verre au bar. Je ne me souviens pas de l'avoir revu ensuite.

— Il était avec M. Trueblood ?

— Oui. Je crois que Willie Bicester-Strachan était là également.

— Par conséquent tout le monde l'a vu, ou du moins a pu le voir.

— Oui, je pense. J'étais très occupé, si bien que je n'ai pas noté qui se trouvait là et à quel moment.

— Je présume que tous vos clients n'étaient pas d'une sobriété absolue ? Ce qui rend leurs souvenirs encore plus flous ?

— J'avoue avoir moi-même bu quelques verres. Les fêtes de fin d'année... vous savez ce que c'est.

— Vous ne pouvez pas affirmer que personne n'est descendu à la cave entre le moment où Twig est allé rechercher du vin, vers 9 heures moins le quart, et la découverte du corps par Miss Murch vers 11 heures ?

— Non, dit Matchett en secouant la tête. Mais

il y a quelque chose que je ne comprends pas, inspecteur...

— Quoi donc ?

— Vos questions. Vous semblez croire qu'une des personnes présentes dans l'auberge a... a perpétré ce meurtre. Pourtant, personne ici ne connaissait ce Small.

— Vous voulez dire que personne n'a *admis* le connaître.

Dick Scroggs était en train d'essuyer son comptoir lorsque Jury se présenta à la Forge un peu plus tard dans la soirée. Il déclina son identité et lui montra son insigne, ce qui provoqua des murmures parmi les six habitués, répartis en deux groupes symétriques : trois à gauche, trois à droite. Ils abaissèrent leur casquette sur leurs yeux et piquèrent du nez dans leurs chopes de Bass ou d'Ind Coope. On aurait pu croire que Jury allait les interpeller sur-le-champ.

— On m'avait prévenu que vous étiez dans le village, dit Scroggs en donnant des coups de torchon énergiques. J'imagine que vous avez des questions à me poser ?

— Effectivement, monsieur Scroggs. Pourrions-nous monter dans la chambre qu'occupait Ainsley ?

Jury sentit le regard des clients fixés sur son dos, tandis que Scroggs l'entraînait dans l'escalier branlant. Il lui expliqua que ses trois chambres étaient rarement louées, et qu'il faisait surtout office de pub, contrairement à Simon Matchett. Ainsley lui avait demandé une chambre, sans préciser d'où il venait ni où il comptait se rendre.

La pièce était carrée, mal éclairée et équipée du mobilier habituel : un lit, un bureau et un fauteuil fatigué. Rien de particulier dans le placard. Une lucarne en guise de fenêtre : la troisième sur les cinq de la façade de la Forge.

Scroggs désigna une porte aménagée dans une cloison :

— Elle donne dans la chambre voisine. Mes trois chambres sont communicantes. Comme il n'y avait pas d'autres clients, Ainsley m'a dit qu'il était inutile de les fermer à clef.

— Par conséquent, quelqu'un aurait très bien pu aller de cette chambre jusqu'au débarras sans passer par le couloir ?

— Oui, sans difficulté.

— Très pratique pour le meurtrier...

Ils franchirent la porte, traversèrent une chambre identique à quelques détails près, puis entrèrent dans le débarras, encombré de meubles dépareillés, de vieilles lampes, de valises, de dossiers et de magazines.

La fenêtre à battants, située très bas, était en partie obscurcie par le toit de chaume. Jury l'ouvrit d'une simple poussée. Juste en dessous, à trente centimètres au maximum, il vit la poutre sur laquelle était autrefois perché le forgeron. Le meurtrier n'avait eu qu'à retirer l'automate de son support et à installer la victime sur la poutre.

— Vous avez déclaré au commissaire Pratt qu'Ainsley était arrivé vers 7 heures. Est-ce exact ?

— Oui, monsieur.

— Qu'a-t-il fait ensuite ?

Scroggs se gratta la tête jusqu'à ce que les souvenirs lui reviennent.

— Il a demandé à dîner juste après que je lui ai montré la chambre. Il a mangé vers 8 heures, il est resté assis un moment, et puis il est remonté dans sa chambre. Il devait être 9 heures. Enfin, plus précisément, je *suppose* qu'il est remonté dans sa chambre.

Jury le dévisagea.

— Précision très intéressante, monsieur Scroggs. Vous voulez dire qu'il aurait pu sortir ? Par une porte de service ?

— Oui, c'est possible. Pas par-devant, parce que je l'aurais vu. Mais par la porte de derrière. Elle est toujours ouverte.

Du pouce, il indiqua son emplacement.

— Il aurait donc pu rencontrer quelqu'un à l'extérieur ?

— Oui. Ou bien quelqu'un aurait pu monter dans sa chambre sans que je m'en aperçoive.

— Qui d'autre se trouvait à la Forge ?

— Ce soir-là, presque tout le monde.

Il fit une grimace dans un effort de concentration, et énuméra les mêmes clients qu'au Mauvais Sujet, à l'exception de Trueblood et de Lady Ardry. Jury n'accorda pas une grande importance à cette liste puisque, selon les dires de Scroggs,

102

n'importe qui aurait pu s'introduire par l'arrière et gravir l'escalier.

Scroggs jeta un coup d'œil par la fenêtre.

— Drôle d'idée, quand même ! Il l'a fichu là pour que tout le monde puisse le voir. C'est absurde, non ?

— Vous avez raison. Mais il s'est tout de même écoulé un bon bout de temps avant que quelqu'un le repère.

7

Mercredi 23 décembre

Le lendemain matin, lorsque Richard Jury ouvrit l'œil dans un lit à baldaquin moelleux, la neige avait recommencé à tomber. Il se redressa et chercha son réveil à tâtons : il était 8 heures et quart. Il se cala contre les oreillers et regarda les flocons voleter par la fenêtre à petits carreaux. Il se sentait en pleine forme. N'importe qui à sa place se serait plaint de devoir passer les vacances de Noël dans de telles conditions. Mais pour lui c'était l'endroit idéal : un village de carte postale sous la neige.

Il se leva et alla ouvrir la croisée en frissonnant. Cela lui rappela les vers écrits par Keats dans son auberge de Burford Bridge : « Des fenêtres enchantées, ouvrant sur l'écume / Des mers périlleuses, dans une triste contrée de magiciens. » Une bouffée de nostalgie l'envahit, et il s'habilla à la hâte avant qu'elle ne le submerge. Puis il sortit dans le couloir et gagna la chambre de Wiggins.

Contrairement à Jury, Wiggins ne semblait guère pressé d'enfiler un imperméable et une paire de bottes pour aller se promener dans le village.

— Je me sens fiévreux, monsieur. Je me demandais si vous m'autoriseriez à rester encore un peu couché et à vous rejoindre plus tard ?

Jury soupira. Pauvre Wiggins ! C'était un tel boulet à traîner, avec ses poches pleines de pastilles et de pilules, qu'il accepta volontiers :

— D'accord. Je crois qu'un grog corsé vous ferait du bien.

Honteux, mais soulagé, Wiggins soupira à son tour. Sous sa montagne de couvertures et son édredon blanc, on aurait dit un bonhomme de neige. Pour détourner son attention des flacons alignés sur sa table de nuit et de la maladie respiratoire qui risquait de l'emporter, il fallait l'obliger à se concentrer sur l'affaire. Jury s'assit à califourchon sur une chaise.

— Qu'en pensez-vous, Wiggins ?

— De quoi, monsieur ?

— Du meurtre, Wiggins. De la cave.

L'air soucieux, le sergent se tamponna le nez avec un mouchoir, qu'il replia avec une infinie délicatesse, comme s'il s'était agi d'un morceau du saint suaire de Turin.

— Vous faites allusion au verrou ?

Jury acquiesça et attendit la suite. Comme le silence se prolongeait, il demanda :

— Cela vous paraît vraisemblable que quelqu'un soit passé par cette porte ? D'après

Pratt, il pleuvait à verse dans la soirée du 17 décembre.

Le visage de Wiggins s'éclaircit, et il se redressa un peu.

— Et les marches étaient couvertes de saletés, alors que l'intérieur était impeccable.

Jury alluma une cigarette.

— Exactement, dit-il avec un grand sourire qui flatta Wiggins. Réfléchissez un peu. Pourquoi diable un individu venant de l'extérieur aurait-il pris rendez-vous avec Small dans la cave? Et pourquoi irait-il forcer cette porte? Cela ne tient pas debout, n'est-ce pas?

— Si l'assassin ne venait pas de l'extérieur, c'est qu'il venait de l'intérieur. Il s'agirait donc d'une des personnes présentes au rez-de-chaussée.

Jury se leva.

— En plein dans le mille, Wiggins. Remettez-vous vite sur pied, car je vais avoir besoin de vous.

Lorsque l'inspecteur se retourna sur le pas de la porte, il lui sembla que l'état du malade s'était déjà amélioré.

Après que Daphne Murch lui eut servi un copieux petit déjeuner — œufs, saucisses et harengs saurs —, Jury se dirigea vers la voiture de police garée dans la cour de l'auberge. Une couche de neige recouvrait les pavés, les toits de chaume et la baignoire destinée aux oiseaux, dans laquelle de minuscules troglodytes s'ébattaient en dépit du mauvais temps. Il devait d'abord ramener sa précieuse Morris à Pluck, après quoi il aurait tout loisir de patauger dans la neige en faisant la tournée des témoins. Pendant que le moteur chauffait, il s'appuya contre la voiture, offrant son visage aux flocons, et étudia le plan des maisons à visiter que lui avait dessiné Pluck. Autant commencer par Darrington, qui demeurait à l'autre bout du village. Il lécha la neige qui s'était posée sur ses lèvres et rentra dans la voiture. Il préférait l'hiver au printemps, la pluie au soleil et la brume au ciel bleu. Quel tempérament mélancolique! se dit-il en démarrant.

Oliver Darrington habitait de l'autre côté de la rivière, dans la direction de Sidbury. Jury passa devant l'église St Rules et le presbytère, situés à l'endroit où la route de Dorking Dean devient la Grand-Rue de Long Piddleton, avec ses boutiques et ses maisons multicolores. Il traversa la place où se trouvait la boulangerie — salon de thé de Miss Ball, qui devait être en train de pétrir sa pâte. Après avoir franchi le pont, il aperçut Marshall Trueblood, debout derrière sa vitrine, et répondit à son petit salut de la main. La Forge était fermée comme une huître et affichait cet air morose typique de certains pubs avant l'ouverture de 11 heures du matin.

Jury se gara devant le poste de police et remit les clefs à Pluck, qui s'était précipité, visiblement très préoccupé par l'état de santé de sa Morris.

— Si vous avez besoin de moi, sergent, vous me trouverez chez Darrington.

— Vous y allez à pied, monsieur ? demanda Pluck, ébahi.

— Oui. Chaque fois que je sors de Londres, j'en profite pour prendre l'air.

Pluck, imperméable à ce genre de considérations, poursuivit son inspection de la carrosserie, à la recherche de la moindre éraflure.

Jury descendit la Grand-Rue en admirant les cottages dont les couleurs vives luisaient au soleil, et entonna même une vieille marche militaire. Sa voix devait porter loin, car soudain une fenêtre s'ouvrit dans un cottage à toit de chaume, non loin de la route de Sidbury, et une tête apparut l'espace d'un instant. Il se tut et regarda le rideau qui se refermait lentement. Il consulta son plan : cette maison appartenait à Lady Ardry.

La demeure de Darrington correspondait parfaitement à l'idée qu'on se fait d'une maison d'écrivain fortuné : située à l'écart et bâtie en style élisabéthain. Elle se dressait en retrait par rapport à la route, derrière un rideau de frênes, de saules et d'ormes.

La série des enquêtes du commissaire Bent avait donc dû lui valoir un certain succès financier. Jury avait lu son premier roman : une intrigue bien ficelée, destinée aux amateurs de policiers impassibles, invincibles et indestructibles. Tandis que l'écho de la sonnette résonnait dans l'entrée, il espéra que l'auteur ne s'identifiait pas à son héros, car ce dernier avait la pénible manie d'exposer ses théories personnelles à qui voulait l'entendre.

La femme qui lui ouvrit la porte était assez appétissante, incontestablement. Un peu poule de luxe, peut-être, si l'on en jugeait par le peignoir bordeaux qu'elle avait à l'évidence enfilé à la hâte. Pour voir sa réaction, Jury demanda :

— Madame Darrington ?

Sur son visage, l'embarras fit aussitôt place à l'irritation, puis à la tristesse. Jury savait d'expérience que les Darrington convolent rarement en justes noces avec des « mannequins » londoniens. Or, même si elle avait été invitée au 10 Downing Street, cette jeune femme aurait eu l'air d'une pute.

— Je m'appelle Sheila Hogg. Avec deux « g », s'il vous plaît. Je suis la secrétaire d'Oliver Darrington. Vous êtes de la police, hein ? Entrez.

Elle le laissa passer d'un air blasé. Mais elle en faisait un peu trop pour être convaincante. Dans les circonstances actuelles, personne ne pouvait accueillir la police avec une pareille nonchalance.

Il ôta son imperméable et la suivit dans un salon orné de superbes boiseries. Elle se laissa choir dans un des deux canapés moelleux qui se faisaient face de part et d'autre de la cheminée, avant de se souvenir que l'envoyé de Scotland Yard désirait sans doute voir Oliver. Elle se releva, marcha jusqu'au pied de l'escalier situé dans l'entrée et cria que la police était là. Puis elle

écarta une pile de journaux et de magazines et
invita Jury à s'asseoir. Sur la table basse se trouvaient les restes d'un petit déjeuner. Sans grand
enthousiasme, Sheila proposa une tasse de café à
l'inspecteur, qui déclina son offre. Il préféra entrer
dans le vif du sujet avant qu'elle ne se mette à parler du temps, faute de mieux :

— A quelle heure M. Darrington et vous-même
êtes-vous arrivés au Mauvais Sujet le soir où
M. Small a été tué ?

Elle avait pris une cigarette dans un paquet posé
sur la table basse et attendait que Jury la lui
allume.

— A 9 heures, je crois, dit-elle en fronçant les
sourcils. Peut-être 9 heures et demie. Nous
sommes arrivés quelques instants après Marshall
Trueblood.

Lorsqu'elle se pencha vers la flamme que lui
tendait Jury, son peignoir s'entrouvrit. Comme il
le soupçonnait, elle ne portait rien en dessous.

— Voyons. Agatha et Melrose Plant étaient
déjà là. De toute façon, Agatha est toujours la première. Elle a trop peur de manquer quelque chose.
Ça me dépasse que Melrose puisse la supporter. Il
est d'une patience angélique. Je me demande
comment il a réussi à rester célibataire.

Dans l'esprit de Sheila, tout homme était un
mari en puissance, sinon pour elle-même, du
moins pour ses consœurs.

— Et vous ? demanda-t-elle en toisant Jury de
pied en cap.

— Et moi quoi ?

— Vous êtes aussi célibataire ?

110

Jury fut sauvé par l'intervention d'Oliver Darrington :

— Pour l'amour de Dieu, Sheila, la situation de famille de l'inspecteur ne te regarde absolument pas !

Jury se leva pour serrer sa main bronzée et manucurée. Darrington, visiblement gêné par la présence de Sheila, se retourna vers elle :

— La coutume veut qu'on s'habille correctement pour recevoir Scotland Yard.

Elle s'était pelotonnée sur le canapé, de sorte que son peignoir révélait un bon morceau de cuisse. Elle écrasa sa cigarette et resserra les jambes.

— Voyons, Oliver, il est de la police. C'est comme un médecin, rien ne peut le choquer. Vous avez déjà tout vu, n'est-ce pas, chéri ?

Et elle se tourna vers Jury avec une expression très suggestive. Pour toute réponse, celui-ci lui sourit. Sheila était une traînée et Darrington un hypocrite. Or, il avait toujours préféré les traînées aux hypocrites. Ce type lui inspirait la même antipathie qu'Isabel Rivington.

Darrington portait une veste parfaitement assortie à ses cheveux blond-roux, une chemise en soie du plus grand chic et un foulard tout aussi coûteux. Du coup, Jury eut un peu honte de sa simple cravate bleue, nouée de travers par-dessus le marché. C'était un bel homme, mais son profil était un peu trop grec, ses traits un peu trop burinés, sa stature un peu trop raide.

Darrington se servit une tasse de café et répéta à

Jury ce que les autres lui avaient déjà raconté — ou ce qu'ils avaient oublié du fait d'une consommation d'alcool excessive. Il n'apporta qu'un seul élément nouveau, à savoir que Matchett leur avait offert le champagne.

— C'était le début des fêtes de fin d'année, vous comprenez. Il est parfois très généreux.

Ce qui signifiait à demi-mot que ce n'était pas toujours le cas...

— Vous parlez de Simon ? demanda Sheila en rentrant dans le salon.

Elle avait retiré son peignoir indécent au profit d'une sorte de pyjama en velours vert tout aussi osé, d'autant plus que la fermeture à glissière était descendue jusqu'au nombril. Son petit sourire sous-entendait que la générosité de Matchett pouvait se manifester de multiples manières... Cependant, Jury restait convaincu que sa seule véritable ambition dans la vie consistait à épouser Oliver Darrington.

Ce dernier déclara qu'il n'avait pas parlé à Small et qu'il n'avait vu personne descendre à la cave en dehors du vieux serveur.

— Nous étions ronds comme des queues de pelle, dit Sheila en adressant un clin d'œil à Jury à travers les volutes de fumée.

En regardant la main qui tenait la cigarette, l'inspecteur remarqua ses ongles interminables. Une drôle de secrétaire !

— Une fois à table, vous n'avez donc vu Small ni l'un ni l'autre ?

Ils secouèrent la tête.

— Je n'ai aucun souvenir de lui ni avant ni après le début du dîner, précisa Darrington.

— Et Ainsley? Vous étiez bien à la Forge le soir où il a été assassiné?

— Oui. Sheila est partie un peu avant moi. Il y a eu entre nous... un malentendu. Quand j'ai offert un verre à Vivian Rivington.

Un sourire se dessina sur les lèvres de Darrington, comme si ce malentendu avait été pour lui une source intarissable d'amusement.

— Ne sois pas stupide, murmura Sheila.

Jury se souvint de ce que lui avait raconté Lady Ardry, même s'il se défiait de son témoignage.

— Je crois savoir que M. Matchett est fiancé à Vivian Rivington?

Sa question provoqua une réaction simultanée chez ses deux interlocuteurs :

— Non ! protesta Darrington.

— Oui ! s'écria Sheila.

— Le bruit en a couru, reprit Darrington. Mais Vivian ne condescendrait jamais à épouser un type comme Matchett.

— Et qui donc condescendrait-elle à épouser, mon chéri? rétorqua Sheila sur un ton glacial.

Jury eut presque pitié d'elle. Bien que très futile, elle était loin d'être sotte. Alors que Darrington lui semblait aussi bête que superficiel. Sa personnalité ne cadrait pas avec sa série de romans policiers.

— J'ai lu les enquêtes du commissaire Bent. Enfin, seulement la première.

Darrington se rengorgea :

— Vraiment ? C'est sans doute mon meilleur livre.

Sheila détourna les yeux. Pourquoi donc la mention de ces romans la mettait-elle mal à l'aise ? Un point à éclaircir, songea Jury, qui énervait souvent ses collègues par sa propension à s'écarter du strict déroulement des faits. Mais à son avis, les « faits » étaient obligatoirement déformés par la perception très subjective de chaque témoin — et ce d'autant plus que la plupart des gens avaient quelque chose à cacher. Dans cette affaire, il se réjouissait presque de l'ivresse — authentique ou supposée — des personnes concernées, car ainsi chacun avait conscience de l'imprécision des souvenirs. Jury devinait la présence d'arrière-pensées chez les gens qu'il interrogeait, et sans l'ombre d'un doute Sheila venait de trahir une sourde inquiétude. Celle-ci n'était pas due à Vivian Rivington, qui n'éveillait chez elle qu'une forme tout à fait classique de jalousie. Non, il s'agissait de quelque chose de plus complexe. La jeune femme avait les yeux fixés dans le vide.

— Auriez-vous par hasard un exemplaire de votre deuxième roman ?

Le regard de Darrington se porta sur la bibliothèque située à côté de la porte, puis s'en détourna rapidement. Sheila se leva et marcha jusqu'à la cheminée en ignorant Darrington. Elle jeta son mégot dans le feu et commença à se frotter les mains l'une contre l'autre. Le syndrome de Lady

Macbeth. Une attitude que Jury avait déjà obser-
vée plus d'une fois.

— L'accueil de la critique n'a pas été très
favorable, dit Darrington sans esquisser le
moindre geste.

Jury s'approcha de la collection complète, avec
ses jaquettes aux couleurs vives.

— C'est bien celui-ci ?

Il nota le coup d'œil rapide que Darrington
lança à Sheila.

— Puis-je vous l'emprunter ? Ainsi que le troisième ? Votre commissaire Bent me donnera peut-
être des idées.

Darrington retrouva sa maîtrise de soi et émit
un rire forcé :

— Si vous avez envie de mourir d'ennui, ne
vous en privez pas !

Ils parurent tous deux très soulagés quand l'inspecteur prit congé.

Jury consulta le plan de Pluck pour repérer la
croix indiquant la maison des Rivington. Ah ! si
seulement il avait pu rassembler tous ces gens-là
un quart d'heure après le crime... La famille au
grand complet réunie dans le salon, les suspects
livides devant leur tasse de thé, et les domestiques
attendant en tremblant dans la cuisine — comme
dans les bons vieux romans policiers. Un beau
rêve ! Car dans la réalité il en était réduit à arpen-
ter le comté de Northampton et à suivre des pistes

si éventées que même les meilleurs limiers y auraient perdu leur flair.

Isabel Rivington, aussi élégante que la veille, portait un tailleur en poil de chameau sur un chemisier de soie blanche. Cependant, à tout prendre, Jury trouvait Sheila Hogg nettement plus excitante. Isabel évoquait pour lui un piranha, à tel point qu'il n'aurait pas été surpris de repartir avec un ou deux doigts en moins.

— J'espérais aussi rencontrer votre sœur aujourd'hui. Vivian, c'est bien cela?

— Elle est au presbytère.

— Très bien. Le soir du 17, vous rappelez-vous avoir vu Small avant le dîner?

Isabel Rivington saisit un fume-cigarette et se pencha vers l'allumette que Jury lui tendait. Elle ne semblait pas pressée de répondre à ses questions.

— Oui, si c'est bien l'homme qui était assis à côté de Marshall Trueblood. Mais je n'y ai pas fait attention. Il y avait plusieurs personnes au bar.

— Vous n'êtes pas descendue dans la cave à vins après la découverte du corps?

— Non. Je suis un peu lâche dans ce genre de situation.

Quand elle croisa les jambes, le feu de bois se refléta sur l'un de ses bas, qui prit une nuance dorée.

— Nous sommes tous dans le même cas. Pourtant, votre sœur y est descendue.

— Vivian? dit-elle avec un haussement d'épaules, comme si celle-ci avait la manie de contempler les cadavres. Ce n'est pas ma sœur à proprement parler, mais ma demi-sœur.

— Vous administrez ses biens?

— Avec le concours de la banque Barclay's, inspecteur. Quel rapport avec la mort de ces deux étrangers?

Malgré son ton autoritaire, Jury ne jugea pas nécessaire de répondre.

— Vous n'êtes donc pas entièrement libre de décider de l'emploi de ses fonds. A quel moment pourra-t-elle disposer de sa fortune?

Sur le visage d'Isabel Rivington, la lassitude se teinta d'irritation. Son lourd bracelet en or cliqueta lorsqu'elle tapota sa cigarette contre le cendrier.

— Le jour de ses trente ans.

— C'est bien tard, non?

— Son père — mon beau-père — était un peu macho. Les femmes sont incapables de gérer leur argent... vous voyez le genre? En réalité, il lui aurait suffi de se marier pour remplir les conditions prévues dans le testament.

— Dans combien de temps aura-t-elle l'âge requis?

Face à son regard fuyant, Jury comprit qu'il avait touché un point sensible. Elle lui inspirait une antipathie instinctive, presque irraisonnée. Il y avait chez elle quelque chose de malsain. Elle possédait cette beauté un peu molle des femmes qui abusent des alcools liquoreux et des martinis.

Mais elle avait encore un joli grain de peau et des mains soignées, avec des ongles si longs que les extrémités commençaient à s'incurver et un vernis d'un brun-rose très à la mode. Pas facile d'étrangler un homme avec des ongles pareils sans laisser d'éraflures. Il s'étonnait parfois de sa faculté d'enregistrer de tels détails tout en discutant d'un sujet totalement différent : c'était comme si une partie de son cerveau s'était blindée pour demeurer insensible aux tragédies humaines et continuer à relever des indices avec le détachement d'un chasseur de papillons.

— Vivian fêtera ses trente ans dans six mois environ.

— Elle pourra alors disposer de sa fortune ?

Isabel écrasa rageusement sa cigarette.

— A vous entendre, on croirait que je jongle avec ses millions.

— Est-ce le cas ? dit Jury sur un ton innocent. J'essaie simplement de réunir des informations.

— Je ne vois toujours pas le rapport avec ces deux hommes qui sont venus se faire tuer ici.

— Depuis combien de temps habitez-vous à Long Piddleton ?

— Six ans.

D'un air morose, elle sortit une autre cigarette d'un étui en argent.

— Et avant ?

— Je vivais à Londres.

Tiens, tiens, songea Jury, les Londoniens semblent avoir un faible pour Long Piddleton.

— Cela change, non ?

118

— J'avais remarqué.

— Le père de votre demi-sœur était un homme riche, n'est-ce pas ?

Refusant d'en revenir aux questions d'argent, elle détourna vivement la tête et garda le silence.

— Il a eu un accident, je crois ?

— Oui. Quand elle avait sept ou huit ans, son père a été tué par une ruade de cheval. Il est mort sur le coup.

Jury releva qu'elle ne paraissait pas très affectée par cette histoire.

— Et sa mère ?

— Elle est morte à la naissance de Vivian. Ma propre mère est décédée trois ans après avoir épousé James Rivington.

— Je comprends.

Elle ne cessait de croiser et décroiser les jambes, et de tapoter le cendrier avec son fume-cigarette. Jury décida de tenter sa chance :

— Votre demi-sœur doit épouser M. Matchett, n'est-ce pas ?

La main d'Isabel Rivington se figea au-dessus du cendrier, sa tête pivota brusquement vers Jury, et ses pieds se plantèrent dans le sol. Puis son visage se détendit et reprit une expression indifférente. Il était difficile d'en conclure si oui ou non elle éprouvait davantage que de l'amitié à l'égard de Simon Matchett.

— Qui vous a raconté ça ?

Jury changea aussitôt de sujet :

— Parlez-moi de la mort de James Rivington.

Elle soupira, visiblement excédée.

— Cela s'est passé un été, en Écosse. Dans le nord de l'Écosse. A Sutherland. Je haïssais cet endroit : un coin perdu, battu par les vents. Aucune distraction, si ce n'est compter les rochers, les arbres et les bruyères. Un sinistre désert. Impossible de conserver des domestiques, à l'exception d'une vieille cuisinière. Eux, ils adoraient cet endroit. Vivian et James. Vivian avait un cheval qu'elle aimait particulièrement, et qui dormait avec les autres dans les écuries, derrière la maison. Un soir, elle s'est disputée avec son père. Elle était tellement furieuse qu'elle s'est enfuie dans la nuit et qu'elle a sauté sur le dos de ce cheval. James s'est lancé à sa poursuite. Comme ils hurlaient tous les deux, le cheval a pris peur, et ses sabots ont atteint James en pleine tête.

— Cela a dû être un terrible traumatisme pour votre sœur ? Elle était si jeune, et elle se trouvait sur le cheval lorsque l'accident s'est produit. Était-elle trop gâtée ? Qui se chargeait de son éducation ?

— Gâtée ? Non, pas vraiment. Elle n'arrêtait pas de se disputer avec James. En ce qui concerne son éducation, j'imagine qu'elle avait des nurses. James était plutôt sévère. Assez macho, comme je vous l'ai déjà dit. Bien entendu, Vivian a subi un contrecoup après l'accident. Je pense même que...

Elle s'interrompit, reprit la cigarette qui s'était à moitié consumée dans le cendrier, et expira de minces volutes de fumée.

— Vous alliez ajouter quelque chose ?

120

— Je pense même que cette histoire lui a un peu dérangé la cervelle.

Étrange, songea Jury, de l'entendre employer les mêmes mots que Lady Ardry.

— Vous considérez votre sœur comme une malade mentale ?

— Non, ce n'est pas ce que j'ai voulu dire. Mais elle très renfermée. Ce n'est pas moi qui ai choisi de quitter Londres. Elle passe ses journées assise dans son coin, à écrire des poèmes.

— Ce n'est pas ce que j'appellerais avoir la cervelle dérangée.

— Pourquoi la plupart des gens se sentent-ils obligés de protéger Vivian avant même de l'avoir rencontrée ? répliqua Isabel avec un sourire crispé.

— Votre beau-père vous a-t-il légué quelque chose ?

Une ombre passa sur son visage.

— Ce que vous voulez savoir, c'est ce que je deviendrai quand Vivian entrera en possession de ses biens. Vous vous mettez le doigt dans l'œil si vous vous imaginez qu'elle va me jeter à la rue.

Jury rempocha son carnet et se leva.

— Je vous remercie, Miss Rivington.

Tandis qu'elle le raccompagnait jusqu'à la porte, Jury pensa à la latitude de l'Écosse et à ce qu'un peintre de ses amis lui avait dit sur les interminables soirées d'été. Quelque chose clochait dans le récit de la mort de James Rivington.

Jury respira un bon bol d'air frais et observa

l'empreinte de ses bottes dans la fine couche de poudreuse. En traversant la place scintillante de blancheur, il aperçut deux enfants âgés de huit ou neuf ans sur le pont. Ils fabriquaient des boules en faisant rouler la neige fraîche sur la balustrade de pierre grise. Il leur dit bonjour et franchit le drôle de petit pont formé de deux arches semi-circulaires. Des souvenirs d'enfance lui revinrent à l'esprit : la sensation des joues qui rosissent de froid et des mèches de cheveux gelées qui se dressent en épis. Il se retourna cinquante mètres plus loin et se rendit compte qu'ils le suivaient. Ils s'arrêtèrent net et firent semblant d'examiner l'un des tilleuls étêtés qui bordaient la Grand-Rue...

Il fit demi-tour. Ils s'apprêtaient à s'enfuir à toutes jambes quand il les appela. Ils savaient très bien qui il était. En s'efforçant de garder son sérieux, il sortit son porte-carte en cuir fatigué et leur montra son insigne.

— Alors comme ça, vous me suiviez ?

La fillette se mordit les lèvres, le garçon ouvrit des yeux ronds comme des soucoupes, et ils secouèrent tous deux la tête avec la dernière énergie.

Jury toussota, prit sa voix la plus officielle et leur indiqua la boulangerie-salon de thé située de l'autre côté de la place.

— Je vais prendre mon café du matin. Ils servent sans doute aussi du chocolat. Si vous voulez bien m'accompagner, j'aimerais vous poser quelques questions.

Les deux enfants échangèrent un regard interrogatif, comme pour se demander mutuellement la permission d'accepter, puis ils se retournèrent vers Jury, partagés entre la crainte, la perplexité et la tentation. Après un bref hochement de tête, ils lui emboîtèrent le pas, l'un à sa droite, l'autre à sa gauche.

La boulangerie-salon de thé du Porche occupait un bâtiment de pierre dont le nom révélait l'ancienne fonction : une petite maison surmontant un étroit passage voûté qui permettait d'accéder à l'église St Rules. Une allée la reliait à la place ; le salon de thé était installé au-dessus du porche, la boulangerie au-dessous.

Sur la moitié du périmètre de la place se dressaient des maisons à colombages couvertes de tuiles, dont le premier étage faisait saillie au-dessus du trottoir. A l'ouest, une confiserie, une minuscule mercerie et un bureau de poste s'intercalaient entre les cottages. Alors que la plupart des commerces étaient regroupés de l'autre côté du pont, ceux-ci s'étaient établis en catimini dans un quartier beaucoup plus paisible. Ce mélange au petit bonheur la chance était si baroque qu'on aurait cru un collage d'enfant.

Jury imagina ce coin de verdure lorsque les arbres portaient leur feuillage printanier. Au milieu s'étendait une mare : les canards, regroupés d'un côté, au milieu des roseaux, dansaient sur l'eau comme des bouées. La neige tombait plus drue à présent. Il éprouva une envie subite de traverser le square sur la croûte d'une blancheur virginale, qu'aucune trace de pas n'avait encore souillée. Mais il songea que ce ne serait pas un très bon exemple pour les deux gamins de voir un représentant de la Loi et de l'Ordre couper à travers le jardin alors que d'excellents chemins étaient prévus pour le contourner. Du coin de l'œil, il constata qu'ils attendaient sa décision : les voies de Scotland Yard, comme chacun sait, sont impénétrables.

Jury toussa, se moucha et dit d'un ton sévère :

— Êtes-vous capables d'identifier des traces de pas ? Vous n'avez rien remarqué autour de la Forge ? Aucune empreinte bizarre ? De cette taille-là à peu près ?

Il planta sa grosse botte dans la neige qui recouvrait le gazon, produisant ainsi un crissement délicieux.

Ils examinèrent l'empreinte et de nouveau secouèrent la tête. Il décida alors de faire un peu de pédagogie :

— Connaissez-vous la différence entre un homme qui court et un homme qui marche ? Cela vous plairait d'aider Scotland Yard dans cette affaire ?

Ils acquiescèrent aussitôt avec un enthousiasme forcené.

— Très bien. Comment t'appelles-tu ?

— James, répondit le garçon sur le ton dont on révèle un secret de la plus haute importance.

— Bien. Et toi ?

La fillette baissa la tête, gênée, et tira sur l'ourlet de son manteau.

— Hum, hum... Ce sera donc James pour toi aussi.

Il attendit qu'elle le corrige, mais elle garda le regard fixé sur le sol. Il eut toutefois l'impression de voir un petit sourire se dessiner sur ses lèvres crispées.

— Écoutez-moi bien, maintenant, car cela peut être de la plus haute importance pour notre enquête. Toi, James, tu vas courir le plus vite possible jusqu'à la mare et m'attendre là-bas.

Il posa la main sur l'épaule de la petite fille :

— Et toi, James, tu vas marcher jusqu'à la mare en faisant des cercles au fur et à mesure que tu avances.

Les deux enfants levèrent les yeux vers lui, dans l'attente d'un signal de départ. Dès qu'il hocha la tête, le garçon s'élança à la vitesse de l'éclair, en soulevant des nuages de poudreuse. La fillette le suivit lentement, prudemment : elle progressait d'un pas ferme et s'arrêtait à intervalles réguliers pour décrire des cercles de plus en plus grands. Jury choisit une étendue vierge et se fraya un chemin dans la neige en faisant le plus de bruit possible. Quand il atteignit la mare, James venait d'arriver, le souffle court, alors que la petite fille était toujours en train de tourner en rond. Enfin elle les rejoignit, et ils purent observer le résultat de leurs efforts.

— Parfait, dit Jury. Regardez bien les traces de course : seule la première moitié de la chaussure s'enfonce dans la neige, et l'on ne voit pas le talon.

Il s'accroupit et désigna avec sa main gantée une des empreintes de la gamine :

— Ici, on voit bien que le poids du corps a tendance à appuyer vers l'extérieur quand on marche en rond. A présent, je vais vous poser une devinette.

Il les conduisit de l'autre côté de la mare, où les canards continuaient à somnoler, la tête blottie sous l'aile. Les yeux fixés sur la surface blanche qu'ils n'avaient pas encore piétinée, il leur expliqua l'exercice suivant :

— Nous allons marcher tous les trois jusqu'à la route, à 1,50 mètre l'un de l'autre, de façon à ce que nos traces ne se mélangent pas. Allons-y !

Il leur fallut deux ou trois minutes pour accomplir le trajet et pouvoir enfin se retourner. Jury éprouva une vive sensation de plaisir, comme un drogué qui vient d'avoir sa dose. Il eut du mal à retenir un sourire devant le spectacle de ce merveilleux tapis de neige scintillante transformé en champ de manœuvres plein d'ornières, de nids-de-poules et de zébrures entrecroisées.

Soudain, il sentit le regard des deux enfants rivés sur lui. Ah oui, la devinette ! Il avait failli oublier.

— Imaginez un cadavre ici, juste en face de nous.

La petite fille se réfugia derrière lui et s'agrippa à son imperméable.

— Et imaginez que les trois personnes auxquelles appartiennent ces traces soient retournées au bord de la mare aux canards. Comment ont-elles pu faire demi-tour sans laisser d'empreintes orientées dans la direction de la mare ?

Il s'agissait de la fameuse énigme de la cascade de Reichenbach, mais ils étaient sans doute trop jeunes pour avoir lu les aventures de Sherlock Holmes. De plus, il avait mal énoncé le problème : pourquoi les suspects seraient-ils retournés vers la mare ?

Comme le silence se prolongeait, il pivota sur lui-même et démarra en marche arrière.

— Comme ceci !

James sourit de toutes ses dents, dont beaucoup manquaient à l'appel. La petite fille pouffa, avant de coller sa moufle contre sa bouche. Jury leva l'index, comme un instituteur qui veut attirer l'attention de ses élèves.

— N'oubliez jamais ce que je vais vous dire : quand un meurtre se produit, il y a toujours quelque chose de bizarre, d'inhabituel, il y a toujours un détail qui cloche.

Ils en restèrent comme deux ronds de flanc. Jury aurait bien aimé que ce soit aussi vrai dans la réalité que dans la théorie...

— Merci de votre aide. A présent, allons nous réchauffer.

Un petit panneau blanc coincé dans un coin de la baie vitrée annonçait en lettres italiques : « Nous servons du café frais. » Ils gravirent l'escalier jusqu'à l'étage par un escalier sombre où montaient les effluves parfumés du four à pain. Pendant qu'ils ôtaient leurs vêtements humides, une vieille femme au visage lunaire émergea de derrière un rideau au fond de la salle. Jury commanda un café, deux chocolats chauds, une assiette de biscuits, des gâteaux, des petits pains briochés, de la confiture et de la crème.

— Voilà, voilà! s'exclama Jury.

Il se frotta les mains en direction de la cheminée, près de laquelle la serveuse s'était assise. Le garçon bayait aux corneilles, les cheveux hérissés et collés par la neige. La petite fille, tel Narcisse au bord de l'eau, se mirait dans le plateau de verre qui recouvrait la table. Leur silence ne gênait pas Jury : il ne s'attendait nullement à ce qu'ils se mettent à deviser sur la structure moléculaire de l'univers une fois installés bien au chaud.

Enfin on leur apporta de quoi nourrir un régiment. Les deux James se jetèrent dessus avant même d'y être invités. Le garçon mordit alternativement dans un petit pain brioché et dans une pâtisserie. La fillette prit un gâteau aux fruits confits et commença à le grignoter, telle une petite souris craintive, prête à se réfugier à tout moment dans son trou.

Avant que le vieille serveuse ne s'éclipse, Jury lui montra son insigne et lui dit qu'il désirait parler à la propriétaire, Miss Ball.

La réaction de la pauvre femme fut spectaculaire. Ses joues s'empourprèrent, et elle se prit la tête à deux mains. Jury soupira : pourquoi tant d'innocents se comportaient-ils en coupables ?

— Un instant, monsieur, dit-elle en s'éloignant à reculons.

Les enfants avaient presque nettoyé l'assiette de gâteaux. Ils allaient sûrement être malades, mais Jury estima que c'était Noël après tout, et qu'ils n'avaient pas l'air de gamins gavés de friandises. Il était en train de se servir une seconde tasse de café quand une femme vêtue d'un tablier se dirigea vers lui. Il vaudrait mieux dire « se précipita » vers lui, tant elle semblait disposée à écarter sans ménagement tout objet ou tout être vivant qui oserait se dresser sur son passage.

— Vous êtes l'inspecteur principal Jury, de New Scotland Yard ?

Il se leva et lui tendit la main.

— Oui, c'est moi. Et vous êtes Miss Ball.

Elle acquiesça avec un sourire orgueilleux, avant de prendre un siège.

— J'étais dans la boulangerie en train de préparer le pudding de Noël. Je reçois tellement de commandes, et le 25 décembre, c'est après-demain... Mais vous êtes avec les enfants Double ! Comment se fait-il que vous les connaissiez ?

Elle n'attendit pas la réponse de Jury :

— Je sais, je sais, vous êtes ici pour ces deux crimes épouvantables...

Soudain, l'estomac rassasié, les deux enfants se rendirent compte qu'ils n'avaient plus de raison de s'attarder dans les parages. Ils échangèrent un coup d'œil et bondirent de leur chaise.

— Faut qu'on s'en aille, dit James en s'écartant de la table. Maman va me crier dessus...

Pour lui, c'était déjà un long discours. Le regard de sa sœur était toujours rivé sur l'assiette de pâtisseries. Juste avant de s'en aller, elle s'approcha tout doucement de Jury pour lui pincer le bras — sa manière à elle de lui faire un baiser.

Puis elle s'empara du dernier gâteau aux fruits confits et fila vers la sortie.

Betty Ball fit la moue :

— Ils ne vous ont même pas remercié. Ah, les enfants d'aujourd'hui !

— Miss Ball, j'ai appris que vous aviez effectué une livraison chez M. Matchett le soir du crime. Ou plus exactement l'après-midi qui a précédé la découverte du corps.

Elle opina du chef.

— Vous êtes passée par-derrière ?

— Oui, comme toujours. Le cuisine donne sur l'arrière de l'auberge.

— Vous n'avez rien remarqué d'anormal.

— Non.

— La porte de la cave était comme d'habitude.

— Comme je l'ai déclaré au commissaire, je n'ai pas vu de lumière dans la cave, ni rien d'autre de bizarre.

Tout à coup, elle se retourna et appela :

— Beatrice !

Une adolescente toute dégingandée sortit de derrière le rideau à fleurs en mâchonnant un chewing-gum avec l'élégance d'un ruminant.

— Un peu de nerf, ma fille ! Va rechercher du café pour l'inspecteur. Je ne te paie pas pour que tu restes avachie à lire des revues de cinéma.

Beatrice s'exécuta en traînant les pieds. Jury la laissa emporter la cafetière, mais il refusa une nouvelle tournée de pains briochés. Betty Ball le dévisagea tristement de ses yeux jaunes, à croire

130

que ses gâteaux étaient son seul moyen de se consoler de son célibat.

— Pleuvait-il beaucoup, Miss Ball? C'était la tempête, ce jour-là?

— C'est exact. J'étais presque trempée après avoir fait un simple aller et retour entre ma voiture et la cuisine. Avez-vous interrogé Melrose Plant? Il est d'une intelligence incroyable, vous verrez.

En l'écoutant chanter les louanges de Plant, le regard brillant, il se demanda si elle n'avait pas des rêves de Cendrillon.

Lorsque Jury quitta le salon de thé du Porche, une couche de neige fraîche avait déjà recouvert le gazon. Il dut scruter la surface immaculée pour distinguer les traces qu'il avait laissées avec les enfants. Tout près de lui, les empreintes s'étaient rapidement comblées, comme des trous dans le sable sous l'effet de la marée montante. Le vent s'était calmé, de sorte que les gros flocons chargés d'humidité ne tombaient plus selon un angle oblique, mais paisiblement, à la verticale. Après avoir jeté un coup d'œil sur la flèche de l'église St Rules, Jury décida de reporter sa visite au pasteur. Il préférait parcourir dans la neige le bon kilomètre qui le séparait de la demeure des Bicester-Strachan et d'Ardry End. Une occasion rêvée pour laisser de belles traces dans la neige...

Une fois franchies les limites du village, on se

retrouvait en pleine campagne. Les haies disparaissaient sous les paquets de neige et les glaçons en forme de stalagtites. S'il avait eu un talent d'écrivain, Jury aurait aimé rendre hommage à la haie anglaise : cet interminable ruban d'ifs, d'aubépines ou de hêtres pourpres, ce sanctuaire pour les fleurs des champs chassées par la charrue, ce refuge peuplé de nombreuses espèces d'oiseaux. A un moment donné, un faisan mâle s'envola devant ses bottes noires détrempées, dans un tourbillon vert et roux. Le froid lui piquait le visage, et il n'aurait pas dédaigné, au bout de son périple, un feu ronflant et un verre de vieux porto.

Contrairement à ses espoirs, il fut accueilli par la voix hautaine de Lorraine Bicester-Strachan, qui s'adressa à lui du haut d'une jument alezane :

— Si vous venez pour la machine à laver, je vous prierai de prendre l'entrée de service.

Jury venait de poser la main sur le gros heurtoir de cuivre lorsque la cavalière et sa monture étaient sorties d'un bouquet d'arbres situé à l'angle de la maison. Il était évident que Mme Bicester-Strachan ne l'avait pas pris pour un réparateur. Non seulement il ne portait pas une tenue d'ouvrier, mais aucune camionnette n'était garée alentour. C'était sans doute son habitude de chercher à mettre les gens mal à l'aise.

Il toucha poliment le rebord de son chapeau.

— Inspecteur Richard Jury, de New Scotland

Yard, madame. Je désirerais m'entretenir avec vous, ainsi qu'avec votre mari.

Elle descendit de cheval mais ne lui présenta pas d'excuses. A cet instant précis, la porte d'entrée s'ouvrit, et Jury se retrouva nez-à-nez avec un homme âgé qui aurait été plus grand que lui s'il n'avait pas été aussi voûté.

— Je suis désolé de vous avoir fait attendre. Ah ! mais je constate que ma femme m'a précédé.

Il saisit un pince-nez accroché au bout d'un ruban de soie et le chaussa sur son nez. Tandis que Lorraine faisait les présentations, un garçon d'écurie emmitouflé jusqu'aux yeux vint chercher la jument.

— Un certain commissaire Pratt, de la police du comté de Northampton, était ici pas plus tard qu'hier, dit Bicester-Strachan.

Jury retira son imperméable.

— Oui, mais j'aimerais tout de même vous poser quelques questions.

Ils gagnèrent le salon, dont l'élégance glaciale frappa Jury. Le mobilier était coûteux, mais dénué de charme — une définition qui s'appliquait également à Lorraine. Elle portait une veste de cavalière noire, une cravate et des bottes impeccablement cirées. Quand elle ôta sa bombe, Jury nota sa coiffure à la fois prétentieuse et démodée, qui évoquait les années 1920. Ses cheveux, gonflés de part et d'autre de son visage, étaient réunis dans une sorte de chignon au sommet du crâne. Avec sa peau ivoire et ses yeux d'un noir de jais, elle avait la beauté froide et sévère d'une couverture de magazine.

— Ma chère, dit Willie Bicester-Strachan, nous pourrions offrir un verre à l'inspecteur.

— Boit-on à Scotland Yard ? demanda-t-elle sur un ton ironique tout en saisissant une carafe en cristal taillé pour se servir un verre de sherry.

Piqué au vif, Jury eut une furieuse envie de lui flanquer une paire de claques, mais il se souvint à temps de sa fonction et adopta une expression indifférente. Il savait néanmoins que son regard trahissait son exaspération. A l'école de police, il n'avait jamais réussi à revêtir le masque impassible qu'on attend d'un enquêteur. Il déclina l'offre courtoise de Bicester-Strachan et regarda Lorraine reboucher le carafon, puis s'affaler dans un fauteuil de velours rose. Elle étendit les jambes, croisa les chevilles et affecta un air de garçon marqué.

— Vous êtes vraiment inspecteur *principal* ? Vous ne devriez pas être aussi modeste.

Elle leva son verre de quelques centimètres en guise de salut.

— Vous saviez que je n'étais pas le réparateur de machines à laver, n'est-ce pas ?

La question la décontenança un instant, mais son arrogance réapparut aussitôt.

— Oh ! j'ai dû deviner qui vous étiez. Les nouvelles circulent vite ici. Il se trouve simplement que nous commençons à en avoir assez de voir la police aller et venir chez nous comme en terrain conquis. Ce commissaire Pratt était lassant, c'est le moins qu'on puisse dire.

— Ces meurtres semblent vous agacer plus qu'ils ne vous émeuvent.

Elle haussa les épaules.

— Il faudrait peut-être que je verse des larmes ?

— Franchement, Lorraine..., intervint son mari.

Celui-ci s'installa dans une bergère, près de la cheminée, juste à côté d'un échiquier posé sur une petite table. Il pencha la tête et prit l'air concentré du joueur qui étudie une combinaison.

— Je voudrais vous interroger sur les deux soirées en question, dit Jury. Le 17 et le 18 décembre.

— Autant vous prévenir, répliqua Lorraine. J'étais tellement saoule que mes souvenirs sont au mieux très brumeux.

— Vous ne vous rappelez donc pas qui était présent dans la salle à manger entre 9 heures et 11 heures, et qui n'y était pas.

— Je ne suis même pas certaine d'avoir été moi-même dans cette salle à manger.

Bicester-Strachan redressa sa tête couverte de cheveux blancs.

— Pour ma part, je jouais aux dames avec le pasteur, M. Smith. Mais j'ignore où se trouvait sa femme.

— Je suis restée assise un bon moment avec Oliver — Oliver Darrington —, puis avec Melrose Plant, jusqu'à ce que son snobisme finisse par me fatiguer.

135

— Tu es injuste, Lorraine. Si tu considères Plant comme un snob, c'est que tu n'as rien compris au personnage.

Après être allée se resservir un verre, elle posa une main sur le manteau de la cheminée et un pied sur le garde-feu : on aurait dit une publicité pour un magazine spécialisé dans les maisons de campagne.

— Plant est un anachronisme. Il ne lui manque qu'un monocle.

— N'est-ce pas un peu curieux, pour un homme aussi préoccupé par sa position sociale, de renoncer à son bien le plus précieux ? demanda Jury. Je veux parler de son titre.

— Il marque un point, Lorraine, ricana Bicester-Strachan.

Mais l'objection ne fit que l'encourager dans son entêtement.

— Un type comme Melrose Plant est capable d'un tel geste pour montrer qu'il est très supérieur à ses ancêtres, tous ces traîneurs de sabre et chemises à jabot.

— Moi, dit Bicester-Strachan en contemplant l'échiquier, j'admire beaucoup sa décision. C'est un original. Savez-vous quelle raison il m'a donnée, inspecteur ? Il m'a dit que chaque fois qu'il allait siéger à la chambre des Lords, il avait l'impression de visiter une colonie de manchots.

Jury sourit, contrairement à Lorraine qui ne semblait guère apprécier la remarque.

— Cela confirme mon opinion.

Jury remarqua ses joues empourprées. Quand ce

genre de femme dénigrait un homme, c'était en général parce qu'elle n'arrivait pas à mettre le grappin dessus.

— Vous rappelez-vous vers quelle heure vous avez bavardé avec M. Plant ?

— Je ne peux pas vous donner d'heure précise, répondit Lorraine. Tout le monde allait d'une table à l'autre, vous comprenez, et je serais incapable de reconstituer les allées et venues de chaque personne. Les deux seuls objets inamovibles, c'étaient mon mari et le pasteur. Le révérend Denzil Smith ! Un dictionnaire de fadaises ambulant ! Il connaît l'histoire de Long Piddleton et des auberges de la campagne avoisinante en long, en large et en travers. Il passe son temps à vous rebattre les oreilles avec les fantômes, les cachettes aménagées dans les cheminées pour les prêtres...

— Denzil est un de mes amis, Lorraine, intervint doucement son mari, tout en déplaçant un fou sur l'échiquier.

— Vous êtes allée à la Forge le soir du second meurtre ? reprit Jury.

— Oui, mais je n'y suis pas restée longtemps. Une demi-heure à peu près.

— Vous n'avez pas parlé à la victime ?

— Non, bien sûr que non, dit Lorraine. Il semblerait que le tueur soit un adepte de l'humour noir, vous ne trouvez pas ?

— Les assassins agissent rarement pour le plaisir. Et vous, monsieur, vous n'aviez vu aucun de ces deux hommes auparavant ?

Bicester-Strachan secoua la tête.

— A ma connaissance, aucun habitant de Long Piddleton ne les connaissait. C'étaient de parfaits étrangers.

— Vous avez habité Londres ? A Hamstead, je crois ?

— Vous paraissez bien informé, inspecteur, dit Lorraine.

Le ton de sa voix le fit hésiter. Elle dut prendre ce silence pour une marque de défiance, car elle ajouta :

— Dois-je appeler mon avocat ?

— Pensez-vous en avoir besoin ?

Elle reposa son verre un peu trop brusquement et croisa les bras, comme pour se protéger contre une atteinte intolérable à son honneur et à sa vie privée. Sa botte droite, qui brillait de mille feux, battait la mesure avec nervosité.

— Nous nous sommes installés dans ce village parce qu'il est pittoresque et de plus en plus à la mode. Il attire des écrivains, des artistes, et ainsi de suite. Or, je monte à cheval et je peins.

D'un geste ample, elle désigna les croûtes qui ornaient les quatre murs de la pièce : des marines minables, avec des vagues écumantes, et des paysages pleins d'arbres torturés. Elle n'était même pas capable de saisir la beauté de la campagne qui entourait sa maison.

— Ce n'est pas un peu ennuyeux pour des Londoniens ?

— Nous en avions assez de Londres. Franchement, la ville a beaucoup changé. On ne peut plus

138

se promener sur Oxford Street sans tomber sur des Arabes ou des Pakistanais...

— Pourquoi ne pas dire la vérité, Lorraine ? demanda son mari, toujours absorbé par sa partie d'échecs.

— De quoi diable veux-tu parler, Willie ?

Son masque indifférent s'était soudain fissuré, et sa voix était montée d'un octave. Sans relever la tête, Bicester-Strachan répondit à sa place :

— Si nous sommes venus ici, inspecteur, c'est parce que nous... enfin, parce que j'ai traversé une période difficile à Londres. Mais vous avez peut-être déjà déterré cette vieille histoire.

Il retira alors ses mains de ses tempes et sourit. Un sourire sans joie. Lorraine bondit de son fauteuil comme une chatte en colère.

— Je pensais qu'en quittant Londres, nous serions débarrassés des journalistes. Et voici qu'ils recommencent à fouiner à cause de ces maudits crimes.

A l'entendre, les deux meurtres n'avaient été commis que pour lui faire du tort. En voyant que Bicester-Strachan ne prêtait aucune attention au coup de colère de la tigresse, Jury comprit qu'en dépit de son air absent, voire un peu toqué, c'était lui qui portait la culotte.

— Il y a quelques années, je travaillais à Whitehall. Au ministère de la Défense, inspecteur. J'espère que vous me pardonnerez de ne pas entrer dans les détails...

— Voyons, Willie ! C'est ridicule ! Pourquoi remettre ça sur le tapis ?

Bicester-Strachan écarta l'objection d'un revers de la main.

— Ce monsieur appartient à Scotland Yard, Lorraine. Un peu de jugeote, s'il te plaît !

Mais la jugeote n'était pas son fort, songea Jury.

— Et il est arrivé quelque chose ?

— Oui, inspecteur. Cela n'a jamais était rendu public, car j'ai préféré démissionner pour éviter des commentaires nauséabonds. Il m'est très déplaisant de devoir l'avouer, mais j'ai livré une information classée « secret défense ». Par bonheur, il s'agissait d'une entreprise de désinformation, ce que j'ignorais totalement. Aucune poursuite n'a donc été engagée contre moi.

— A qui avez-vous livré ce secret ?

— Est-ce vraiment important, inspecteur ?

Jury n'éprouvait aucun plaisir à le harceler : les aveux qu'il lui avait arrachés l'avaient déjà fait beaucoup souffrir. Mais ce n'aurait pas été la première fois qu'un meurtre eût pour mobile une histoire enfouie dans le passé. Il se leva.

— Je ne sais pas, monsieur Bicester-Strachan. Je vais vous laisser. Je reviendrai peut-être vous poser d'autres questions.

Bicester-Strachan lui serra la main.

— C'est une bien vilaine affaire. Dans un village aussi paisible... Enfin... Au revoir.

— Je vais vous raccompagner, dit Lorraine.

Sur le pas de la porte, elle lui demanda où il se rendait à présent.

— A Ardry End.

— Eh bien, je vous souhaite bonne chance avec *lui*. Où êtes-vous descendu?

— Au Mauvais Sujet. Je crois savoir que Miss Vivian Rivington est fiancée au propriétaire?

Jury avait prononcé cette phrase afin d'observer sa réaction. Il ne fut pas déçu: elle se raidit comme si on lui avait donné un coup de fouet.

— Simon Matchett et Vivian? C'est de la blague. Vous avez vu Agatha, n'est-ce pas? Son but essentiel dans la vie, c'est d'empêcher Vivian de se rapprocher de Melrose Plant. J'imagine qu'elle espère ainsi préserver son rang social. Vivian est d'une timidité maladive. Ces filles coincées me fatiguent.

— Encore tous mes remerciements, madame Bicester-Strachan.

— Appelez-moi Lorraine.

Jury se contenta d'un sourire et se retourna avec soulagement vers le paysage enneigé.

— À Ardry End.

8

Pendant que l'inspecteur Jury interrogeait les
Bicester-Strachan, Lady Ardry soufflait sur la
tasse de thé que Ruthven lui avait servie sans le
moindre enthousiasme. Le majordome d'Ardry
End lui avait aussi apporté les petits gâteaux dont
elle raffolait.

— J'espère au moins que ce Jury connaît son
métier, dit-elle en regardant son neveu se remplir
un verre de porto Cockburn. N'est-il pas un peu
tôt pour boire de l'alcool, Melrose ?

— Il est un peu tôt pour boire quoi que ce soit.
Melrose bâilla et renfonça le bouchon.

— En tout cas, j'ai fourni à Jury tous les renseignements nécessaires sur les gens qui se trouvaient jeudi soir chez Matchett.

— Cela n'a pas dû te prendre plus de trente
secondes.

Il fusilla sa tante du regard : elle avait débarqué
chez lui à 8 h 30 du matin. Il parvenait à peine à
garder les yeux ouverts, car il avait lu pendant une
bonne partie de la nuit. Il l'écoutait d'une oreille
distraite, mais elle était beaucoup moins bavarde

que d'habitude, ce qui rétablissait l'équilibre. Les gâteaux alignés sur un plateau d'argent disparaissaient à une vitesse vertigineuse : des espèces de petites crottes surmontées de groseilles qui évoquaient des mouches crevées. Si Melrose autorisait Ruthven à garder en stock de telles horreurs, c'était uniquement pour faire plaisir à Agatha. Elle en avait déjà dévoré trois, et elle se tapotait les lèvres avec le coin de sa serviette après avoir enfourné le numéro quatre.

— Qui suspectes-tu, Agatha ? A part moi, évidemment ?

Les yeux fixés sur le feu de bois, Melrose espérait que le policier éclaircirait l'affaire dans les plus brefs délais.

— Tu crois que je te suspecte ? Grands dieux, Melrose ! Comme si le sens de l'honneur ne m'interdisait pas d'accuser mon propre sang...

— Oliver Darrington, dans ce cas ? Un bon moyen d'éliminer un concurrent. Cela ne doit pas être drôle d'habiter dans le même village qu'un autre auteur de polars. Cela dit, je dois admettre que ses livres sont à peine lisibles.

Elle se leva et alla examiner une assiette en vieux Derby sur le manteau de la cheminée.

— Tu as toujours été jaloux de lui, n'est-ce pas, mon cher Melrose ?

— Moi, jaloux de Darrington ?

C'était à peine concevable d'avoir l'esprit aussi mal tourné !

— A cause de Sheila Hogg. Tu crois que je ne suis pas au courant ?

Elle manipulait à présent un vase filigrané en verre blanc. Plant se demanda pendant quelques secondes si elle n'allait pas le fourrer dans son sac. Où était-elle allée pêcher qu'il s'intéressait à Sheila ? Comme il ne répondait pas, elle se retourna brusquement dans l'espoir de le prendre au dépourvu.

— A cause de Vivian Rivington, alors ?

Elle lançait ses piques au petit bonheur la chance. A l'évidence, elle s'apprêtait à énumérer toutes les femmes de la région jusqu'à ce qu'elle tombe sur la bonne. De nouveau Melrose bâilla pendant qu'elle se rasseyait et tripotait l'argenterie disposée devant elle.

— Tu sembles avoir épluché mon carnet de bal, ma chère tante. L'inspecteur a-t-il avancé des hypothèses ? En dehors de toutes ces séductrices que je suis censé épouser ?

— Ne sois pas si présomptueux. Tout le monde n'est pas passionné par tes histoires sentimentales.

Elle soupesa un cendrier en verre de Murano comme si elle avait voulu en estimer le poids précis.

— L'inspecteur Jury pose toutes sortes de questions sur les gens qui étaient présents. Autrement dit, sur *nous*. Je n'ai aucune idée de ce qu'il a derrière la tête. Il ferait mieux de rechercher ce psychopathe avant qu'on nous retrouve tous morts au fond de notre lit.

— Ton psychopathe s'est donc faufilé dans la cave pour étrangler Small et lui enfoncer la tête dans un tonneau de bière, puis il s'est éclipsé sans laisser de traces ?

Elle ouvrit de grands yeux :

— Naturellement ! Tu ne crois quand même pas que le coupable est l'un d'entre nous ?

— Mais si.

— Doux Jésus ! C'est absurde. Je pensais que tu plaisantais.

Pour reprendre ses esprits, elle s'empara d'un autre gâteau, saupoudré celui-ci de noix de coco râpée. Une pâtisserie répugnante pour Melrose, qui s'enfonça dans sa bergère. Dans le hall d'entrée, le carillon de la grande horloge sonna la demie. Mon Dieu, il était presque l'heure de déjeuner, et elle continuait à s'incruster ! Mais pas question de l'inviter. A travers ses yeux mis-clos, il vit qu'elle le guettait : elle attendait qu'il retire ses assertions selon lesquelles l'un de leurs chers voisins avait commis ces actes horribles. Comme il n'avait aucune envie de discuter, il dit d'un ton évasif :

— Je suis certain que la police élucidera ce mystère.

C'était souhaitable, sinon elle allait le réveiller tous les matins à l'aube pour l'abreuver de potins.

— Il existe bien sûr une autre possibilité, dit-elle avec un sourire perfide.

— Laquelle ?

— Ce Small n'a peut-être pas été assassiné dans l'auberge. On peut imaginer que le meurtrier l'a tué à l'extérieur et qu'il l'a introduit par la porte de derrière. Il devait chercher un endroit pour cacher le corps.

— Et pourquoi le ramener au Mauvais Sujet ? Pourquoi ne pas l'abandonner dans la campagne, accroché sur un arbre par exemple ?

— Pour induire la police et toi-même en erreur. Pour vous faire croire que le coupable est parmi nous.

Une lueur triomphante au fond des yeux, elle mordit un petit pain aux fruits confits. Melrose se versa une nouvelle rasade de porto.

— Tu veux savoir pourquoi le meurtrier est quelqu'un de Long Piddleton ? Pour une raison bien simple : je ne vois pas comment les assassins du reste de l'Angleterre auraient pu prévoir que notre joyeuse petite bande dînerait ce soir-là à l'auberge et qu'il pourrait tranquillement descendre le cadavre à la cave de manière à nous faire porter le chapeau — selon l'expression consacrée.

Tout en sirotant son porto, il vit Agatha froncer les sourcils. Elle avait encaissé le coup et s'apprêtait à riposter.

— Tu oublies le *second* meurtre. Celui d'Ainsley. Mon cher Plant, il faut vraiment être dérangé pour aller installer un corps à la place du forgeron.

Plant se renversa dans sa bergère en cuir brun et abaissa les paupières, en espérant que sa tante saisirait l'allusion. Mais rien à faire : elle continuait à débiter ses misérables petites théories comme une vieille sorcière à moitié gâteuse.

— Melrose !

Il sursauta.

— Tu t'endors une fois de plus en ma présence. Et Ruthven a quelque chose à te dire.

Le majordome fit la grimace : depuis de longues années, elle écorchait son nom. Volontairement ? Sans doute pas, si l'on en croyait Melrose : elle était tout simplement incapable de prononcer les patronymes anglais.

— Milord, c'est à propos de l'oie de Noël. Martha a besoin de marrons pour la farce, et nous n'en avons pas.

Melrose aurait préféré qu'il ne mentionne pas cette oie devant Agatha.

— Peut-être pourriez-vous contacter Miss Ball. Elle a toujours sous la main ce qu'on ne trouve nulle part ailleurs.

Ruthven hocha la tête et s'éclipsa.

— Une oie ? Tu as prévu une oie ? Formidable ! dit Agatha en s'en frottant les mains par avance.

Bien entendu, il l'avait toujours invitée au dîner de Noël. Mais il avait l'intention de faire servir une vieille dinde — et de déguster l'oie tout seul, vers minuit, avec une bouteille de château hautbrion.

— Tu sais donc distinguer une oie d'une dinde ? Une fois que la bête est plumée et servie sur un plat ?

— Qu'est-ce que tu racontes, Melrose ? dit-elle en inspectant un cendrier en porcelaine de Limoges. Bien sûr que je sais les distinguer.

— Même si la dinde est très *maigre* ?

— Tu dois être souffrant, Melrose. Tu as un regard fiévreux. Si seulement Ruthven...

— Pourrais-tu faire l'effort de prononcer son nom correctement ? *Rivv'n*, pas *Ruth-ven. Rivv'n*. Et pendant que tu y es, évite d'ânonner *Bi-ces-ter-Stra-chan* comme s'il y avait vingt syllabes. On prononce *Bister-Strawn*.

Avant qu'elle ait pu répliquer à cette tirade, Ruthven rentra dans la pièce.

— Un gentleman de Scotland Yard désirerait vous voir, milord. Un inspecteur principal du nom de Richard Jury. Il... il est dans le hall d'entrée.

La syntaxe de Ruthven, d'ordinaire irréprochable, s'était un peu embrouillée. Une réaction compréhensible, songea Melrose, quand la police attend dans l'antichambre. Mais cet inspecteur était son sauveur.

— Pour l'amour de Dieu, introduisez-le sans tarder. Lady Ardry allait justement partir.

Il extirpa sa tante du fauteuil sans ménagement et l'escorta jusqu'à la porte en tenant son sac dans sa main libre. Mais Agatha eut la présence d'esprit de hurler :

— Ma montre ! Ma montre ! J'ai perdu ma montre !

Elle put ainsi libérer son bras et se mettre à chercher sous les coussins. Melrose soupira. Une fois de plus il avait perdu la partie.

Tandis qu'Agatha jetait des coussins aux quatre coins de la pièce, Jury patientait dans le hall d'entrée — appellation bien plébéienne pour cette salle somptueuse décorée d'une extraordinaire collection d'armes médiévales. Épées, arquebuses, piques et lances étaient disposées en figures ornementales au-dessus des portes voûtées, et les lames d'acier soigneusement polies scintillaient comme des rayons de soleil.

Lorsque le majordome l'introduisit dans le salon, Jury eut la surprise de voir Lady Ardry fouiller sous le mobilier. Elle se redressa dès qu'elle l'aperçut et se précipita vers lui.

— Inspecteur Jury ! Quel plaisir de vous revoir !

Pendant qu'elle lui secouait la main, il observa le personnage qui se tenait au milieu de la pièce. Un grand type au physique avenant, vêtu d'une robe de chambre en soie de chez Liberty, les cheveux encore ébouriffés comme si on l'avait tiré du lit. Jury remarqua ses yeux d'un incroyable vert émeraude, derrière des lunettes à monture d'or. Les yeux d'un homme intelligent, très intelligent.

— Ma tante allait partir, inspecteur. Je suis Melrose Plant.

Lady Ardry n'avait pourtant pas l'allure d'une personne prête à prendre congé. Au contraire, ses jambes paraissaient enracinées dans le parquet.

— L'inspecteur voudra peut-être que je confirme ton témoignage, dit-elle.

— Avant de le faire confirmer, Agatha, il faut qu'il le recueille. Et dans ce but il souhaite probablement m'interroger en privé.

— Pourquoi en privé? Tu comptes donc lui dire des choses que je ne dois pas entendre?

Melrose l'attrapa fermement par le bras, lui colla son sac dans les mains et la poussa vers la sortie.

— A demain. Mais s'il te plaît, pas à 8 heures du matin.

Et, sans écouter ses récriminations, il lui referma la porte au nez.

— Excusez-moi, inspecteur. Ma tante est ici depuis trois heures, et je n'ai pas encore pu prendre mon petit déjeuner. Si vous voulez vous joindre à moi, nous discuterons en mangeant.

— J'ai déjà déjeuné, mais je serai ravi de m'asseoir avec vous.

Ruthven vint prendre la commande et s'éloigna rapidement vers la cuisine. Melrose désigna alors à l'inspecteur le fauteuil que sa tante venait de libérer.

— Vous êtes descendu au Mauvais Sujet?

Jury acquiesça et prit une cigarette dans la boîte en laque que Melrose lui tendait.

— Vous allez m'interroger sur les soirées de jeudi et de vendredi, n'est-ce pas? Vous voulez les faits bruts? Ou les impressions que j'en ai retiré?

— Commençons par les faits, si cela ne vous dérange pas, milord.

— Inspecteur, je ne suis ni votre aîné ni votre supérieur en quelque domaine que ce soit. Il est donc inutile de me donner du « milord ».

Jury rougit. Il était toujours impressionné par

ces histoires de marquis d'Ayreshire, comte de Caverness et tout le saint-frusquin.

— Euh... très bien, monsieur Plant. Je vais vous demander de me corriger si vous voyez une erreur dans les éléments que j'ai déjà rassemblés.

Il récapitula la liste des témoins, la situation de chaque convive, l'apparition et la disparition de Small.

— Oui, c'est tout à fait conforme à mon souvenir. Il devait être 8 heures ou 8 heures et demie quand j'ai vu Small bavarder au bar avec Trueblood.

— Et vous ne l'avez pas revu ensuite ?

— Non. Du moins pas avant que ma tante ne se mette à hurler...

— Votre tante ? dit Jury en retenant un sourire.

— Nom d'un chien, oui ! On aurait pu l'entendre depuis Sidbury. Elle a dû vous raconter qu'elle avait gardé une parfaite maîtrise d'elle-même ? Ne vous donnez pas la peine de me répondre. Je suis sûr que c'est ce qu'elle vous a dit. Agatha, solide comme un roc au milieu de la tempête.

— Elle a déclaré que la serveuse, Miss Murch, avait perdu la tête.

— Oh ! Murch aussi était dans tous ses états. Les réactions ont été très classiques : les mains crispées sur la gorge, les yeux qui jaillissent de leurs orbites, les gens qui bondissent de leur chaise...

— Vous décrivez cela comme une scène de théâtre, monsieur Plant.

Melrose eut un petit sourire.

— Je dois admettre que je me suis demandé lequel d'entre eux jouait la comédie.

Jury, qui s'apprêtait à porter sa cigarette à la bouche, se figea.

— Vous estimez donc que le coupable se trouvait dans l'auberge.

— Je pensais que c'était évident, répondit Melrose, surpris. A moins que vous ne partagiez la théorie de ma tante, selon laquelle il s'agirait d'un nouveau Jack l'Éventreur. Au Mauvais Sujet, tout le monde a cru qu'il était entré par la porte de derrière.

— Pas vous?

Melrose le regarda comme s'il s'était attendu à mieux de la part de Scotland Yard.

— Tout le monde parle de Small comme d'un « total étranger » venu par hasard à Long Piddleton, ce qui est hautement improbable.

— Pourquoi cela, monsieur Plant?

— Parce qu'il a pris un train, puis un autocar. On ne peut donc pas dire qu'il ne faisait que passer.

Ruthven arriva sur ces entrefaites.

— J'ai servi le petit déjeuner dans la salle à manger, milord.

Melrose se frotta les mains.

— Merci, Ruthven. Venez, inspecteur Jury.

Sous la voûte en éventail de la salle à manger était rassemblée une galerie de portraits de famille monumentaux. Le tableau le plus petit, accroché tout au fond, représentait Melrose Plant assis à une table, avec un livre ouvert devant lui.

— Un peu prétentieux, vous ne trouvez pas, de manger sous son propre portrait ? Mais ma mère a insisté avant de mourir. C'est elle, là, en noir.

Jury contempla le portrait d'une femme ravissante, vêtue de velours noir et posant simplement, avec un air très digne. A côté d'elle, un homme trapu au visage sympathique était entouré de chiens de chasse. Plant ressemblait à sa mère.

— Martha a dû penser que ma tante se joindrait à nous, dit Melrose en remplissant son assiette. Elle a préparé de quoi manger pour douze. Je vous en prie, servez-vous, inspecteur.

Il souleva les cloches en argent qui recouvraient les plats : rognons grillés à la moutarde, œufs brouillés, sole de Douvres, petits pains chauds. Bien que tout cela soit fort alléchant, Jury refusa de prendre un second petit déjeuner.

— Merci, monsieur Plant. Une tasse de café fera l'affaire. Vous avez dit tout à l'heure que, selon vous, le meurtrier n'avait pas forcé la porte de la cave.

— Inspecteur, je suis certain que vous partagez mon point de vue. Mais je vais vous donner mes raisons. Si l'assassin était quelqu'un de l'extérieur, est-il raisonnable de penser qu'il aurait donné rendez-vous à la victime dans un lieu public ? Mais admettons qu'il ait pris cette curieuse décision. Dans ce cas, pourquoi aurait-il forcé la porte de la cave ? Small n'aurait eu qu'à lui ouvrir de l'intérieur. Il n'est même pas envisageable que l'assassin se soit promené par hasard derrière l'auberge, qu'il ait jeté un coup d'œil par la fenêtre poussiéreuse de la cave et qu'il se soit exclamé : « Grands dieux ! Mais c'est Small, mon ennemi intime ! »

Melrose secoua la tête et remplit deux tasses de café. Jury sourit, car il venait d'exposer ses propres sentiments sur le crime. Il sortit son paquet de Players et en offrit une à Plant.

— Et vous, monsieur Plant, qu'en pensez-vous ?

Melrose regarda les portraits de ses ancêtres pendant un moment avant de répondre :

— Compte tenu du lieu de rendez-vous, il ne peut s'agir que d'une rencontre à l'improviste. Quelqu'un a dû être surpris par l'arrivée de Small, et au cours de la soirée cette personne lui a donné rendez-vous dans la cave à vins. Le caractère improvisé du meurtre confirme cette hypothèse. L'assassin l'a étranglé avec un morceau de fil de fer provenant d'une bouteille, avant de lui enfoncer la tête dans une barrique de bière. Vous voulez savoir comment je vois les choses ?

— Je vous écoute.

— Pendant qu'il discute avec Small, l'assassin détortille le fil de fer et hop !

Melrose leva les mains et mima le geste fatal autour de sa propre gorge.

— Il appuie sur son larynx jusqu'à ce que Small perde connaissance, puis il lui fourre la tête dans le tonneau. Cela semble tout à fait spontané. A moins que...

— Quoi ?

Une lueur s'alluma dans ses yeux verts.

— Eh bien, on ne peut exclure l'hypothèse qu'un meurtre prémédité ait été maquillé pour avoir l'air spontané. Songez à ces détails grotesques : la tête de Small dans le tonneau, le corps d'Ainsley installé sur la poutre... Tout cela est bizarre, peut-être même *un peu trop* bizarre.

— Vous sous-entendez qu'ils attirent notre attention sur la méthode employée et nous détournent du mobile ? Une sorte d'habile camouflage ?

— Il est même possible qu'un des deux meurtres ait une fonction de diversion, suggéra Melrose. Ainsley a peut-être été tué pour nous détourner de Small, ou l'inverse.

— L'arbre qui cache la forêt, en somme.

Jury accepta une seconde tasse de café. Plant lui apparaissait comme un homme d'une intelligence exceptionnelle. Pourvu que ce ne soit pas lui le coupable, songea-t-il.

— C'est tout de même curieux, reprit Melrose. Small et Ainsley sont de parfaits étrangers. Personne ne les a jamais vus, et ils ne se connaissent pas tous les deux — c'est du moins ce que nous présumons. Inspecteur, vous voici donc confronté à une multitude de suspects, qui ont tous l'opportunité de les tuer. Mais à première vue, aucun d'entre eux ne possède de mobile. Ce serait beaucoup plus simple si les victimes étaient des gens d'ici.

— Pourquoi cela ?

— Parce que les mobiles ne manquent pas. Si Willie Bicester-Strachan avait été tué, par exemple, on pourrait accuser Lorraine. Si c'était moi la victime, les coupables éventuels seraient innombrables, à commencer par ma tante. Si c'était Sheila Hogg, Oliver Darrington serait un candidat idéal...

— Pourquoi diable Darrington voudrait-il assassiner Miss Hogg ?

— Pour pouvoir épouser Vivian Rivington. L'appât du gain, vous comprenez ? Or, Sheila doit avoir prévu un joli petit chantage dans le cas où il tenterait de se débarrasser d'elle. Et si ma tante Agatha était la victime, le village entier serait suspect.

— Et si Vivian Rivington avait été assassinée ?

Melrose le dévisagea longuement.

— Qu'est-ce que Vivian vient faire là-dedans ?

— Miss Rivington héritera d'une fortune considérable dans six mois. Il est donc permis de se demander qui y trouvera un avantage ou un désavantage.

— Quel rapport entre la fortune de Vivian et ces deux morts ?

— Aucun à ma connaissance. Mais ce ne serait pas la première fois que des gens sont assassinés dans le but de dissimuler le mobile véritable.

— Je ne vous suis pas, inspecteur.

Jury préféra changer de sujet :

— Mme Bicester-Strachan m'a déclaré avoir partagé votre table un bon moment, le soir où Small a été tué.

— « Partagé » n'est pas le mot exact. En réalité, j'ai réussi à conserver la moitié de la table grâce à une stratégie qui aurait fait pâlir d'envie le général Rommel.

Melrose prit un toast sur le présentoir en argent, mordit dedans et le reposa dans son assiette.

— Pourquoi les Anglais ont-ils la réputation d'aimer les toasts froids ?

— Mme Bicester-Strachan semble éprouver des sentiments contradictoires à votre égard.

— Quelle manière courtoise de présenter les choses ! soupira Melrose. Non, inspecteur, il n'y a jamais rien eu entre Lorraine et moi.

— Et entre Miss Rivington et vous ?

— Je croirais entendre ma tante. Je ne vois aucun rapport entre ma vie privée et l'affaire qui nous occupe.

— Allons, allons, monsieur Plant. Si nous négligions la vie privée des gens, nous n'arrêterions jamais aucun criminel.

— D'accord, inspecteur. Écoutez, ma tante se figure que la moitié des femmes de ce pays veulent m'épouser et la priver par là même de ce qu'elle considère comme son « héritage légitime ». Laissez-moi vous dire qu'en vérité, un tout petit nombre de femmes ont eu des vues sur moi. J'ai entretenu des relations parfaitement ordinaires avec de jolies femmes tout aussi ordinaires. Je me suis même fiancé, mais la dame en question m'a quitté parce qu'elle me jugeait snob et paresseux — ce en quoi elle avait sans doute raison. Ma tante est terrifiée à l'idée qu'une femme puisse me passer la corde au cou, pour reprendre sa manière typiquement américaine de s'exprimer. En fait, personne ne s'intéresse sérieusement à moi.

Jury n'en crut pas un mot, mais décida une fois de plus de changer de sujet.

— D'après M. Scroggs, vous êtes allé à la Forge le lendemain soir, c'est-à-dire le vendredi où Ainsley a été assassiné.

— Oui, vers 8 heures ou 8 heures et demie. Presque toute la bande était là. Vivian était assise à côté de moi. Matchett est venu manger un morceau au bar. J'imagine qu'il n'avait pas envie de rester dans son établissement. Mais tous les habitants de Long Piddleton connaissent la porte de service de Scroggs. N'importe qui a pu entrer et ressortir par-derrière.

— Vous aussi vous étiez au courant ?

— Bien sûr, comme tout le monde. Par conséquent, cela ne vous avance pas à grand-chose de savoir qui se trouvait *à l'intérieur*.

— Le bruit court que M. Matchett et Vivian Rivington vont se marier.

— Je ne savais pas. J'espère que ce n'est pas vrai.

— Pourquoi ?

— Je n'aime pas beaucoup Matchett. Elle est trop bien pour lui. Quand vous parlez de « dissimuler le mobile véritable », vous pensez que d'autres crimes pourraient être perpétrés ?

— Je me garderai bien de faire une telle prédiction. Mais vous m'avez dit vous-même que plusieurs habitants de Long Piddleton ont de bonnes raisons de commettre de nouveaux meurtres.

— Allons, je n'étais pas sérieux.

Melrose se retourna brusquement, car des bruits divers et des éclats de voix provenaient du hall d'entrée. Ruthven apparut.

— Je suis désolé, milord. C'est Lady Ardry. Elle insiste pour...

— Ma *tante* ? Deux fois dans la journée ?

Avant qu'il ait pu achever sa phrase, Agatha repoussa la porte, écarta Ruthven, et se rua dans la salle à manger, sa cape flottant au vent.

— Comment ! Vous êtes assis tranquillement tous les deux devant des rognons et du bacon alors que le village est en pleine émeute !

— C'est le cas depuis plusieurs jours, Agatha. Qu'est-ce qui t'amène ici ?

Lady Ardry planta sa canne droit devant elle et déclara avec des accents triomphaux :

— Tu veux savoir ce qui m'amène ? Eh bien, je viens interrompre le repas de l'inspecteur Jury. Il y en a eu un autre.

— Un autre quoi ?

— Un autre meurtre. Au Cygne à Deux Têtes.

9

— Dès que j'ai appris la nouvelle, je me suis précipitée ! dit Lady Ardry, assise sur la banquette arrière de la Bentley de Melrose Plant.

Celui-ci avait perdu cinq minutes à faire chauffer le moteur glacé de sa voiture, et ils filaient à présent tous les trois sur la route qui relie Sidbury à Dorking Dean.

Jury s'efforçait de garder son sang-froid.

— Pourquoi Wiggins ne m'a-t-il pas appelé ? Cela vous aurait évité un trajet d'une demi-heure à vélo.

Agataha regardait en fredonnant la neige qui commençait à fondre dans les champs.

— Je suppose qu'il ignorait où vous joindre.

— Mais vous, Lady Ardry, vous m'avez trouvé.

Elle lissa sa jupe aux plis amples.

— Non, voyons. Je n'aurais jamais imaginé que vous étiez encore en train de traîner chez mon neveu, devant une tasse de café.

Le Cygne à Deux Têtes était une auberge de campagne située à un kilomètre d'Ardry End et à près de dix kilomètres de Dorking Dean. Trois voitures de police étaient garées sur le petit parking, tandis qu'un certain nombre d'amateurs de sensations fortes s'étaient arrêtés n'importe comment sur le bord de la route. Dès que la Bentley ralentit en projetant des giclées de neige fondue, Wiggins se rua à la rencontre de son supérieur.

— Je suis absolument désolé, monsieur. J'ai cherché à vous joindre partout. J'ai...

— Ce n'est pas votre faute. J'étais à Ardry End.

— En train de prendre le petit déjeuner, ajouta Agatha avec perfidie.

Le commissaire Pratt apparut.

— La police scientifique a examiné les lieux. Vous pouvez donc vous déplacer librement. Je dois rentrer à Northampton. Mon adjoint est débordé, comme vous pouvez l'imaginer. Wiggins vous mettra au courant.

Esquissant un petit salut, Pratt monta dans une voiture qui venait d'arriver. Entre-temps, Melrose avait entraîné Lady Ardry dans la petite foule, sans se soucier de ses protestations : elle semblait estimer que l'enquête avait été interrompue du fait de son absence, et qu'elle pouvait enfin redémarrer.

— Pluck, ordonna Jury, faites reculer tous ces gens-là. Le médecin légiste va devoir se garer à cet endroit.

Il y avait plusieurs enfants parmi l'assistance,

avides de voir du sang et des détails macabres. Parmi eux, les deux petits Double, auxquels il adressa un geste de la main. Ils lui répondirent en agitant frénétiquement les bras.

— Où est le corps, Wiggins ? Et qui l'a trouvé ?

— C'est Mme Willypoole, la patronne, qui l'a découvert dans le jardin.

Un groupe de journalistes s'approcha alors des policiers :

— S'agit-il d'un psychopathe, inspecteur ?

— Je ne sais pas. Mais si j'en crois ce que je lis dans les journaux, c'est *votre* opinion.

— Mais le même schéma se répète, inspecteur. C'est le troisième meurtre commis dans une auberge.

— Je compte sur vous pour m'expliquer le sens de ce schéma quand vous l'aurez trouvé.

Avant de franchir le seuil de l'établissement, Jury s'arrêta pour observer l'enseigne qui grinçait un peu sur son support en fer forgé. Bien que la peinture fût un peu passée, on distinguait parfaitement un cygne bicéphale dont les têtes trompétaient dans des directions opposées. L'oiseau flottait en toute sérénité sur les eaux vertes d'une rivière et paraissait inconscient de son étrange difformité. En haut de l'enseigne, la légende était écrite en lettres cursives élégantes : *Le Cygne à Deux Têtes*.

— Où vont-ils chercher des idées pareilles ? demanda Jury.

— Quelles idées ? marmonna Wiggins, le nez enfoui dans son mouchoir.

— Les noms, Wiggins, les noms des auberges.

Jury poussa la porte en verre dépoli qui donnait sur le bar. Derrière le comptoir, une femme était en train de s'envoyer un verre de gin dans le gosier. Quand elle vit l'inspecteur, elle eut un pauvre sourire et brandit fièrement la bouteille d'alcool.

— Mme Willypoole, dit Wiggins. C'est elle qui l'a découvert.

— Je suis l'inspecteur Jury, madame, de New Scotland Yard.

Elle eut du mal à se concentrer sur l'insigne qu'il lui tendait, mais un chat roux, roulé en boule sur le comptoir, ouvrit un œil inquisiteur. Apparemment rassuré sur l'identité de Jury, il bâilla et se rendormit aussitôt.

— Un verre, mon chou ?

Jury déclina l'offre.

— Il faut m'excuser, mon chou. Ce n'est pas tous les jours qu'on reçoit un pareil choc. Vous comprenez, quand je suis sortie...

Elle s'interrompit et se prit la tête à deux mains.

— Je comprends très bien ce que vous ressentez, madame Willypoole. Je vais d'abord aller jeter un coup d'œil dans le jardin, et je reviendrai ensuite vous poser quelques questions.

Comme elle ne semblait pas l'avoir entendu, il comprit qu'il n'en tirerait rien s'il s'obstinait à employer un ton officiel. Il s'accouda au bar et adopta un registre plus plébéien :

— Je vous jette pas la pierre, ma poule, mais

faudrait voir à y aller mollo, parce que je vais avoir besoin de vous.

Et il lui fit un clin d'œil en désignant la bouteille. Elle le dévisagea et reposa son verre.

— Appelez-moi Hetta.

Bien qu'elle eût abordé depuis fort longtemps les rivages de la maturité, les vestiges d'une gloire révolue surnageaient parmi les ruines. Sa taille cambrée, la lingerie froufroutante qu'on devinait sous ses vêtements témoignaient d'une époque où elle n'avait pas eu vingt kilos de trop et les cheveux teints au henné. Elle reboucha la bouteille et dit :

— Voilà la porte du jardin.

Dehors, il faisait un froid de canard.

— Pourquoi est-il sorti boire sa bière dans un endroit aussi glacial ? demanda Wiggins.

Le corps était étendu sur une table blanche métallique, à côté d'une chope de lager à moitié vide.

— Il devait avoir rendez-vous avec quelqu'un, j'imagine.

— Avec qui, monsieur ?

— J'aimerais bien le savoir, sergent. Regardez cela.

Jury lui indiquait un livre posé sous la main de la victime. Comme l'équipe de Pratt était passée, il n'avait plus à se soucier des empreintes digitales. Aussi dégagea-t-il doucement le volume.

— Tiens, tiens. Le premier roman de ce cher M. Darrington.

— Incroyable. On dirait que quelqu'un cherche à brouiller les pistes.

Wiggins avait le don de déconcerter Jury. Quelques instants plus tôt, il lui avait posé une question stupide, et à présent il avançait une déduction très pertinente. Tout dépendait peut-être de ses voies nasales : bouchées ou débouchées.

— Cela ne me surprendrait guère, sergent. Maintenant, mettez-moi au courant.

Il attendit patiemment que Wiggins ait extrait une pastille pour la toux de son emballage de cellophane et se la soit fourrée dans le bec.

— La victime s'appelle Jubal Creed, monsieur. D'après son permis de conduire, il habite un village d'East Anglia nommé Wigglesworth. C'est dans le comté de Cambridge. Le labo de Weatherington essaie de localiser sa famille. Nous avons retrouvé sa voiture sur le parking. Ils l'ont également emmenée à Weatherington. Creed est arrivé ici hier soir, il a dîné, et il a pris son petit déjeuner ce matin. Selon Mme Willypoole, il s'est présenté vers 22 h 30 ou un peu plus tard.

Jury hocha la tête et mit un genou en terre pour examiner le corps de Creed. Le scénario du crime était évident. Une marque rouge autour du cou. Un teint légèrement bleuté. Des yeux que Wiggins avait fermés, mais qu'on devinait gonflés sous les paupières. Comme dans le cas de Small, le tueur avait utilisé un fil de fer, qui avait mordu dans la peau. Creed n'avait pas dû opposer une grande résistance.

— Clair, net et précis. Il s'est approché par-derrière, et hop !

— J'ai prévenu le commissaire Racer, monsieur. J'espère ne pas avoir commis d'erreur.

— Merci. Il a dû être enchanté.

Wiggins s'autorisa un sourire discret.

— Il m'a demandé pourquoi ce n'était pas vous qui l'appeliez. Je lui ai dit que vous étiez occupé, monsieur.

— Si Lady Ardry n'avait pas été aussi impatiente de m'annoncer ce nouveau meurtre, vous m'auriez contacté plus vite. On devrait peut-être restaurer la vieille tradition qui consistait à mettre à mort les porteurs de mauvaises nouvelles.

— Elle était à bicyclette sur la route, quand un automobiliste venant en sens inverse l'a informée de cet homicide. C'est du moins ce qu'elle a déclaré.

— Nous allons démolir son alibi, sergent !

Wiggins éclata de rire, ce qui l'obligea à sortir son inhalateur. Sa vie d'asthmatique n'était qu'un long calvaire.

— Essayez d'établir quand et pourquoi ce type a quitté son domicile dans le comté de Cambridge, dit Jury...

Il s'aperçut alors que la tête de Creed, appuyée contre le bras, était légèrement orientée vers le haut.

— Wiggins, qu'est-ce que c'est que ça ? dit-il en lui montrant une sorte de coupure sur le nez.

La blessure avait saigné récemment. Jury saisit

la tête et la tourna vers lui. Il y avait une seconde coupure. Comme si on lui avait passé à deux reprises une lame de rasoir en travers du nez. Presque tout le sang s'était écoulé de l'autre côté. Les entailles n'étaient pas profondes, mais Jury ne put s'empêcher de frissonner. Encore une plaisanterie de mauvais goût ? Dans ce cas, que signifiait-elle ?

Avant que Wiggins ait pu donner son avis sur les coupures, un petit homme très vif ouvrit la porte du jardin, leur dit qu'il était le docteur Appleby et leur présenta ses excuses pour son retard. Mais, ajouta-t-il sur un ton grincheux, il devait aussi s'occuper des vivants. Au terme d'un examen rapide et efficace, il leur fit part de ses conclusions :

— Toujours la même histoire. La victime a été étranglée par une personne qui se tenait derrière elle. La pression s'est surtout exercée sur le larynx. La peau est un peu coupée. Sans doute un fil de fer, comme les autres fois.

Il regarda Jury par-dessus ses verres sans montures et haussa les sourcils.

— Joli travail. C'est la troisième fois que j'ai l'occasion de l'admirer.

— Vous êtes sûr ? demanda Jury. Londres ne m'a rien dit de tel.

— Je pourrai peut-être vous fournir quelques éléments supplémentaires après l'autopsie, grogna Appleby. Mais rien d'essentiel si c'est comme les deux fois précédentes. Je peux déjà estimer l'heure de la mort entre, disons, 9 heures, et le moment où le corps a été découvert. A midi, je crois ?

— Nous pouvons resserrer la fourchette, dit Jury en proposant une cigarette au médecin légiste. Il était encore en vie à 10 h 30. Je présume que ce meurtre a pu être commis aussi bien par une femme que par un homme ?

— Absolument. Les trois victimes sont des individus de petite taille, des poids plume. Et plus personne aujourd'hui ne considère les femmes comme des créatures délicates. Cependant, la méthode employée n'a rien de très féminin. Le poison, le pistolet et autres procédés de ce genre sont nettement plus appréciés par le sexe faible.

— Vous êtes bien misogyne, docteur Appleby, dit Jury. Vous oubliez les coupures sur l'arête du nez.

Appleby souleva la tête pour l'examiner de près, puis la laissa retomber sur le bras.

— Oui, c'est très bizarre. Honnêtement, je ne sais pas ce que c'est. Les blessures sont récentes. Est-ce l'assassin ?

— En tout cas, il ne s'est pas fait cela en se rasant.

— Bien, je vais vous laisser. La civière arrivera dans peu de temps. Au revoir, inspecteur.

Quand le médecin se fut éloigné, Jury remonta le col de son imperméable, enfonça ses mains dans ses poches et étudia le théâtre du crime : un jardin entouré de hauts murs d'environ deux cents mètres carrés. La moitié était dallée pour recevoir des tables, l'autre moitié gazonnée. Sur la gauche, une ancienne écurie avait été restaurée et aménagée en toilettes.

— Aucune issue, Wiggins ?

— Non, monsieur.

A l'arrière de l'auberge, deux ailes tronquées encadraient partiellement la terrasse dallée, où Creed avait occupé l'une des tables. Il y avait deux fenêtres au rez-de-chaussée, une à chaque extrémité, mais elles ne permettaient pas de voir le cadavre, car celui-ci se trouvait dans le recoin formé par les deux ailes. La partie centrale du bâtiment n'avait pas de fenêtre, et un toit en Plexiglas bon marché protégeait la terrasse des intempéries. Une aubaine pour l'assassin, qui n'avait pas laissé de traces dans la neige. En outre, le toit faisait écran entre la terrasse et les fenêtres du premier et du second étage. Bien qu'inclus dans un lieu public, ce petit bout de jardin était étrangement retiré. Le seul danger provenait de la porte de derrière, qui pouvait être ouverte à tout moment.

— Les hommes de la police scientifique sont-ils allés de l'autre côté du mur, Wiggins ?

— Oui, monsieur. Le commissaire Pratt les y a envoyés. Aucune trace. De toute façon, il aurait été impossible de franchir ce mur rapidement. Il est trop haut.

— Bon, allons voir Mme Willypoole. Il n'y avait pas d'autres clients ?

— Pas la nuit dernière, monsieur. Mais deux habitants de Long Piddleton se sont présentés vers

11 heures, à l'ouverture du bar. Miss Rivington et M. Matchett.

Jury fronça les sourcils.

— Tiens donc ! Laquelle des deux Rivington ?

— Vivian Rivington.

— Et dans quel but ?

— Elle a dit qu'ils avaient mangé un morceau.

— Vous les avez interrogés ?

— Non, monsieur. Ils étaient déjà repartis quand nous sommes arrivés.

— Vous savez où ils sont ?

— J'ai demandé à Pluck de leur dire de se tenir à votre disposition. D'après lui, ils sont à Long Piddleton.

Jury resta un moment silencieux, le regard fixé sur le jardin.

— Pensez-vous la même chose que moi, monsieur ?

Jury fut un peu étonné d'apprendre que Wiggins se laissait aller à penser — une activité dont ce dernier préférait d'ordinaire lui laisser le monopole.

— Je vous écoute.

— Nous sommes en présence d'un meurtre à huis clos, monsieur.

— Comment cela ?

— Eh bien, le coupable n'a pu venir que de *l'intérieur* de l'auberge. Pourtant, Mme Willypoole affirme que M. Matchett et Miss Rivington n'ont pas quitté leur table. Pour être aussi catégorique, elle a dû elle aussi rester dans la salle en permanence. Ils ont donc tous les trois un alibi.

— Excellent, sergent. Par ailleurs, personne

n'a pu escalader le mur. Si je vous suis, le meurtre n'a donc pas pu avoir lieu.

— Exact, monsieur, dit Wiggins avec un grand sourire.

— Quelqu'un a néanmoins tué cet homme, n'est-ce pas ? Allez jeter un coup d'œil de l'autre côté du mur.

— Selon vos déclarations, vous avez découvert la victime parce que vous commenciez à vous demander où il avait bien pu passer ?

— C'est ça, répondit Mme Willypoole. D'abord, je saisissais pas du tout ce qu'il voulait faire dehors. Quand je l'ai vu vautré sur une des tables, j'ai cru qu'il était malade. Mais mon petit doigt m'a dit qu'il valait mieux pas y toucher.

Elle frissonna et demanda une cigarette à Jury.

— Il était descendu chez vous.

— Oui. Mes chambres ne sont jamais toutes prêtes en prévision d'un client, surtout l'hiver, mais il m'avait appelée il y a deux ou trois jours.

— Il vous avait appelée ? D'où cela ?

Elle haussa les épaules.

— J'en sais rien. Il m'a dit qu'il voulait une chambre pour une nuit, c'est tout. Ça m'a étonnée. Personne ne connaît mon auberge en dehors des gens de Dorking Dean et de Long Piddleton.

— Vous saviez donc que c'était un étranger.

— Il l'était pour moi, en tout cas. Il venait peut-être de Dorking Dean, mais dans ce cas pourquoi aurait-il réservé une chambre ?

171

Le registre de police était ouvert devant Jury.

— Jubal Creed. Il n'a pas mentionné sa profession ?

Elle secoua la tête.

— Vous a-t-il dit pourquoi il voulait emporter son verre dehors ?

— Il avait juste envie de s'aérer un peu.

— Vous recevez souvent des gens de Long Piddleton ?

— Assez souvent, oui. Ils s'arrêtent en route quand ils vont à Dorking Dean ou plus loin. Il y en avait deux ce matin, comme je l'ai expliqué à votre sergent.

— Simon Matchett et Miss Rivington. Vous les connaissez ?

— Lui, je le connais, c'est le patron du Mauvais Sujet, dit-elle, soudain radoucie. Un homme charmant, ce Simon... Elle, elle est déjà venue plusieurs fois, mais je la connais moins bien.

— Que venaient-ils faire chez vous ?

— Ben... casser la croûte. Un petit en-cas, vous comprenez. Un sandwich au fromage.

— Quelle heure était-il ?

— 11 heures environ. Un peu tôt pour déjeuner.

— Ils sont arrivés ensemble ?

— Ils sont *entrés* ensemble. Mais je crois qu'ils avaient chacun leur voiture et qu'ils se sont retrouvés ici.

— Et il était à peu près 11 heures ?

— Oui, je ne pourrais pas vous dire à une minute près, mais je me souviens que je venais d'ouvrir le bar.

— Ils se sont installés au comptoir ?

— Non, je leur ai servi leurs sanwiches là-bas.

Elle montra du doigt la plus éloignée des dix ou douze tables réparties dans la salle.

— Vous n'avez donc pas entendu leur conversation ?

— Non.

— L'un d'entre eux s'est-il levé à un moment ou à un autre ?

— Non. Et je suis sûre et certaine d'être restée tout le temps.

— Les deux seuls accès au jardin sont la porte de derrière et la grille aménagée dans le mur.

Elle opina du chef. Jury s'empara des pastilles pour la toux de Wiggins et les disposa légèrement en retrait derrière une bouteille de ketchup et un flacon de vinaigre.

— J'ai remarqué que la terrasse est en partie encastrée entre les deux ailes du bâtiment. Il y a deux fenêtres au rez-de-chaussée, mais elles ne permettent pas de voir cette partie du jardin.

Il posa la main sur la boîte de pastilles.

— Par conséquent, on ne peut voir les tables que depuis la porte. Or, celle-ci était fermée puisque nous sommes en hiver.

De nouveau elle hocha la tête. Jury entreprit alors de lui énumérer la liste des personnes présentes au Mauvais Sujet le soir du meurtre de Small.

— Connaissez-vous certains d'entre eux, Hetta ?

— Ils sont tous venus ici à l'occasion. Même le

pasteur. Je pourrais pas vous dire exactement de quoi ils ont l'air, mais ces noms me sont familiers.

— Combien de temps M. Matchett et Miss Rivington sont-ils restés ici ?

Elle se gratta le front avec un ongle au vernis écaillé.

— Euh... trois quarts d'heure, une heure.

Wiggins franchit soudain la porte d'entrée, visiblement très content de lui.

— J'ai trouvé, monsieur. Une fenêtre. Voulez-vous me suivre ?

Tandis que Jury se levait, il repéra sa boîte de pastilles entre le ketchup et le vinaigre, et s'empressa de la récupérer.

— Merci beaucoup, Hetta, dit Jury. Vous m'avez été d'un grand secours.

Prise d'un accès de coquetterie tardif, elle ajusta son pullover et recoiffa ses mèches rousses.

— Comme je le dis toujours, quand on est pas capable de garder la tête froide, vaut mieux faire un autre métier. J'en ai viré plus d'un autrefois, monsieur Jury. Avec moi, les hommes ont pas intérêt à avoir la main baladeuse.

— Vous avez parfaitement raison. Si j'ai d'autres questions à vous poser, vous me permettez de revenir vous voir ?

— Bien sûr, dit-elle avec un sourire coquin.

— Voici les toilettes, monsieur, dit Wiggins.

Ils se tenaient devant la partie du mur correspondant aux anciennes écuries.

174

— Ce n'est pas difficile. Il m'a suffi de pousser la fenêtre, de me glisser à l'intérieur et de ressortir par la porte qui donne sur le jardin.

Jury constata que la neige avait presque entièrement fondu à cet endroit, mais que le sol était toujours gelé. Des conditions peu favorables aux empreintes. Il s'accroupit au pied du mur.

— Les hommes de Pratt ont dû passer par ici. Je me demande...

Il entendit alors un *pssst* dans son dos et vit une petite tête disparaître derrière un chêne.

— Qu'est-ce que c'est que ça ? s'écria Wiggins, désorienté.

Le sergent remonta le col de son manteau, comme pour se protéger contre les étranges créatures des bois.

— Je crois savoir ce que c'est, répondit Jury.

De nouveau, une petite tête apparut brièvement derrière le tronc, puis une seconde un peu plus haut.

Pssst. Pssst.

— Sortez de là ! ordonna Jury en faisant la grosse voix.

Les deux petits Double émergèrent aussitôt, l'air encore plus timide que d'habitude. La fillette saisit l'ourlet de son manteau.

— Alors, les deux James, dit Jury sur un ton radouci, qu'est-ce que vous faites ici ?

Le garçon, toujours plus téméraire que sa sœur, regarda alternativement les deux hommes. Le message qu'il adressait à Jury était clair comme de l'eau de roche : *Débarrassez-vous de lui, sinon nous ne vous dirons rien.*

— Wiggins, allez voir si les verres de gin ont rafraîchi la mémoire de Hetta.

Dès que le sergent se fut éloigné, la fillette se mit à trépigner d'excitation, tandis que son frère déclarait d'un ton solennel :

— Des traces !

Un bouquet de chênes se dressait juste en face du mur, après quoi la végétation devenait de plus en plus dense. Les yeux d'un bleu de porcelaine de la gamine étaient rivés sur Jury : elle se réjouissait à l'avance de pouvoir mettre en pratique la leçon qu'il leur avait donnée. James saisit l'inspecteur par la manche.

— Nous avons fait comme vous nous avez dit, monsieur Jury. Nous avons cherché des trucs bizarres. Vous nous avez expliqué qu'il y a toujours des trucs bizarres en cas de meurtre.

Tout en se laissant remorquer, Jury se demanda s'il leur avait vraiment dit cela. Soudain, ils le lâchèrent et piquèrent un sprint entre les arbres. Dans le bois, la neige avait beaucoup moins fondu qu'au pied du mur du Cygne à Deux Têtes. James put donc lui indiquer une empreinte de chaussure ou de botte. Deux mètres plus loin, une plaque de neige leur livra une deuxième empreinte. Encore quelques mètres, et ils atteignirent une petite clairière au sol labouré par les ornières et durci par le gel.

James se retourna et pointa l'index vers la route

menant de Sidbury à Dorking Dean, qui était masquée par les arbres.

— L'ancienne route de Dorking Dean passait ici, expliqua-t-il. Mais plus personne ne l'emprunte.

De vieilles traces de pneus étaient encore visibles. Jury s'approcha et put ainsi constater que l'une d'entre elles semblait assez récente. Il était très possible qu'une voiture ait quitté la route et se soit arrêtée ici.

— James et James, dit-il en posant la main sur le bonnet de laine de la petite fille. Vous avez été brillants.

Ils échangèrent un regard, bouche bée, tant ils étaient surpris de se voir appliquer un qualificatif d'ordinaire réservé aux étoiles et au soleil. Jury sortit son portefeuille.

— Scotland Yard a l'habitude de récompenser ce genre de choses.

Il leur donna à chacun un billet d'une livre, qu'ils acceptèrent en gloussant.

— Mais vous ne devez naturellement révéler ce secret à personne.

Les rires cessèrent aussitôt. Ils hochèrent la tête avec la plus extrême gravité.

— Maintenant vous allez rentrer chez vous. Et soyez prudents. J'aurai encore besoin de vous.

Les petits Double décampèrent parmi les arbres, mais au bout d'une minute le garçon réapparut et fourra un objet dans la main de Jury.

— C'est pour vous, monsieur. Je l'ai fabriqué moi-même.

Il rejoignit alors sa sœur, et les deux gamins s'éloignèrent avec de grands gestes d'adieu.

Jury regarda le cadeau : un lance-pierres grossièrement taillé et muni d'un élastique. Le sourire aux lèvres, il chercha des cailloux sous la neige et effectua quelques tirs d'entraînement contre les troncs d'arbres. Un jour, lorsqu'il avait l'âge de James, il avait descendu plusieurs vitres de son école à trente mètres de distance.

Tout à coup, il se retourna d'un air penaud pour s'assurer que personne ne l'épiait. Puis il fourra le lance-pierres dans une poche intérieure de son imperméable et regagna le Cygne à Deux Têtes.

10

— Le sol était dur comme du béton, mais nous avons tout de même réussi à relever une petite trace de pneu, dit le commissaire Pratt, les pieds croisés sur le bureau du sergent Pluck.

— Je ne crois pas que cela nous mène plus loin que les empreintes de pieds, répondit Jury. Personne ne porte de bottes d'une telle pointure. S'il est assez malin pour changer de chaussures, il a sans doute aussi changé les pneus de sa voiture.

— Bah! nous allons quand même vérifier. C'était plutôt une bonne cachette, malgré tout. Un coin masqué par les arbres et par une inclinaison de terrain. Si nous en venions à ces coupures sur le nez?

Mais Pratt fut interrompu par Pluck, qui leur annonça l'arrivée de Lady Ardry.

— Elle prétend que vous l'avez convoquée, monsieur, dit-il à Jury.

Le sergent était sidéré, comme si seul un malade mental pouvait prendre une pareille initiative.

— C'est exact, sergent. Lorsque Miss Rivington et M. Matchett se présenteront, vous voudrez bien les faire attendre un petit moment.

Lady Ardry fit une entrée triomphale dans la pièce et écarta le malheureux Pluck en appuyant sa canne sur sa poitrine. Pratt termina sa tasse de thé et prit congé.

Agatha s'assit sur une chaise, enveloppée par sa vaste cape, tenant sa canne à deux mains. Jury apprécia tout particulièrement ses mitaines en laine marron foncé, coupées à la hauteur des dernières phalanges. L'un des doigts avait sans doute commencé à se détricoter, et elle avait opté pour cette solution radicale plutôt que de le repriser. A l'évidence, elle était heureuse comme une reine d'avoir été convoquée.

— Vous voulez me parler du dénommé Creed ?

Jury manifesta son étonnement :

— Comment connaissez-vous son nom, Lady Ardry ?

— Grâce au crieur public, expliqua-t-elle avec un sourire perfide. Sergent Pluck, je vous avais pourtant prévenu, non ? Il répète ça à tout le monde.

Puis elle gonfla les joues et leur fit part de ses conclusions :

— Alors, inspecteur, notre psychopathe court toujours ?

— Vous ne croyez tout de même pas qu'un étranger se promène dans Long Piddleton en attendant de se jeter sur ses proies ?

— Miséricorde ! Vous pensez vraiment que

c'est un habitant du village ? C'est ce cinglé de Melrose qui a dû vous mettre ça en tête.

A l'entendre, Scotland Yard se laissait manipuler par son neveu désaxé.

— J'ai bien peur que le psychopathe, s'il s'agit bien d'un psychopathe, ne soit l'un d'entre vous, Lady Ardry. Maintenant, venons-en à votre promenade à bicyclette sur la route de Dorking Dean. Quelle heure était-il environ ?

— C'était pendant que vous jacassiez avec Melrose.

Jury devina qu'elle ajoutait intérieurement : « Espèce d'idiot ! »

— Pourriez-vous être un peu plus précise ? Combien de temps vous a-t-il fallu pour aller d'Ardry End à la route de Dorking Dean ?

Son front se plissa sous l'effet de la concentration.

— Un quart d'heure.

— Et c'est à ce moment-là que la voiture vous a croisée.

— La voiture ? Quelle voiture ?

Jury s'efforça de garder son calme.

— La voiture qui s'est arrêtée pour vous mettre au courant de ce qui venait de se passer au Cygne à Deux Têtes.

— Ah, cette voiture-là. Pourquoi ne le disiez-vous pas plus tôt ? J'étais déjà sur la route de Dorking Dean. C'était Jurvis, le boucher. Il avait vu l'attroupement sur le parking, et il a freiné pour me prévenir.

— Vous étiez donc à moins d'un kilomètre du

Cygne à Deux Têtes, calcula Jury. Vous auriez pu vous y rendre en quelques minutes.

— Oui, si j'avais voulu. Mais je ne supporte pas cette bonne femme. La mère Willypoole. Un vrai pot de peinture !

Jury l'interrompit :

— Je voulais simplement dire qu'en partant d'Ardry End vers 11 h 30, vous auriez pu être au Cygne à Deux Têtes avant midi.

Elle ne comprit pas le sous-entendu.

— Pourquoi serais-je allée au Cygne à Deux Têtes ?

Jury retint un sourire et consulta le morceau de papier sur lequel il avait évalué la durée des trajets.

— Enfin, j'ai au moins une bonne nouvelle à vous annoncer. Je ne la confierai à personne d'autre.

Elle se pencha au-dessus du bureau dans son impatience de connaître ce secret.

— Motus et bouche cousue, dit-elle en posant sur ses lèvres un index à moitié recouvert de laine.

— Une personne au moins possède un alibi à toute épreuve.

— Moi, évidemment, minauda-t-elle.

Jury feignit la surprise :

— Oh ! non, madame. Vous n'avez pas suivi mes calculs. Je parle de Melrose Plant. Je savais que cela vous rassurerait.

Sa mâchoire se décrocha et ses joues s'empourprèrent.

— Voyez-vous, entre le moment où vous nous

avez quittés et votre retour à Ardry End, M. Plant était en ma compagnie. Et auparavant, il était avec *vous*.

Elle tripotait sa canne, tirait sur ses mitaines et jetait des regards affolés dans tous les coins. Soudain, son visage s'éclaircit.

— Dans ce cas, moi aussi j'ai un alibi !

Puis elle s'accouda sur le bureau et appuya son menton dans la paume de sa main, ravie de cette brillante déduction.

— Vous oubliez mes calculs, Lady Ardry. Creed a été assassiné entre 10 h 30 et midi. Or, nous avons établi l'heure à laquelle vous avez quitté Ardry End, et la durée du trajet à vélo jusqu'à l'auberge.

Finalement, elle comprit qu'il la suspectait. Jury vit la rougeur s'étendre sur sa gorge et lui monter au visage. Elle se dressa sur ses ergots.

— Ce sera tout, inspecteur ?

Sa voix tremblait de rage, et il devina aisément ce qu'elle aurait aimé faire avec sa canne.

— Pour l'instant, oui. Mais je vous prie de rester à ma disposition.

Dès que la grosse dame fut sortie du bureau, il se retourna vers la fenêtre, se prit la tête à deux mains et éclata de rire.

Il était toujours secoué par l'hilarité lorsque la porte s'ouvrit tout doucement derrière lui et qu'une voix murmura :

— Inspecteur Jury ?

Il pivota sur lui-même.

— Je suis Vivian Rivington, dit-elle, intriguée par son attitude. Votre sergent m'a dit que je pouvais entrer.

Jury demeura figé, avec un sourire idiot, incapable de bouger le petit doigt. Il était tombé amoureux de Vivian Rivington au premier regard.

La description de Lady Ardry était exacte : elle portait bien un gilet de laine marron foncé avec une ceinture assortie. Mais ses mains, loin d'être enfoncées dans ses poches, tiraillaient nerveusement l'ourlet de son gilet, exactement comme la petite Double. Ses cheveux satinés avaient la couleur d'une belle journée d'automne : un tapis de feuilles mortes rehaussé de vieil or et de fauve. Au milieu d'un visage triangulaire et dépourvu de tout maquillage, ses yeux d'ambre semblaient parsemés d'innombrables éclats de pierres précieuses. Si le souvenir de Maggie s'imposa à Jury, c'est parce qu'elle dégageait une aura de tristesse et de deuil qui, curieusement, se muait en une beauté radieuse. Un sortilège auquel il ne pouvait résister.

Elle toussota, un peu gênée, ce qui le fit redescendre sur terre. Il fit le tour du bureau, lui tendit la main, la retira, puis la tendit de nouveau. Elle la regarda d'un air soupçonneux avant de la serrer, comme s'il allait une fois de plus se dérober.

Jury s'apprêtait à entamer l'interrogatoire quand Wiggins passa la tête à l'intérieur de la pièce pour le prévenir que Matchett était arrivé.

— Merci, sergent. Je le verrai tout à l'heure. Voulez-venir avec votre bloc-notes pour prendre cette déposition.

Wiggins parut très étonné du ton presque religieux qu'avait adopté son supérieur, mais celui-ci n'y prêta aucune attention. Il se recoiffa en fixant le visage de Vivian comme un homme qui se regarde dans un miroir.

— Miss Rivington, je suis l'inspecteur Jury. Richard Jury. Veuillez vous asseoir.

Il étudia la feuille de papier déchirée sur laquelle il avait griffonné quelques notes et dessiné de grosses dames enveloppées dans une cape. Puis il croisa les mains sur le bureau et prit une mine très sérieuse. Si sérieuse que Vivian se retourna vers Wiggins. Celui-ci lui fit un petit sourire qui sembla la rassurer.

— Miss Rivington, vous vous trouviez au Cygne à Deux Têtes quand... enfin... juste avant que...

Il essayait de présenter les choses le plus délicatement possible, mais sans y parvenir.

— Juste avant que cet homme ne soit tué, dit-elle en baissant les yeux.

— Pourriez-vous préciser la raison de votre présence sur les lieux ?

— Bien sûr. J'étais venue déjeuner avec Simon Matchett.

Matchett. Jury avait oublié que, si l'on en croyait la rumeur, elle devait épouser Matchett. Il n'avait qu'à lui poser la question... Non, il était trop tôt.

— Ai-je dit quelque chose de mal, inspecteur ?

— Non, non, pourquoi cela ?

Son expression hostile avait dû la heurter. Aussi se tourna-t-il vers Wiggins, de manière à suggérer que le sergent était à l'origine de sa colère.

— Vous avez tout noté, Wiggins ?

Ce dernier sursauta.

— Je vous demande pardon ? Si j'ai tout noté, monsieur ? Euh, oui, évidemment.

— Continuez, Miss Rivington, dit Jury.

— Je n'ai vraiment pas grand-chose à ajouter. Comme Simon devait se rendre à Dorking Dean, nous nous étions donné rendez-vous au Cygne à Deux Têtes à 11 heures.

— Vous y allez souvent.

— Non, mais j'aime bien y passer de temps en temps. Ça me change un peu de Long Piddleton, et comme il devait se rendre à Dorkin Dean...

Jury déchirait le buvard de Pluck en petits morceaux.

— Vous n'avez pas vu la victime ?

Elle secoua la tête.

— Vous n'avez pas quitté votre table durant tout le temps que vous êtes restée au Cygne à Deux Têtes ?

Nouvelle dénégation.

— Mme Willypoole ne s'est pas non plus absentée ?

Vivian réfléchit un moment.

— Honnêtement, je ne crois pas, même si je ne peux pas l'affirmer.

— M. Matchett et vous-même êtes repartis vers midi ?

— Oui. Quel est le problème, inspecteur Jury ?

Elle se pencha lentement en avant et posa les doigts sur le rebord du bureau : une rangée d'ongles sans vernis qui faisaient penser à un collier d'opales. Du coup, Jury cessa de déchiqueter le buvard.

— Nous nous efforçons de le découvrir, répondit-il sans conviction. Vous êtes arrivée après M. Matchett ? Ou en même temps que lui ?

— Nous avions chacun notre voiture. Mais nous sommes arrivés exactement au même moment. Je ne peux pas croire que...

Elle appuya son front sur sa main, mais se reprit aussitôt, comme si ce geste avait été un peu trop mélodramatique. Puis elle se redressa à la manière d'une enfant qu'on réprimande. Jury eut le sentiment qu'elle ne cessait de s'adresser des reproches en silence.

— Le problème, c'est que cet homme a dû être assassiné pendant que j'étais dans la salle. Et je ne parviens pas à l'accepter.

Jury avait lui aussi du mal à s'y faire.

— Inspecteur ? Vous vous sentez bien ? demanda-t-elle d'un air préoccupé. Vous devez être un peu surmené.

— Ne vous inquiétez pas pour moi. J'ai encore beaucoup de questions à vous poser, mais je dois d'abord m'entretenir avec M. Matchett.

Il mourrait d'envie de l'interroger sur ses projets de mariage avec Matchett, mais il se retint juste à temps et se tourna vers Wiggins.

— Sergent, voulez-vous reconduire Miss Rivington. Vous direz à M. Matchett que je le recevrai dans quelques instants.

— Bien, monsieur.

Wiggins se leva sans lâcher son mouchoir ni son bloc-notes et ouvrit la porte. Après avoir lancé un regard hésitant vers l'inspecteur, Vivian sortit.

Jury s'affaissa sur sa chaise et respira profondément. Pauvre niais ! marmonna-t-il. Espèce de crétin !

Jury était encore en train de se traiter de tous les noms quand Matchett entra dans la pièce et s'assit. Après lui avoir offert une cigarette, Jury lui posa les mêmes questions qu'à Vivian Rivington.

— J'ai l'impression tout à fait déplaisante d'être visé.

— Visé ?

— Allons, inspecteur, ne jouez pas au plus fin avec moi. Je sais que le commissaire vous a mis au courant pour ma femme. Combien d'autres suspects ont déjà un meurtre à leur actif ?

Il tenta de sourire, mais n'y réussit qu'à moitié — ce qui ne surprit guère Jury.

— La plupart des gens n'ont aucune envie de révéler tous les détails de leur passé, monsieur Matchett.

— Mais rares sont ceux qui ont le cadavre de

188

leur femme dans un placard, si je peux m'exprimer ainsi.

Jury l'examina attentivement. Contrairement à Oliver Darrington, Matchett ne manifestait aucun penchant pour les chemises en soie italiennes et les tailleurs de Savile Row. Il avait sans doute des goûts de luxe, mais il ne les affichait pas avec autant d'ostentation. Ses vêtements, sa façon de parler, son comportement se caractérisaient par un mélange de discrétion et de nonchalance. Il portait une chemise en coton aux poignets retroussés et un blue-jean. La simplicité même. Mais leur coupe révélait qu'il les avait achetés chez Liberty, et non dans le premier Marks & Spencer venu. Il était beaucoup plus subtil que Darrington. Alors que ce dernier n'était qu'une vitrine élégante, Matchett avait un petit côté ombre chinoise, et il était capable de persuader n'importe quelle femme qu'elle seule saurait découvrir l'homme véritable derrière la silhouette qui s'agitait sur l'écran.

— Revenons-en au meurtre d'aujourd'hui, monsieur Matchett. Aviez-vous une raison particulière d'aller déjeuner au Cygne à Deux Têtes ?

— Non, si ce n'est qu'il se trouve sur la route de Dorking Dean.

Jury tiqua. Même si l'on ne pouvait complètement les exclure, il n'était pas payé pour croire aux coïncidences.

— Je trouve ça bizarre que ce type soit resté aussi longtemps dans le jardin par un froid pareil.

— Il n'était pas nécessairement vivant pendant toute la durée de votre déjeuner.

Matchett fit la grimace.

— Est-ce que j'attirerais les assassins par hasard?

— Je l'ignore. Et vous, qu'en pensez-vous?

— En tout cas, c'est la seconde fois que je me trouve sur place pendant qu'un meurtre est commis.

Il avait au moins la galanterie de ne pas mettre Vivian Rivington dans le même sac.

— Mme Willypoole n'a pas quitté la salle durant votre déjeuner?

— Non, répondit Matchett après un moment de réflexion. Elle buvait un verre en lisant le journal derrière son comptoir.

— Vous n'avez vu personne? Personne n'a franchi la porte qui donne dans le jardin?

— Non, j'en suis sûr. Nous étions assis en face de cette porte.

— A présent parlez-moi de votre femme, monsieur Matchett. J'ai lu les rapports, bien sûr, mais vous pourriez peut-être m'éclairer sur certains détails.

— Très bien. Nous vivions dans le Devon. Nous étions, ou plutôt elle était propriétaire de plusieurs auberges. Nous habitions dans l'une d'entre elles, le Bouc Émissaire. Il faut que je vous décrive l'endroit, inspecteur. Voyez-vous, le Bouc Émissaire était un de ces vieux relais de poste doté d'une galerie intérieure. Cela m'a donné l'idée de faire jouer des pièces de théâtre dans la cour. Nous avons fait fabriquer une scène et nous avons disposé des bancs pour le public. Après la première saison d'été, les spectateurs sont devenus si nombreux qu'il a fallu en installer aussi sur la galerie. Ce n'était pas un grand festival, évidemment, mais le succès était au rendez-vous. Nous nous sommes aussi équipés de projecteurs pour les spectacles nocturnes. Vous ai-je dit que j'étais moi-même comédien ? Pas une vedette, mais j'ai tout de même joué pas mal de rôles secondaires à Londres. C'est ainsi que j'ai rencontré Celia, ma femme. Elle se prenait pour une actrice, et elle avait participé à un spectacle estival dans le Kent, sans doute grâce à l'argent de son père. Il avait une grosse fortune, essentiellement immobilière. Il possédait deux autres auberges dans le Devon, le Démon du Logis et le Sac et la Ficelle. Quand Celia en a hérité, je vous prie de croire qu'elle a drôlement resserré les cordons de la bourse. Je n'ai aucune raison de cacher mes nombreux motifs d'insatisfaction. Au bout de cinq ans de mariage, je n'éprouvais plus que de la haine à son égard. Elle était si horriblement possessive. Je ne pensais plus qu'à la quitter. Nous avions des querelles épouvantables. Les domestiques ne se sont d'ailleurs pas privés d'en informer la police.

— Pourquoi n'êtes-vous pas parti ?

— J'allais le faire, lorsque j'ai rencontré Harriet Gethvyn-Owen. Une femme adorable. Une comédienne amateur, comme ma femme, mais elle, elle avait du talent. Alors il est arrivé ce qui devait arriver : nous sommes tombés amoureux. Ce qui m'a fourni une raison supplémentaire de quitter Celia. Cet été-là nous avions monté *Othello*. C'était ambitieux de ma part, mais je rêvais de ce rôle depuis toujours. Harriet jouait Desdémone. Comme elle commençait à se douter qu'il y avait quelque chose entre nous, Celia s'est installée dans un petit bureau donnant sur le couloir qui menait à la scène. Celle-ci était dressée au fond de la cour, avec au-dessus la galerie qui faisait un tour complet. Vous savez que ces vieilles auberges sont à l'origine des théâtres modernes ? C'est d'ailleurs ce qui m'avait donné l'idée de ces pièces. Le bureau de Celia se trouvait donc à quelques mètres de la scène. Vous voyez à quel point elle était possessive ! Le soir de sa mort, la bonne — une certaine Daisy — lui a apporté sa tasse de chocolat habituelle. Une demi-heure plus tard au maximum, la cuisinière, Rose Smollett, a découvert Celia affalée sur sa table en venant rechercher le plateau. Elle était morte. On avait fouillé le bureau et ouvert le coffre. Finalement, le meurtre a été attribué à « une ou plusieurs personnes inconnues ».

Matchett tira une longue bouffée sur sa cigarette.

— Mais pas tout de suite ? demanda Jury.

— Ah ! ça non, dit Matchett avec un rire amer. Comme vous pouvez l'imaginer, j'étais le suspect numéro un. Avec un mobile parfait. Si je n'avais pas été sur scène au moment du meurtre, je me serais retrouvé en cour d'assises. Harriet aussi, probablement. L'explication était toute trouvée : le mari et sa maîtresse assassinent l'épouse jalouse. Manque de chance, nous étions en train de jouer.

— Je présume que de nombreux témoins ont déposé en votre faveur.

— Trente ou quarante personnes.

— L'alibi idéal, en somme.

Matchett écrasa sa cigarette et se pencha en avant.

— Inspecteur, dans les stupides romans de Darrington, les personnages ont toujours un « alibi idéal », ou un bien un « alibi sans faille », ou encore un « alibi en béton ». Et ils prononcent toujours ces expressions sur le ton sardonique que vous venez d'employer. Pourtant, il me semble qu'un alibi fragile n'en est pas vraiment un. Vous venez donc de faire un pléonasme, et cela me dérange.

— Vous venez de marquer un point, monsieur Matchett.

— En outre, si les innocents ont un « alibi idéal », c'est justement parce qu'ils sont innocents.

— Là encore je ne peux vous donner tort. Mais je ne faisais aucune allusion désagréable.

— Vous me prenez pour un imbécile ?

Jury préféra esquiver la question.

— Votre femme avait-elle des ennemis ?

Matchett haussa les épaules, puis se passa les mains sur le visage avec une expression d'extrême fatigue.

— C'est probable. En tout cas, elle n'avait pas que des amis. Mais je ne pense pas que quelqu'un ait eu une raison suffisante pour la tuer. Harriet est partie peu après. Elle s'est installée aux Etats-Unis.

— Pourquoi donc? Puisque l'affaire était réglée, vous auriez pu vivre ensemble en dépit de ces circonstances regrettables.

— Elle devait se sentir coupable. Et puis il y avait eu toute cette publicité. Harriet était une personne sensible et réservée.

Jury n'en croyait pas un mot. Matchett s'ébroua, comme s'il avait voulu raviver ses souvenirs.

— Elle a décidé de tout plaquer. Elle m'a dit qu'elle ne pouvait plus vivre avec moi, car le fantôme de Celia aurait continué à planer au-dessus de notre couple. Enfin, c'est une histoire vieille de seize ans. Il est passé de l'eau sous les ponts, pour reprendre la formule consacrée. Pourtant, je redoute un peu de voir le passé resurgir.

— Le passé finit toujours par resurgir, vous ne croyez pas? dit Jury en souriant.

Il nota qu'il faudrait demander à Wiggins de faire venir le dossier de l'affaire Celia Matchett. Puis il s'efforça de prendre un ton anodin.

— Les rumeurs sur vos fiançailles avec Miss Rivington sont-elles fondées? Je veux parler de Vivian.

— Qu'est-ce que cela vient faire là-dedans? répondit Matchett, décontenancé.

194

— Je n'en sais rien. C'est la raison pour laquelle je vous pose la question.

— Eh bien, je ne peux nier qu'il y ait quelque chose entre nous.

— C'est un peu vague.

— Disons que je l'ai demandée en mariage. Mais elle est encore loin d'avoir accepté.

— Pourquoi ?

Matchett haussa les épaules et alluma un cigare :

— Qui peut savoir ce qui se passe dans la tête des femmes, inspecteur ?

Jury fut moins irrité par la misogynie de cette réflexion que par le fait d'assimiler Vivian Rivington aux femmes en général.

— A mon humble avis, vous devriez essayer de comprendre ce qui se passe dans sa tête si vous avez l'intention de l'épouser.

Il était absurde de défendre ainsi une femme dont il ignorait tout une heure plus tôt. Mais il ne pouvait supporter ce genre de cliché réducteur. Matchett tira sur son cigare et regarda Jury les yeux mi-clos.

— Oui, vous avez sans doute raison.

Jury saisit un crayon et se mit à griffonner pour se détendre.

— Êtes-vous amoureux d'elle, monsieur Matchett ?

— Votre question est très cynique, inspecteur. Je viens de vous dire que je l'avais demandée en mariage.

Jury eut envie de répliquer : *Et si vous me*

195

répondiez franchement, mon vieux? Mais il se maîtrisa à temps.

— J'imagine que sa sœur est au courant de votre liaison?

— Oui, je crois. Et elle l'approuve probablement.

Jury savait que son interlocuteur n'était ni un imbécile ni un goujat. Dans ce cas, pourquoi jouait-il la comédie?

— Si Vivian se marie, sa sœur aînée risque d'en pâtir. Actuellement, Isabel exerce un droit de regard sur sa fortune.

— Vous vous figurez que Vivian la mettrait à la porte? Non, elle ne ferait jamais une chose pareille, d'autant qu'Isabel lui est extrêmement dévouée.

De nouveau, Jury eut la certitude que Matchett lui racontait des histoires. Aussi reprit-il le cours de l'interrogatoire :

— Vous êtes donc arrivé au Cygne à Deux Têtes vers 11 heures?

— C'est exact. A l'heure de l'ouverture.

— Où étiez-vous vers 10 heures. Puis entre 10 et 11 heures?

En effet, il y avait une demi-heure de battement dans son emploi du temps.

— Je faisais des courses à Dorking Dean.

— A quelle heure en êtes-vous parti?

— Vers 11 heures moins le quart. J'ai été pris dans un embouteillage, je m'en souviens parfaitement. Les gens faisaient leurs emplettes de Noël.

— Je vois. Eh bien, ce sera tout pour l'instant, monsieur Matchett. Je vous recontacterai.

Tandis que Matchett se retirait, Pluck apparut sur le seuil du bureau et informa l'inspecteur que Melrose Plant désirait lui parler. Jury lui dit de le faire entrer.

Melrose refusa de s'asseoir et annonça avec une certaine excitation :

— Je pense que vous devriez venir au presbytère, inspecteur. Le pasteur pourrait vous fournir des renseignements intéressants. Il se trouvait à l'extérieur du Cygne à Deux Têtes avant notre arrivée, et il a entendu des policiers faire des commentaires sur l'état du corps.

Jury enfila son imperméable.

— Quel genre de commentaires, monsieur Plant ?

— Je crois savoir que le nez de la victime présentait des coupures. Curieux, non ?

Jury aurait aimé que la police locale fasse un petit effort de discrétion.

— Oui, je partage votre point de vue. C'est extrêmement bizarre.

— Le pasteur connaît la signification de ces coupures. C'est du moins ce qu'il affirme.

11

— Il s'agit d'une déformation linguistique, dit le révérend Denzil Smith en leur montrant une illustration dans un ouvrage consacré aux enseignes d'auberges.

Le livre était ouvert sur une petite table disposée entre Jury et Plant, à côté de l'assiette de sandwiches et des bières que leur avait apportées la gouvernante. Jury était émerveillé par l'imagination du peintre d'enseignes qui avait créé ces cygnes à deux têtes.

— A l'origine, expliqua le pasteur, on faisait de petites entailles sur le bec des cygnes appartenant à la Couronne. Ensuite, des négociants en vins ont repris ce système d'encoches pour distinguer les volatiles appartenant à des propriétaires différents. Par exemple, un cygne à deux *coups*. Mais le peintre analphabète chargé de fabriquer l'enseigne en a fait un cygne à deux *cous*.

Le pasteur se rassit, très content de lui, après avoir choisi un sandwich au fromage et aux pickles.

— Mon Dieu! s'exclama Jury. L'assassin aurait donc « marqué » Creed...

— J'en ai l'impression. Les coupures se trouvent bien sur le nez?

— Mais à quoi rimerait cette petite plaisanterie? intervint Plant.

— Je ne sais pas, dit Jury en allumant une cigarette. C'est probablement une nouvelle tentative pour brouiller les pistes.

Le pasteur était trop heureux d'être sous les feux des projecteurs pour ne pas en profiter largement.

— Il existe d'autres exemples de déformations linguistiques, dit-il. Tout près de Weatherington, une auberge se nomme le Porc et la Boule. Vous ne devinerez jamais l'origine de cette appellation?

Sans leur laisser le temps de répondre, il leur fournit la solution :

— Cette enseigne a été créée en l'honneur de la prise de Boulogne par Henry VIII. Vous me suivez? Le port de Boulogne est devenu le Porc et la Boule. Mais ma préférée, c'est l'Éléphant et le Château. Les théories les plus fantaisistes ont été avancées. Pour ma part, je pense que le château symbolise tout simplement l'espèce de nacelle que les maharadjahs fixaient sur le dos de leurs pachydermes. Saviez-vous qu'autrefois un fonctionnaire a été chargé de patrouiller dans la Cité de Londres afin d'examiner toutes les enseignes? Sa mission consistait à débarrasser la ville de tous ses sangliers bleus, cochons volants et autres verrats caparaçonnés. Eh oui, j'ai lu ça dans un exemplaire du *Spectator*, daté de 1700 et quelques.

Jury aurait préféré quitter le XVIIIᵉ siècle pour en revenir à l'époque actuelle. Mais il n'avait pas le cœur de couper le pasteur dans son élan, car celui-ci venait de lui offrir des informations qu'il n'aurait jamais pu se procurer ailleurs.

— Saviez-vous que Hogarth en personne a peint l'enseigne originale du Mauvais Sujet ? poursuivit le révérend Smith. Plusieurs auberges portent ce nom. Bien sûr, il y a davantage d'établissements baptisés la Cloche : peut-être cinq cents dans toute l'Angleterre. Dans la région, il y a beaucoup de noms très populaires. Comme le Porc et la Boule, que je viens de mentionner. Le Cygne à Deux Têtes n'est pas très fréquents, encore qu'on en trouve un à Cheapside, dont l'enseigne représente une potence. Je pense aussi au Cerf Blanc à Scole. Son enseigne a coûté plus de 1 000 livres sterling en 1655, ce qui paraît inimaginable. Ces enseignes étaient toujours suspendues au-dessus de la chaussée, de sorte qu'il leur arrivait fréquemment de tomber et de tuer un passant. Il y a aussi le Sac et la Ficelle près de Dorking Dean. Un nom très populaire.

Incapable d'en supporter davantage, Jury décida de mettre un terme à cette énumération d'étymologies absurdes et d'histoires de gens qui se prennent une enseigne sur le coin de la figure.

— Je vous suis infiniment reconnaissant pour ces renseignements, mon révérend. Sans vous, jamais la police n'aurait pu y avoir accès.

Le révérend Smith irradiait le bonheur.

— Puisque vous étiez au Mauvais Sujet jeudi dernier, j'aimerais en profiter pour vous poser une ou deux questions sur cette soirée.

— Une tragédie épouvantable...

Malheureusement, son récit du dîner organisé le soir de la mort de Small s'avéra encore plus vague que ceux des autres convives. Entre 21 heures et 22 heures, le pasteur avait joué aux dames avec Willie Bicester-Strachan.

— Je n'arrive pas à imaginer qu'une chose pareille ait pu se produire à Long Piddleton. Je vis ici depuis quarante-cinq ans. J'y ai été nommé en tant que vicaire. Ma femme est morte il y a neuf ans, paix à son âme. Mais, depuis son décès, Mme Gaunt s'occupe bien de moi, avec l'aide des différentes bonnes que nous avons pu trouver, comme Ruby. Au fait, l'absence de Ruby est beaucoup plus longue que d'habitude.

— Si j'ai bien compris, cette Ruby Judd aurait dû rentrer voilà déjà un bon moment. Quand est-elle partie exactement ?

— Mercredi, je crois. Doux Jésus, cela fait déjà *une semaine* ! Comme le temps file. Elle m'a demandé la permission d'aller passer quelques jours dans sa famille à Weatherington.

— Je vois. Y aurait-il une photo de Ruby quelque part ? Dans sa chambre, peut-être ?

— Je ne peux pas vous dire. Je vais demander à Mme Gaunt.

Il chargea sa gouvernante, un squelette ambulant au visage sinistre, d'aller voir à l'étage. Après avoir émis un grondement caverneux difficile à interpréter, celle-ci s'exécuta.

Le révérend Smith dit alors dans un murmure, comme s'il craignait sa gouvernante :

— Mme Gaunt n'en est pas très satisfaite. D'après elle, Ruby passe ses journées à lire des magazines de cinéma. Elle l'a même trouvée une ou deux fois assise sur un banc alors qu'elle était censée balayer l'église.

— Peut-être se recueillait-elle ? suggéra Jury.

— Non, je ne crois pas, gloussa le pasteur. Elle se mettait du vernis à ongles.

Au moins, songea Jury, ce vieux bonhomme n'était pas confit en dévotion. Il avait même l'air d'apprécier l'attitude de Ruby. Mme Gaunt revint au pas de charge, les lèvres crispées, et remit deux photos au pasteur.

— Elles étaient coincées dans son miroir.

A en juger par son reniflement méprisant, il aurait pu s'agir de deux clichés dignes d'un calendrier de camionneur. Le pasteur les tendit à Jury, qui les glissa dans son portefeuille.

— Vous ne pensez tout de même pas qu'il est arrivé quelque chose à Ruby, inspecteur ? Vous devriez parler d'elle à Daphne Murch. Elles s'entendent très bien toutes les deux, car elles ont le même âge. C'est d'ailleurs la petite Murch qui m'a suggéré de l'engager.

— Vous ne semblez guère inquiet, mon révérend. Ce genre de disparition est donc fréquent.

— Oh ! elle s'est déjà évanouie dans la nature une ou deux fois. A mon avis, elle doit avoir un petit ami. Peut-être bien à Londres. Ruby n'est pas une mauvaise nature, mais comme tant de jeunes filles d'aujourd'hui, elle est un peu volage.

— Bien, venons-en à votre ami M. Bicester-Strachan. Je sais que vous ne voudriez pas trahir sa confiance, mais j'aimerais que vous me donniez quelques informations sur les ennuis qu'il a eus à Londres...

Jury jugea inutile de préciser qu'il ignorait tout de ces « ennuis », car il espérait que le goût du commérage du pasteur l'emporterait sur sa loyauté. En cela il ne fut pas déçu, même si le révérend Denzil Smith fit semblant de protester avant de se décider à cracher le morceau.

— Bicester-Strachan était un fonctionnaire de second rang au ministère de la Guerre, et il y a eu un... euh... un incident. Il semblerait que des renseignements auxquels seuls Bicester-Strachan et quelques-uns de ses collègues avaient accès soient tombés en de mauvaises mains. Il n'a jamais été traduit en justice, et personne n'a jamais pu apporter la moindre preuve, pour autant que je sache. Il n'aime guère en parler, comme vous pouvez l'imaginer. Mais c'est la raison de sa retraite prématurée. Il fait beaucoup plus que son âge. On lui donnerait quatre-vingts ans alors qu'il n'en a qu'un peu plus de soixante, et je suis sûr que c'est la conséquence de cette affaire déplaisante.

Le pasteur se carra dans son fauteuil et conclut sur un ton pontifiant :

— Agatha pense que les communistes sont

derrière tout ça, et il se pourrait qu'elle soit dans le vrai.

Melrose Plant, qui avait gardé le silence depuis le début de l'entretien, ne put s'empêcher de demander :

— Comment ma tante réussit-elle à introduire les communistes dans cette histoire ?

— Honnêtement, je ne saurais vous dire. Vous connaissez Agatha, elle est si secrète.

— Secrète ?

C'était bien la première fois que Melrose entendait quelqu'un traiter sa tante de cachottière.

— Euh... Nous discutions à bâtons rompus de diverses hypothèses, et elle a estimé que cela cadrait bien avec l'affaire de Bicester-Strachan... C'est possible, non ? Peut-être étaient-ils à ses trousses ?

Jury intervint pour mettre un terme à ce roman d'espionnage :

— Vous connaissez bien M. Darrington, mon révérend ?

— Non, pas très bien. Darrington n'est pas très pratiquant. Il travaillait dans l'édition à Londres. Vous devez savoir qu'il a écrit des romans policiers. Il m'arrive de me demander si Miss Hogg est vraiment sa « secrétaire ».

— Il nous arrive à nous tous de nous le demander, ironisa Melrose.

Le rapport de Pratt précisait que le pasteur n'était pas présent à la Forge le soir du meurtre d'Ainsley. Jury lui posa tout de même une question de routine :

— Êtes-vous passé à proximité de la Forge vendredi soir ?

Le pasteur parut presque déçu de devoir répondre par la négative.

— Non, je ne crois pas pouvoir vous aider sur ce point-là. Vous savez, il n'existe qu'une seule auberge comparable, située dans le village d'Abinger Hammer...

Jury lui coupa la parole :

— Seuls de rares érudits doivent connaître cette histoire d'encoches. En avez-vous déjà parlé à quelqu'un d'ici ?

— Je dois avouer que j'aime beaucoup évoquer le passé de ces vieux villages, dit le révérend Smith en rougissant. Je suis sûr d'avoir mentionné ces encoches devant un interlocuteur. Mais je ne me souviens plus de qui il s'agissait. A propos, vous ignorez sans doute que de nombreux assassinats ont déjà été commis dans des auberges. Tel celui qui endeuilla l'Autruche à Colnbrook...

Melrose Plant s'empressa d'intervenir. Il n'avait pas l'intention de subir une nouvelle fois le récit des mystérieuses disparitions de l'Autruche.

— Je crois que l'inspecteur Jury s'intéresse davantage aux implications immédiates de ces faits qu'à leur caractère historique, mon révérend.

— Bien sûr. Je ne pense pas que Matchett et Scroggs aient joué le moindre rôle dans ces meurtres épouvantables. Encore qu'il faille tenir compte de cette affaire peu ragoûtante liée à la mort de la première femme de Matchett. Dommage que le passé vienne si souvent ternir le présent.

Il jeta un coup d'œil vers Jury, avec l'espoir que cette allusion rallumerait son intérêt.

— Un « crime passionnel », comme disent les Français. Matchett avait une amie...

Jury l'interrompit avec le sourire :

— A l'époque, la police avait établi l'innocence de M. Matchett.

— Mais elle n'a jamais trouvé le coupable, rétorqua le pasteur, vexé de voir ses insinuations repoussées aussi rapidement.

— Vous seriez surpris par le nombre d'affaires criminelles qui ne sont jamais élucidées. C'est toujours décevant de constater à quel point la police est incompétente. Je vous remercie de votre aide, mon révérend. A présent je dois vous laisser.

En sortant du presbytère, Jury s'arrêta devant la verrière orientale de l'église pour admirer la finesse des dentelles de pierre.

— Si vous voulez entrer..., dit Plant.

Jury fit non de la tête. Ils contemplèrent le clocher, dont les fenêtres étaient à claire voie afin de permettre au son des cloches de s'élever vers le point le plus haut.

— Aimez-vous la poésie, inspecteur ?

Jury acquiesça.

— J'ai vu Vivian qui se rendait au poste de police pour répondre à vos questions. Qu'avez-vous pensé d'elle ?

Le regard de Jury descendit du clocher et se fixa sur une brindille fascinante située à ses pieds.

— Oh ! dit-il en haussant les épaules, elle m'a paru... plutôt sympathique.

Mme Jubal Creed se présenta au commissariat de Weatherington peu après 4 heures de l'après-midi, et on la conduisit à la morgue de l'hôpital du comté pour qu'elle identifie la dépouille mortelle de son mari. Elle n'en sortit pas plus pâle qu'elle n'y était entrée, car elle possédait une de ces peaux anémiées où la Nature a effacé toute la palette des couleurs au profit d'un teint ocre assez déprimant. Sa silhouette était d'ailleurs à l'image de son visage : Mme Creed était une sorte d'épouvantail vêtu d'habits démodés et mal coupés.

Elle ne mentionna le prénom de son mari, « Jubal », que lorsqu'on lui demanda de décliner son identité complète ; ensuite, elle ne l'appela que par son patronyme.

En pressant un mouchoir contre la fente immense qui lui tenait lieu de bouche, les yeux larmoyants, elle répondit à la question de l'inspecteur principal Jury sur la profession de son époux :

— M. Creed appartenait à la police du comté de Cambridge. Il a pris sa retraite il y a cinq ans, sans le moindre regret d'ailleurs.

— Il estimait avoir été brimé ?

— Et à juste titre. Les promotions lui passaient sous le nez. Il a terminé sa carrière comme sergent à Wigglesworth. Il était très aigri, et je ne pouvais pas lui donner tort.

Assise dans la pièce dénudée du commissariat de Weatherington, elle renifla pour manifester sa désapprobation envers la police en général, et envers Jury et Wiggins en particulier.

— Madame Creed, savez-vous si quelqu'un avait une raison de vouloir lui nuire ?

Le menton appuyé contre la paume de sa main, elle secoua la tête vigoureusement. Jury sentit qu'elle n'était pas vraiment bouleversée et en déduisit que leur mariage était dans le meilleur des cas une entente cordiale. De toute manière, elle ne lui semblait guère accessible aux émotions violentes.

— Vous ne lui connaissiez donc pas d'ennemis ?

— Non. M. Creed et moi-même menions une vie tranquille.

— Aurait-il pu s'attirer des inimitiés dans le cadre de son travail ?

— Si c'est le cas, je n'en ai jamais rien su.

Jury continuait l'interrogatoire par simple routine, car il devinait d'instinct que ces questions ne le mèneraient nulle part. Pour lui, la mort de Creed n'était pas liée à d'hypothétiques zones d'ombre dans son passé. Il ouvrit une enveloppe en papier kraft et en sortit une photographie de William Small, prise après que le corps eut été un peu arrangé. Néanmoins, le portrait demeurait assez sinistre.

— Madame Creed, reconnaissez-vous cet homme ?

Elle jeta un coup d'œil, détourna rapidement le regard et fit non de la tête.

— Le nom de William Small vous dit-il quelque chose ?

Elle était au bord des larmes, et Jury n'était pas sûr qu'elle soit tout à fait en mesure de réfléchir.

— Non, ce nom ne me dit rien.

Elle répondit de la même façon quand il lui montra le portrait d'Ainsley publié dans les journaux, avant de se reprendre brusquement :

— Attendez une seconde. Ce ne serait pas la photo, ou plutôt les photos des deux hommes qui ont été tués dans un village de la région ? Comment s'appelle-t-il, déjà ?

— Long Piddleton. C'est à une trentaine de kilomètres d'ici.

— Vous voulez dire que M. Creed a été tué au même endroit ? s'exclama-t-elle, stupéfaite. Un tueur en série est en train de rôder, libre comme l'air, et vous perdez votre temps à me poser des questions stupides ?

Entre-temps, la police du comté de Cambridge leur avait envoyé un rapport complet sur la carrière de Creed — carrière prématurément écourtée selon Pratt.

— Comme d'habitude, expliqua le commissaire, ce genre de type se plaint d'avoir été maltraité, mais il oublie de mentionner que les garages auquel il adressait des voitures en panne lui versaient des commissions. Ses chefs auraient sans doute fermé les yeux s'il s'était contenté de faire réparer gratuitement son propre véhicule ou s'il s'était fait payer un repas. Nous avons tous cédé à ce genre de tentation. Moi-même, j'ai mangé bien des fois aux frais de la princesse quand je faisais la tournée des restaurants. Mais dans le cas de Creed, on était à la limite du pot-de-vin. C'était presque un petit commerce parallèle. Il a donc été « démissionné ». Quoi qu'il en soit, on a interrogé ses anciens collègues sur ses activités actuelles, mais ils n'en ont pas la moindre idée. Creed était un zéro, une nullité. Un parfait incompétent, y compris pour les tâches de routine. Même s'il avait été honnête, il ne serait jamais passé inspecteur. Aucun élément n'indique qu'il ait connu les deux autres, Small et Ainsley. Ses collègues ne l'ont d'ailleurs jamais revu.

Pratt n'avait pas ôté son gros pardessus. Les pieds posés sur le bureau, il tentait d'allumer une vieille pipe.

— Le problème, dit-il en craquant une nouvelle allumette, c'est que j'ai la presse à mes basques. Les journalistes me traquent comme une meute de loups à Northampton, où j'essaie de passer le plus de temps possible. Au moins, ça vous évite de les avoir sur le dos.

A force d'aspirer sur l'embout, il réussit à obtenir une lueur rougeoyante dans le fourneau. Puis il gratta son menton mal rasé avec le tuyau, produisant ainsi un petit bruit de râpe.

— J'ai beau lire tout ce qui atterrit sur mon bureau, j'avoue que je ne comprends rien à cette histoire. Les victimes ont-elles été choisies au hasard, ou bien s'agit-il d'un plan raisonné ? A moins que deux des homicides aient été commis pour masquer le troisième.

— Pour ma part, dit Jury, je n'exclus pas que le véritable meurtre n'ait pas encore été commis.

Les yeux de Pratt, rougis par la fatigue, se mirent à cligner.

— Grands dieux, quelle perspective enthousiasmante ! Vous pensez que la prochaine victime sera quelqu'un du village ?

— Je ne sais pas. C'est très possible.

— Il est évident que l'assassin de Small n'est pas entré par la porte de la cave. Les suspects se résument donc aux gens qui se trouvaient au Mauvais Sujet ce soir-là.

— Nous pouvons en retirer Melrose Plant. Bien sûr, il n'a pas d'alibi, mais j'ai peine à croire que les deux meurtres n'aient pas été commis par le même individu.

De nouveau, Pratt se frotta le menton.

— Dans ce cas, nous devrions bientôt mettre la main sur le coupable. La prochaine fois que le commissaire Racer me téléphonera, je ne manquerai pas de lui dire que vous avez considérablement progressé. Excusez-moi de vous poser cette question, mais il semble avoir une dent contre vous. Il devient hargneux dès qu'on mentionne votre nom.

— Oh ! dit Jury. C'est juste sa manière de s'exprimer.

12

Jeudi 24 décembre

Le lendemain matin, Jury s'assit derrière le vieux bureau de Pluck et de Wiggins se pencha par-dessus son épaule pour comparer les deux premiers romans d'Oliver Darrington. Après les avoir feuilletés en alternance, l'inspecteur remarqua :

— Il y a une énorme différence de qualité entre ces deux enquêtes du commissaire Bent. Les deux styles sont à l'opposé. Ou disons plutôt que le deuxième livre est une imitation maladroite du premier.

— Je ne m'en rends pas compte, monsieur, dit Wiggins. Mais je ne suis pas un grand lecteur.

Jury referma les deux volumes et prit les deux suivants.

— Je ne pense pas que Darrington soit l'auteur de la première enquête du commissaire Bent. Il a seulement essayé de copier le style dans la deuxième, avec un résultat affligeant. En revanche, c'est la même personne qui a écrit le premier et le troisième roman. Oui, on y retrouve la même patte, alors que le deuxième et le quatrième sont d'un autre auteur. Darrington a dû s'approprier deux manuscrits, et il a espacé leur publication.

— D'après vous, qui a écrit les deux bons livres ?

— Aucune idée. Mais cela soulève une hypothèse très intéressante : il se peut que quelqu'un ait été au courant de ce plagiat et ait décidé de faire chanter Darrington.

— Vous pensez à Small ? Mais qu'est-ce qu'Ainsley et Creed viendraient faire dans cette histoire ?

— Peut-être étaient-ils complices... Je voudrais que vous appeliez Londres pour leur demander de contacter la maison d'édition dans laquelle travaillait Darrington. Il lui aurait été facile de s'emparer de deux manuscrits. Quant à moi, je vais tout simplement aller lui poser la question. Je verrai bien comment il réagit.

Jury venait de monter dans la Morris bleue lorsque Melrose arriva au volant de sa Bentley et abaissa sa vitre.

— Où allez-vous, inspecteur ?

— Chez Oliver Darrington.

— Vous savez que demain, c'est Noël. J'aimerais beaucoup vous inviter à dîner.

— J'accepte volontiers, si les circonstances me le permettent.

— Parfait. Je vais à Sidbury acheter un cadeau pour Agatha.

— Vous avez une idée ?

— Je pense à une paire de pistolets. Avec des crosses en nacre pour les grandes occasions.

Jury regarda s'éloigner la voiture de Plant en riant, avant de démarrer à son tour.

Cette fois-ci, Darrington vint en personne lui ouvrir la porte. Le regard flamboyant, il attaqua de but en blanc :

— Qu'est-ce que c'est que cette histoire ? Il paraît qu'on a trouvé un exemplaire de mon livre dans les mains de l'homme qui s'est fait assassiner au Cygne à Deux Têtes ?

A l'évidence, il était beaucoup plus préoccupé par les lectures du cadavre que par le cadavre proprement dit.

— Puis-je entrer, monsieur Darrington ?

Ce dernier ouvrit le battant en grand, et Jury aperçut Sheila dans le salon. Elle lui parut très belle, très inquiète et très nerveuse. Il alla s'asseoir dans le même canapé que la veille. Tandis qu'Oliver Darrington bouillonnait d'indignation, Sheila, debout devant lui, tripotait un fil invisible sur le dos du canapé opposé. Bien qu'elle portât ce jour-là un tailleur-pantalon à fleurs, elle avait toujours l'air aussi déshabillée. Les rondeurs de son corps vous sautaient tout simplement aux yeux, ce que Jury apprécia en amateur avec la part de son cerveau qui n'était pas occupée à cuisiner Darrington.

— J'aimerais vous poser quelques petites questions, monsieur Darrington.

Comme ils ne se décidaient toujours pas à s'asseoir, Jury les fit mariner quelques instants de plus en allumant une cigarette.

— Vous êtes donc au courant qu'une autre personne a été assassinée. Auriez-vous l'obligeance de me dire où vous vous trouviez hier entre 10 heures et midi?

— Ici. En compagnie de Sheila.

Ils paraissaient dire la vérité, mais Jury savait d'expérience que les coupables ont le chic pour vous regarder droit dans les yeux tout en vous racontant des histoires.

— Je voulais également vous rendre vos romans, dit-il avec un sourire. Ils m'ont beaucoup intéressés, surtout par leurs différences.

De nouveau, il vit le visage et les mains de Sheila se contracter.

— En toute honnêteté, j'ai le sentiment que vous vous êtes fait aider.

Jury avait présenté son accusation de manière si courtoise qu'il fut surpris de voir Darrington se retourner brusquement vers Sheila.

— Espèce de garce!

— Je ne lui ai rien dit, Oliver! Je te le promets!

Sa colère retomba aussi vite qu'elle était montée.

— Et puis je m'en fous, soupira-t-il. Voilà au moins une énigme résolue. Tu n'as qu'à lui raconter.

Comme d'habitude, songea Jury, il se déchargeait de la corvée sur Sheila.

— C'était mon frère, dit-elle. Il est mort dans un accident de moto. En rangeant ses affaires après son décès, je suis tombée par hasard sur la lettre qu'Oliver lui avait écrite à propos de son manuscrit. Je ne savais même pas que Michael avait écrit un roman, et encore moins qu'il avait essayé de le publier. A mon avis, personne n'était au courant. C'était un garçon très secret. Je suis donc allée dans cette maison d'édition avec l'idée, je crois, de faire publier ce livre en souvenir de mon frère. C'est sur le bureau d'Oliver que le manuscrit avait atterri. Il s'est montré très sympathique, nous sommes allés déjeuner et nous avons discuté du livre de Michael, de sa grande qualité. Puis nous avons dîné ensemble. Puis un autre déjeuner. Puis un nouveau dîner. Et puis... je suis tombée amoureuse de lui, et c'est ce qu'il espérait. N'est-ce pas, mon chéri ?

Elle lui lança un coup d'œil meurtrier, tandis qu'il continuait à regarder fixement son verre.

— J'avais trouvé un autre manuscrit dans la malle de Michael. Oliver l'a lu et a jugé qu'il était aussi bon que le premier. La tentation a été trop forte : il a publié le premier sous son nom et gardé le second sous le coude, pour une éventuelle période de vaches maigres. Et quand Oliver tient lui-même le stylo, les vaches sont plutôt maigres.

— Merci, dit Darrington.

— De rien, mon chéri, répliqua-t-elle amèrement. Voilà. Une petite histoire minable, légèrement répugnante.

Une belle façon de rendre hommage à son frère, pensa Jury. Et une belle histoire d'amour. Elle s'était prêtée à ce procédé déshonorant et n'avait même pas obtenu un certificat de mariage en échange. Il éprouva de la pitié pour elle.

— Vous avez donc conservé le second manuscrit pour le cas où celui que vous écririez vous-même était un échec commercial.

Oliver Darrington releva la tête. Il avait au moins le courage d'encaisser cette humiliation.

— Exactement. J'ai essayé d'en écrire un autre. Je croyais être capable de faire quelque chose de correct, mais j'ai échoué. Je suis un écrivain lamentable. Comme le deuxième livre ne s'était pas vendu en librairie et qu'il m'avait valu des critiques épouvantables, j'ai publié l'autre manuscrit de Hogg, ce qui m'a relancé. Je pensais que ma seconde tentative serait plus heureuse. Et maintenant...

Il résuma la suite d'un geste résigné. Puis il parut se souvenir que cette supercherie était très secondaire dans les circonstances actuelles.

— Mais dites-moi, inspecteur, quel rapport y a-t-il entre cette histoire et le mort qu'on a découvert ce matin ?

— Vous ne le connaissiez pas ?

— Bon sang ! fulmina-t-il. Bien sûr que non !

Jury savoura par avance l'occasion qu'il lui donnait de venger la malheureuse Sheila.

— C'est drôle. C'était un de vos admirateurs. Le livre, vous savez.

Il prit un air inspiré, comme si une idée venait de lui traverser l'esprit, et fit claquer ses doigts.

— Après tout, ce n'était peut-être pas un de

vos admirateurs. Le chantage est un mobile très classique dans les affaires criminelles.

Darrington bondit de son fauteuil.

— Mon Dieu! *Je ne l'ai pas tué*. Je n'avais jamais vu cet homme avant...

— Comment le savez-vous, monsieur Darrington?

— Quoi?

— Je présume que vous ne l'avez pas vu depuis qu'il a été assassiné. Dans ce cas, comment pouvez-vous affirmer que vous ne l'avez jamais vu?

— Vous essayez de me coincer, hein? J'imagine que, pour vous, le fait d'avoir retrouvé mon livre dans ses mains fait de moi un coupable idéal?

Sheila démontra une fois de plus qu'elle avait l'esprit moins lent que Darrington:

— Voyons, Oliver! L'inspecteur Jury ne se figure certainement pas que trois personnes différentes sont venues ici pour te faire chanter. N'est-ce pas, inspecteur?

Darrington les dévisagea tour à tour, comme un enfant qui se demande si ses parents ne se sont pas mis d'accord à son insu. Qu'est-ce que Sheila pouvait bien faire avec un type pareil? s'interrogea Jury, avant de se lever et de rempocher son paquet de cigarettes.

— La présence de ce livre prouve au contraire que *vous ne l'avez pas tué*. Il serait tout de même étrange que vous ayez laissé auprès du cadavre un indice qui vous désigne comme le meurtrier, vous ne croyez pas ? Pour oser courir un tel risque, il faudrait être très audacieux, et en même temps avoir des nerfs d'acier et un certain humour noir. Or, monsieur Darrington, je n'ai relevé chez vous aucune de ces caractéristiques.

Sheila éclata de rire.

13

Melrose Plant roulait sur la route de Sidbury, le
sourire aux lèvres. Il songeait à la rage d'Agatha
quand elle comprendrait qu'elle figurait toujours
sur la liste des suspects, alors que lui-même avait
été innocenté. Il imaginait déjà sa réaction : quelle
goujaterie de la part de Melrose de s'échapper des
griffes de New Scotland Yard en la laissant se
débrouiller toute seule — et ce malgré sa collabo-
ration zélée ! Elle le rendrait seul responsable de
ses malheurs, et irait peut-être jusqu'à l'accuser
d'avoir fomenté un complot avec Jury.

Tandis que les prairies inondées de soleil défi-
laient de part et d'autre de la chaussée, il
s'enfonça dans le siège de sa Bentley et se
demanda s'il n'avait pas toujours rêvé
inconsciemment de jouer les détectives, si un
aspect enfoui de sa personnalité ne se révélait pas
soudain au grand jour. Cela l'amusait beaucoup
d'envisager les différentes hypothèses permettant
d'expliquer cette épidémie d'homicides. Ainsi, il
était possible que seule l'une des trois victimes
représente un enjeu réel, les deux autres n'étant

que des simulacres destinés à égarer les soupçons. La ruse classique de la fausse piste. Cependant, cette théorie était affaiblie par le fait que les trois morts étaient des étrangers au village. Pourquoi diable aurait-on attiré trois inconnus afin de les assassiner ? Il aurait été beaucoup plus simple de tuer deux médiocrités locales.

Melrose se reprocha aussitôt sa manière cynique de qualifier les habitants de Long Piddleton. Il regarda autour de lui et croisa le regard d'une brebis et d'un agneau en train de brouter. Comment réussissaient-ils à trouver leur pitance dans ces prés gelés ?

On ne pouvait pas non plus écarter la perspective assez terrifiante avancée par Jury, selon laquelle les trois meurtres ne constituaient que l'annonce d'un quatrième. Cela lui faisait d'autant plus froid dans le dos que la cible la plus probable serait alors Vivian Rivington. Une telle fortune ne pouvait qu'éveiller les convoitises. Au moment où de sombres pensées s'emparaient de lui, il aperçut un panneau annonçant un ralentisseur, juste en face de l'auberge qui se trouvait sur le côté gauche de la route, le Robinet et la Bouteille.

Il leva le pied de l'accélérateur pour épargner son pot d'échappement et aborda en douceur le dos-d'âne en terre battue qu'on avait aménagé pour faire ralentir les voitures à l'entrée d'un virage assez serré. C'est alors qu'un objet brilla en plein soleil. Tout en franchissant l'obstacle, Melrose vit que le reflet provenait d'un débris gisant dans la boue, sans doute un morceau de verre.

Mais tout à coup une image plus précise se dessina dans son esprit, et il freina si violemment qu'il faillit être projeté contre son pare-brise. Il demeura immobile pendant quelques instants, refusant d'en croire ses propres yeux.

L'objet maculé de boue était une bague. Une bague enfilée sur un doigt.

Sheila riait encore lorsque Jury enfila son imperméable et ses gants.

— J'aurais d'autres questions à vous poser, monsieur Darrington. A vous aussi, Miss Hogg. Mais je n'ai pas le temps. Puis-je utiliser votre téléphone pour joindre mon sergent ?

— Il y en a un dans le hall d'entrée, dit Darrington, qui semblait avoir retrouvé une partie de sa morgue. Si je comprends bien, inspecteur, le fait qu'on ait découvert un de mes romans dans les mains de ce type m'innocente.

Une ordure jusqu'au bout, songea Jury. Pas une pensée pour Sheila, qui avait sacrifié sa dignité au profit de son ambition. Ce salopard avait besoin d'une petite leçon.

— J'ai seulement dit que c'était plutôt un élément à décharge. Mais vous n'êtes nullement innocenté. Il existe en effet un mobile qui vous désigne vous et vous seul, monsieur Darrington : la publicité. C'est une véritable aubaine pour votre réputation défaillante, non ? La première enquête du commissaire Bent à la une des journaux. Un coup de fouet formidable pour les ventes. Non seulement vous vous débarrassez d'un maître-chanteur, mais par-dessus le marché vous soignez votre publicité.

Darrington blêmit.

— Puis-je téléphoner, s'il vous plaît ? demanda Jury.

A cet instant précis, la sonnerie retentit. Sheila, qui avait gardé son sang-froid, alla répondre dans le hall.

— C'est pour vous, inspecteur.

Il la remercia, saisit le combiné et la regarda regagner le salon. Même s'il était encore loin d'avoir rayé Darrington de la liste des suspects, il espérait pour elle qu'elle trouverait un jour quelqu'un de mieux. En tout cas, elle avait nettement plus de trempe que son compagnon.

— Jury à l'appareil.

Avec un étonnement croissant, il écouta Melrose Plant lui raconter sa découverte.

— Surtout, monsieur Plant, vous ne bougez pas. Je serai là dans dix minutes.

Il raccrocha brutalement, puis composa le numéro du poste de police de Long Piddleton. Le téléphone sonna plusieurs fois dans le vide, ce qui l'amena à menacer Wiggins et Pluck des pires représailles si jamais ils étaient absents. Mais Pluck finit par décrocher, et Jury lui ordonna de prévenir le commissariat de Weatherington, la police scientifique et le médecin légiste Appleby. Ils devaient rejoindre immédiatement le Robinet et la Bouteille, où un autre corps venait d'être découvert. Après une série de crachotements et de bredouillis, Pluck parvint à répondre :

— Oui, monsieur. Tout de suite, monsieur. Mais le poste est encerclé par des journalistes qui demandent à vous parler. Ils ont débarqué de Londres il y a moins d'une demi-heure.

— Oubliez les journalistes, sergent. Et pour l'amour de Dieu, ne leur dites pas un seul mot sur cette nouvelle affaire. Sinon, la route de Sidbury sera tellement embouteillée que je ne pourrai pas passer.

— Très bien, monsieur. Mais je pensais qu'il était de mon devoir de vous avertir. A propos, Lady Ardry est en train de discuter avec les envoyés des quotidiens londoniens. Je dois aussi vous dire que le commissaire Racer essaie de vous joindre depuis une heure. Il a l'air absolument furieux.

— Sergent, la prochaine fois qu'il appelle, vous n'aurez qu'à lui passer Lady Ardry.

La Morris bleue parcourut les vingt kilomètres séparant la maison de Darrington de l'auberge en vingt minutes, et ce malgré les réactions indignées des paisibles conducteurs partis faire un petit tour en cette veille de Noël.

En apercevant le Robinet et la Bouteille à quelques centaines de mètres sur la gauche, il s'arrêta sur le bas-côté et courut vers l'endroit où Plant était agenouillé, sans prendre la peine de claquer sa portière. Une bâche avait été étendue sur le ralentisseur.

— Je n'ai pas essayé d'enlever la terre, car je me suis dit que vous préféreriez trouver les choses en l'état. De toute façon, elle est dure comme du béton. J'ai juste dégagé un peu de poussière sur le bras.

— Vous avez bien fait, monsieur Plant.

Une main et un avant-bras sortaient du monticule de terre enrobé de neige gelée. Les ongles étaient recouverts d'un vernis rouge vif plutôt incongru, et l'un des doigts était orné d'une bague bon marché. Jury tâta la chair. Un vrai glaçon.

— Il m'a paru évident, expliqua Plant, que tout espoir de réanimer la propriétaire de ce bras était vain. Je me suis donc contenté de jeter une bâche sur le dos-d'âne pour le protéger du regard des automobilistes. J'ai pensé que vous n'aviez aucune envie de voir les curieux s'attrouper. Je suis resté sur place pour leur faire signe d'emprunter l'autre moitié de la chaussée. Ils ont dû me prendre pour un employé de l'équipement.

En dépit des circonstances, Jury ne put retenir un sourire, car Plant ne portait vraiment pas le costume adéquat. Il ne tarda pas à se rendre compte que le Robinet et la Bouteille se dressait à la hauteur du ralentisseur, un peu en retrait sur la gauche. Encore une auberge. La presse allait se régaler.

— Vous avez très bien réagi. C'est une chance que vous n'ayez pas tenté de déterrer la cadavre. Le responsable de la police scientifique nous aurait assassiné si on avait touché à quoi que ce soit.

Au bout de dix minutes, Jury entendit une sirène. Pour une fois, Pluck n'avait pas trop traîné.

— Monsieur Plant, pourquoi n'iriez-vous pas réconforter le patron de l'auberge. Vous le connaissez ?

— Pas très bien. Nous nous saluons, sans plus. Une fois, je me suis endormi au bar pendant qu'il me racontait sa vie. Que dois-je lui dire ?

Jury regarda la main gelée tandis que le véhicule de police débouchait du virage.

— Dites-lui simplement que je vais venir lui poser quelques questions.

Le docteur Appleby patientait en fumant pendant que le responsable du labo, un homme au visage buriné, relevait les moindres détails. Des marques étaient très visibles sur le cou de la victime, et celle-ci, comme Jury s'y attendait, n'était autre que Ruby Judd, la bonne du pasteur.

Lorsque le photographe eut fini de mitrailler les lieux sous tous les angles, le médecin légiste toisa Jury avec l'expression d'un père dont le rejeton vient encore une fois de sortir du droit chemin. Ce dernier, qui n'avait pourtant pas l'habitude de baisser les yeux, regarda ailleurs.

— Inspecteur, je ne devrais pas vous lâcher d'une semelle, au train où vos cadavres s'accumulent.

De ses doigts jaunis par la nicotine, Appleby prit une nouvelle cigarette et l'alluma avec le mégot de la précédente.

— Très drôle, dit Jury. Mais ce ne sont pas

« mes » cadavres, pour employer votre charmante formule. Ils appartiennent à quelqu'un d'autre.

Il regrettait qu'on lui ait collé un médecin légiste porté sur les plaisanteries macabres. Il le soupçonnait de prendre un plaisir pervers à cette série de meurtres. Cela le changeait des rougeoles, des douleurs féminines et des aigreurs d'estomac.

Appleby avait sa réponse toute prête :

— Quelqu'un d'autre, sans doute. Mais qui ? Avec un pareil taux de mortalité, la région va bientôt se dépeupler.

Il fit tomber sa cendre sur le dos d'âne qu'on venait de défoncer. Le corps avait été enroulé dans une bâche en plastique pour prévenir la disparition d'éventuels effets personnels. Le spécialiste des empreintes digitales, un policier au crâne rasé qui mâchait du chewing-gum en permanence, n'avait pas eu grand-chose à faire sur place ; il venait de partir au presbytère afin de jeter un coup d'œil dans la chambre de Ruby Judd.

— Docteur Appleby, pourriez-vous me résumer vos observations ?

— Je vous ai déjà répété trois fois la même chose. Pourquoi ne pas faire appel à votre mémoire ?

Jury laissa filtrer son impatience :

— Docteur Appleby...

— D'accord, soupira le médecin. A en juger par l'état du corps, je situerai la mort entre trois jours et une semaine. Difficile d'être plus précis, car il est bien conservé. On croirait qu'elle sort du congélateur.

Appleby alluma une autre cigarette. Wiggins, qui notait ses observations, en profita pour se moucher et pour ouvrir une nouvelle boîte de pastilles.

— Cause de la mort : étranglement, reprit le médecin légiste d'une voix monotone. Cette fois-ci, avec un foulard très fin ou un bas. Hémorragies sur le visage et sous les paupières. Je n'ai relevé aucun autre dommage. Mais évidemment je ne suis pas aussi compétent que vos spécialistes londoniens. J'en suis réduit à mes maigres lumières quand je pratique une autopsie. A propos, l'autopsie de Creed n'a rien révélé de nouveau. Vous savez déjà qu'il est mort entre 10 heures et midi, et je n'ai pas pu resserrer la fourchette.

Après avoir dirigé l'installation du corps dans l'ambulance, Appleby saisit son sac et s'en alla. De chaque côté de la route, des agents passaient les prairies gelées au peigne fin. Jury espérait retrouver un sac, voire une valise, dans les bois ou dans les champs qui entouraient le Robinet et la Bouteille. En effet, l'assassin avait dû lui demander de préparer quelques bagages, peut-être en vue d'un prétendu week-end en amoureux (du moins s'il s'agissait d'un homme). Appleby n'avait noté aucun indice de rapports sexuels, mais il ne pourrait pas préciser si elle était enceinte avant d'avoir pratiqué l'autopsie. Bref, la piste était complètement éventée. Mais Jury avait eu raison sur un point : Ruby Judd n'était pas une étrangère.

Après avoir gravi la pente qui menait à l'auberge, Jury rejoignit Melrose Plant, assis au comptoir devant un verre de Guiness, et en pleine conversation avec le patron, un gros costaud nommé Keeble. Celui-ci, visiblement ému, tamponnait son visage en sueur avec un torchon. En revanche, sa femme, qui venait d'entrer dans la salle par une porte située à droite du comptoir, affichait un calme granitique.

Plant lui tendit son étui à cigarettes, et Jury en prit une avec reconnaissance.

— Que savez-vous de cette jeune femme, monsieur Keeble ?

L'aubergiste désigna Wiggins, dont le carnet était posé sur le bar à côté d'un mouchoir.

— Comme je viens de le dire à votre sergent, je connaissais à peine cette Ruby. J'ai juste dû la croiser une ou deux fois dans les magasins, si bien que je ne peux pas vous être d'un grand secours. En ce qui concerne le dos-d'âne, ça fait une paye qu'ils y travaillaient.

Mme Keeble intervint pour se plaindre de l'effet désastreux de cette route défoncée sur le commerce.

— Quand les ouvriers de l'Équipement ont-ils terminé les travaux ?

Keeble se creusa la cervelle.

— Je peux vous le dire exactement : c'était dans l'après-midi du mardi 15. Je m'en souviens, parce que nous devions organiser un grand dîner le lendemain soir, et que j'étais bien content que la tranchée soit refermée.

Pour se remettre de ses émotions, il se servit une bière pression, ce qui provoqua un reniflement désapprobateur chez sa femme.

— Oui, c'est ça, l'un des gars est revenu terminer le chantier le soir du mardi 15.

Le jour où Ruby était partie, sous prétexte de rendre visite à sa famille à Weatherington.

La mention du grand dîner organisé à l'auberge avait aiguisé l'appétit de Jury.

— Nous mangerions volontiers un morceau, dit-il. Pourriez-vous nous préparer quelque chose sur le pouce ? Vous avez faim, monsieur Plant ? Et vous, sergent Wiggins ?

Ils acquiescèrent tous les deux.

— Nous n'avons que de la limande, dit Mme Keeble.

Plant commença à grogner, mais Wiggins lui coupa la parole :

— Avec des frites et des petits pois, s'il vous plaît.

Elle les toisa tous les trois, comme s'ils avaient traîné le corps de la jeune fille jusque-là dans le seul but de la déranger. Elle semblait aussi se demander si Scotland Yard allait régler l'addition, ou si elle devait leur offrir le repas par civisme. Alors qu'elle s'apprêtait à regagner sa cuisine, Plant lui lança :

— Vous nous mettrez une bouteille de bâtard-montrachet pour faire descendre tout ça. 1971.

Elle lui jeta un regard mauvais, et sa bouche se crispa encore un peu plus.

— Nous n'avons pas de cave à vins. Ce n'est pas le Ritz ici.

Plant passa en revue la salle chichement décorée.

— Bizarre. J'aurais pourtant juré...

Heureusement, M. Keeble était un hôte plus accueillant.

— Puis-je vous proposer un verre de notre meilleure bitter, monsieur ? dit-il avant de baisser la voix en lorgnant la porte de la cuisine. C'est la maison qui invite.

— C'est très aimable de votre part, dit Jury, qui but avec plaisir la moitié de sa bière.

Plant s'était éloigné du comptoir et regardait à l'extérieur par la fenêtre de la façade.

— On ne peut rien voir d'ici, à cause du bosquet de chênes.

— A quoi pensez-vous ? demanda Jury.

— L'ouvrier de l'Équipement ne courait pas le moindre risque d'être surpris par un client de l'auberge. Ni par un automobiliste, d'ailleurs. La route est très plate, et on la voit sur plusieurs centaines de mètres dans les deux sens. Il y a bien le virage indiqué par un panneau, mais...

— Ce qui signifie que notre ouvrier n'en était peut-être pas un. Oui, la terre du ralentisseur devait être facile à retourner dans la soirée du 15. Et si jamais des gens survenaient à ce moment-là, ils le prendraient pour un ouvrier en train de terminer un chantier. Il aurait même pu travailler en toute tranquillité à la lueur d'une lanterne.

— La tombe était déjà creusée, ajouta Melrose.

Des bleus de travail, une casquette, et il était assuré de passer inaperçu.

— Il s'exposait tout de même à une mauvaise rencontre en traînant le corps entre... mettons les chênes et le ralentisseur. Mais qui se douterait de quelque chose ? Pourvu que le corps soit enroulé dans une bâche, personne ne pourrait distinguer de quoi il s'agissait.

— De plus, un homme assez audacieux pour imaginer un tel plan ne se laissera pas impressionner s'il doit faire signe à un automobiliste de contourner l'obstacle.

— Il ou elle, monsieur Plant.

— Je ne veux pas croire qu'une femme puisse faire une chose pareille.

— C'est tout de même envisageable. Une femme peut très bien se déguiser en employée de la voirie.

— Oui, vous avez raison.

Mme Keeble surgit de la cuisine avec un plateau et posa leur déjeuner sur la table. Les trois hommes s'installèrent devant la cheminée sans feu et découvrirent trois assiettes en vilaine faïence, contenant chacune des portions identiques de poisson, de frites et de petits pois.

Melrose y jeta un coup d'œil, repoussa son assiette et demanda à Keeble de lui resservir une pinte de bitter. Jury examina sa limande d'un air désolé : elle avait été cuite, il en aurait juré, dans une de ces pâtes à frire qu'on trouve toutes prêtes en sachet. Seul Wiggins se régalait et donnait de grands coups de paume sur le fond de la bouteille de vinaigre pour faire sortir le liquide par les petits trous.

— Le vin sera là d'ici quelques instants, ironisa-t-il. J'espère seulement qu'elle a pensé à l'aérer.

Wiggins émit un son à mi-chemin entre le gloussement et le ricanement. Jury avait si peu l'habitude de l'entendre rire qu'il se demanda un moment ce que signifiait ce bruit.

— Au fait, monsieur, dit le sergent, la bouche pleine de frites, le commissaire Racer exige que vous le rappeliez immédiatement. Je lui ai expliqué que vous n'aviez pas eu une seconde de libre depuis votre arrivée.

Wiggins se sentait sûrement coupable d'être resté une matinée au lit, mais ce repos lui avait fait du bien et l'avait rendu plus volubile. Non seulement il dévora son poisson et ses frites, mais il n'eut qu'une brève hésitation lorsque Plant et Jury vidèrent leurs assiettes dans la sienne.

Soudain, la porte s'ouvrit et le commissaire Pratt fit son entrée en compagnie de deux hommes. Jury, qui repérait les journalistes à des kilomètres, soupira.

Les nouveaux venus étaient également très forts pour repérer les policiers. Le photographe se mit à mitrailler le bar comme s'il s'était agi d'un mannequin en train de prendre des poses lascives. L'autre se planta devant les trois convives.

— Vous devez être l'inspecteur principal Jury, de New Scotland Yard ? Je suis envoyé par le *Weatherington Chronicle*.

Un petit poisson, songea Jury. Il n'aurait pas

trop de mal à s'en débarrasser. Effectivement, ils lui posèrent les questions habituelles et reçurent les réponses habituelles. Non, la police n'avait pas identifié le coupable, mais l'enquête suivait son cours. (Jury s'était promis de faire graver sur sa tombe : *L'enquête suit son cours.*) Oui, il aurait des déclarations à faire d'ici un ou deux jours. L'un des journalistes lui demanda d'une voix sarcastique si le moment était bien choisi pour boire une pinte de bière, ce qui lui valut une réplique très sèche de Pratt : s'ils abattaient ne serait-ce que la moitié du travail accompli par Jury, ils n'auraient pas le loisir de poser des questions aussi stupides. Sur ce, les journalistes ramassèrent leurs cliques et leurs claques et déguerpirent en quatrième vitesse.

Jury présenta Melrose au commissaire :

— C'est M. Plant qui a découvert le corps.

— Pensez à la réaction de ma tante Agatha quand elle l'apprendra. Cela va lui gâcher son Noël.

Ils étaient sur le point de quitter le Robinet et la Bouteille lorsque le sergent Pluck les rejoignit et déposa fièrement une petite mallette sur une table. C'était un de ces nécessaires de voyage bon marché, en vinyl bleu foncé, qui servent d'ordinaire à transporter des affaires de toilette et une chemise de nuit. Un rabat amovible maintenait en place des petits pots et des flacons en plastique. Au fond, il y avait du linge propre, une chemise de nuit, un chemisier de rechange, ainsi qu'une paire de boucles d'oreilles très voyantes. Jury sortit la lingerie, examina le contenu des pots et renifla les flacons.

— Vous n'avez rien trouvé d'autre dans le bois ?

— Non, monsieur, répondit Pluck. Le nécessaire était fermé et caché sous un tas de feuilles humides et de branchages.

— Très bien. Voyez ce que vous pouvez tirer de la famille Judd. Je compte les interroger ce soir, mais je ne pourrai sans doute le faire qu'à une heure très tardive. De toute façon, j'imagine qu'ils ne dormiront pas beaucoup cette nuit.

— Je ne comprends pas, dit le pasteur, qui avait accusé le coup en apprenant la nouvelle. Pourquoi quelqu'un voudrait-il tuer cette pauvre fille inoffensive ? Elle ne devait pas avoir plus de dix-neuf ou vingt ans.

— Vingt-quatre, mon révérend. Et elle n'était peut-être pas aussi inoffensive que nous aimerions le croire. A présent, nous allons devoir reprendre toute l'affaire de zéro, car ce meurtre jette une lumière nouvelle sur les événements.

A l'étage, les photographes avaient cédé la place au spécialiste des empreintes digitales, mais Jury ne se faisait aucune illusion : Mme Gaunt avait nettoyé la chambre de Ruby quelques jours auparavant, et en matière de ménage il ne doutait pas de son efficacité. De fait, lorsque le technicien redescendit, sa mallette à la main, il lui annonça qu'il n'avait relevé aucun indice exploitable, hormis les nombreuses empreintes de Mme Gaunt et celle d'un homme qui devait être Jury en personne.

— Comme je vous l'ai déjà dit, inspecteur, reprit le révérend Smith, c'est Daphne Murch qui me l'a recommandée. Je crois qu'elles étaient de bonnes amies. Si vous voulez connaître la raison de son départ, c'est à Daphne que vous devez vous adresser.

Le pasteur se servit un verre de porto, mais Jury et Wiggins déclinèrent son offre. Lorsqu'il se renfonça dans son fauteuil, Jury crut qu'il essayait de se faire à l'idée que sa bonne avait été assassinée. Erreur : le pasteur était déjà reparti sur sa marotte.

— Le Robinet et la Bouteille... La plupart des gens se figurent que cette enseigne fait référence à une bouteille de vin qu'on remplit au tonneau. Eh bien, pas du tout : il s'agit à l'origine d'une publicité pour la bière pression.

Soudain, il rougit en prenant conscience que le moment était mal choisi pour pérorer sur l'étymologie des noms d'auberges.

— Quand je pense que tous ces meurtres n'étaient que des préliminaires à celui de cette malheureuse !

— Des préliminaires ? s'exclama Jury. Je crois que vous vous trompez, mon révérend. Ruby a été assassinée *avant* les autres. Ce qui n'exclut pas un lien entre tous ces homicides, bien entendu.

Après avoir fouillé dans sa poche parmi les boîtes de pastilles et les tubes de cachets pour la toux, Wiggins réussit à extraire son paquet de Players, et il en tendit une à Jury.

— Vous n'avez jamais pensé que Ruby détenait un secret sur une personne du village, un secret qu'elle n'aurait jamais dû connaître ?

— Un chantage ? s'écria le pasteur. C'est à ça que vous faites allusion ?

Jury ne répondit pas.

— Non. Elle était très bavarde, mais je ne prêtais pas toujours attention à son babillage. Cependant, même si je n'accorde aucun crédit aux ragots, j'ai entendu dire qu'il y avait quelque chose entre Ruby et Marshall Trueblood.

Jury échangea un regard incrédule avec Wiggins, qui fut à deux doigts de s'étouffer.

— Voyons, monsieur le pasteur, c'est impossible. Trueblood est homosexuel.

— Il peut très bien entrer dans la catégorie de ce qu'on appelle les bisexuels, rétorqua le révérend, heureux de démontrer que ses compétences s'étendaient au-delà des questions spirituelles.

Jury dut admettre qu'il avait raison, d'autant plus que Trueblood lui donnait l'impression d'en rajouter.

— Mais vous n'avez aucune preuve de cette liaison ?

Le pasteur fit non de la tête.

— Le jour de son départ, Ruby n'a manifesté aucune excitation particulière ?

De nouveau, le pasteur en convint. Comme Mme Gaunt lui avait fait la même réponse, Jury décida d'en rester là pour le moment. Il se leva, et Wiggins referma son carnet.

Une fois sorti du presbytère, Jury demanda au sergent de se rendre à Weatherington pour préparer les parents de Ruby à sa visite. Au risque de raviver leur douleur, il devait absolument les interroger le soir même.

Quand Jury entra dans le bar du Mauvais Sujet, Twig, équipé d'un tablier de cuir, était en train d'astiquer ses verres. Jury se hissa péniblement sur un tabouret de chêne et commanda un whisky. Le miroir biseauté lui renvoya le reflet d'une seule cliente : une turfiste d'un certain âge, absorbée par la mise au point d'une combinaison gagnante.

— Où est M. Matchett, Twig ?

— Dans la salle à manger. Il prend l'apéritif avant de dîner.

Jury fit mine de se lever, mais Twig précisa :

— Il est avec Miss Vivian, monsieur.

Jury se rassit et contempla le liquide ambré au fond de son verre. Puis il se dit qu'il était policier et que son métier consistait à poser des questions. Alors il se dirigea vers la salle à manger, son whisky à la main.

De prime abord, la pièce lui parut vide. Elle était plongée dans une semi-obscurité : des lampes tamisées par des globes rouges diffusaient sur les tables des lueurs vacillantes qui se reflétaient sur les murs. Debout dans une zone d'ombre, Jury finit par les apercevoir. Simon Matchett et Vivian étaient masqués par le pilier en pierre d'un des renfoncements. Il voyait le profil de Vivian, mais ne distinguait qu'une des mains de Matchett — une main posée sur le poignet de la jeune femme.

Il voulut franchir les cinq ou six mètres qui le séparaient de leur table et commencer l'interrogatoire, mais ses pieds refusèrent de bouger. Il comprit pour la première fois ce que signifiait l'expression « être cloué au sol ».

Soudain, Matchett se pencha vers Vivian, et sa main lâcha son poignet pour glisser sur le dossier de sa chaise et s'enrouler autour de ses épaules.

Jury recula dans la pénombre et s'arrêta sur le pas de la porte, de manière à leur faire croire qu'il venait d'entrer si jamais ils se tournaient dans sa direction.

C'est alors que Matchett rompit le silence de mort qui régnait dans la salle à manger depuis quelques instants. Jury saisit ses derniers mots :

— ... où nous vivons, ma chérie.

Jury, immobile, avait l'impression que son verre pesait une tonne.

— Je ne pourrais plus vivre *ici*, Simon. Pas après tout ce qui s'est passé. Aujourd'hui, c'est le tour de cette pauvre Ruby Judd. Mon Dieu !

Elle remonta son gilet avec l'aide de Matchett.

— Moi non plus, mon amour ! Tu as besoin de t'éloigner. Nous en avons besoin tous les deux. Nous avons trop de mauvais souvenirs dans ce village. Vivian, mon amour...

Ses doigts lui caressèrent la nuque, avant d'être happés dans un fouillis de mèches fauves.

— L'Irlande. Nous irons en Irlande, Viv. Je suis sûr que tu t'y plairas. Es-tu déjà allée à Sligo ?

Elle secoua la tête, les yeux baissés.

— Eh bien, nous irons tous les deux. Le pays t'enchantera. C'est bizarre, mais rien ne peut nuire à sa tranquillité. Malgré cette guerre civile qui s'éternise, il reste l'un des coins les plus paisibles de la planète.

Elle croisa les bras sur la table et le regarda droit dans les yeux.

— Je te trouve bien enthousiaste pour l'Irlande. On croirait que tu veux t'engager dans l'IRA.

La main de Matchett ressortit de sa chevelure, et d'un doigt il dessina le contour de sa joue.

— Tu es bête. J'aspire au calme autant que toi, ma chérie. Je rêve de vivre dans une grande salle de séjour bien humide, entre un bon feu de bois et un couple de bergers allemands. Écoute, je pourrais tirer un bon prix de cette auberge et acheter quelque chose là-bas. Un pub, par exemple. Ou une armurerie. N'importe quoi, pourvu que nous ayons de quoi vivre.

— Je ne crois pas que ce soit vraiment un problème.

Matchett cessa de caresser son visage et posa sa main sur la table.

— Laisse tomber, Vivian.

— Quoi ?

— L'argent. Donne-le à une œuvre charitable. Tu n'en as pas besoin. Et moi, je n'en veux pas, car, en ce qui me concerne, il ne m'a apporté que des ennuis. Bon sang ! tu ne veux pas que je rende public notre amour. Tu refuses même de passer Noël avec moi.

Elle éclata de rire.

— Oh ! Simon, tu es un vrai gamin, dit-elle en lui prenant la main. J'ai promis à Melrose d'aller chez lui il y a une éternité.

— Parmi tous les hommes que tu connais, il est le seul dont tu sois sûre qu'il ne court pas après ta dot, dit Matchett sur un ton amer. Si j'avais la moitié de sa fortune, tu m'épouserais demain.

Recroquevillé dans l'obscurité, Jury avait le sentiment d'assister à une pièce de théâtre.

— Dieu sait si je ne peux pas te reprocher de te méfier de moi. Tu as eu une enfance si épouvantable. Franchement, je pense que ça ira déjà mieux quand tu te seras débarrassée d'Isabel.

— C'est la première fois que je t'entends la critiquer.

— Ce n'est pas une critique. J'estime simplement que tu dois t'en détacher, car par sa simple présence elle te rappelle cette histoire tragique. Et je me demande si elle n'en profite pas. Tu t'imagines avoir une dette envers elle. Mais ma chérie, tu ne dois rien à personne. Si tu ne veux pas m'épouser, tu peux au moins m'accompagner et partager ma vie. Comme ça, ton argent sera définitivement hors de ma portée.

A présent, elle hésitait entre le rire et les larmes.

— Écoute-moi, mon amour. Nous achèterons un vieux château en ruine. Pour quelqu'un qui écrit comme toi, l'Irlande est une merveilleuse source d'inspiration. Je ne t'embêterai pas là-bas. Je m'occuperai de mes bergers allemands ou de mon pub... N'importe quoi, pourvu que tu sois avec moi. C'est le pays de Yeats. Je t'achèterai une tour, comme Yeats l'a fait pour sa femme. Cela dit, je suis plutôt soulagé que tu ne t'appelles pas George.

Cette fois-ci, elle se mit franchement à rire.

— Je ne me souviens plus exactement du poème. « Je construis cette tour pour ma femme, George / Et j'espère que survivront ces images / Quand tout sera redevenu ruines. »

— Magnifique, dit Vivian. Mais il n'était pas très amoureux d'elle, non ? C'était Maud Gonne qu'il aimait vraiment.

— Désolé. Dans ce cas, tu me fais penser à Maud Gonne, et non pas à cette bonne vieille George.

— Tu n'es pas contrariant, dit-elle avec un petit rire.

— A Maud Gonne. A la Béatrice de Dante. Ou à Jane Seymour : n'est-ce pas la seule femme qui ait su gagner l'amour d'Henry VIII ?

— Oui, je crois. En tout cas, c'est l'une des seules qu'il n'ait pas assassinées.

— Peu importe... Tu me fais aussi penser à Cléopâtre...

— Tu n'exagères pas un peu ?

— Pas du tout. Et à Didon, la reine de Carthage. Tu te souviens de ses mots après sa rencontre avec Énée ?

— A ma grande honte, pas du tout. C'est toi qui joues le rôle d'Énée ?

— Absolument. « *Agnosco veteris vestigia flammae.* » Ce qui signifie...

— « Je reconnais en moi les vestiges du feu dont j'ai brûlé », traduisit Jury.

Il regarda Vivian droit dans les yeux et posa son verre bruyamment sur la table. Ils le dévisagèrent, bouche bée, puis s'écrièrent à l'unisson :

— Inspecteur Jury !

— Excusez-moi. Je n'avais pas l'intention de surprendre votre conversation. Mais vous étiez si... absorbés.

— Vous n'avez pas à vous excuser, dit Vivian. Je suis impressionnée de me trouver avec deux hommes aussi érudits. Asseyez-vous, je vous en prie.

Jury prit une chaise et alluma une cigarette.

— Je n'ai rien d'un érudit. Mais ce vers est si fameux. Aucun homme sain d'esprit ne pourrait y résister.

— Aucune femme non plus, inspecteur. C'est effectivement un très beau vers.

Elle lui sourit, mais il détourna les yeux.

— Malheureusement, l'heure n'est pas à la poésie, dit-il un peu trop sèchement. Nous avons un autre meurtre sur les bras, comme vous le savez sans doute déjà. Les nouvelles circulent vite.

Vivian baissa la tête et regarda la nappe, à la manière d'une fillette qu'on réprimande.

— Ruby Judd, murmura-t-elle.

— Ruby Judd, oui.

— Nous parlions justement d'elle, intervint Matchett. Nous allions dîner, inspecteur. Voulez-vous vous joindre à nous ?

— Volontiers, je vous remercie.

Twig entra alors dans la salle à manger, et Matchett l'envoya chercher une salade.

— Isabel est allée voir les Bicester-Strachan, expliqua Vivian. Et je n'ai pas voulu rester seule à la maison. Mais tout le monde s'y attendait, n'est-ce pas ?

A en juger par la manière dont elle contemplait le pilier situé juste derrière la chaise de Matchett, on aurait pu croire qu'un avertissement était gravé dans la pierre

— Comment ? demanda Jury, étonné. Tout le monde s'attendait à ce que Ruby Judd soit assassinée ?

— Non, mais à ce que ce soit quelqu'un de Long Piddleton. Tout le monde trouvait étrange cette série de meurtres gratuits.

— C'était votre cas ?

Elle parut surprise du ton acide de Jury. Il ne pouvait lui donner tort, car après tout sa liaison avec Matchett ne le regardait pas. Celui-ci servit un grand verre de vin blanc du Médoc à la jeune femme, mais Jury déclina son offre.

— Parle pour toi, dit Matchett. La plupart d'entre nous croyaient effectivement qu'il s'agissait de meurtres gratuits. Pourquoi diable voudrait-on s'en prendre à Ruby Judd ? C'est bien la dernière personne que j'aurais imaginée victime d'un assassin.

Jury en déduisit que Matchett avait une conception très progressiste du crime : si quelqu'un désire commettre un assassinat, il doit choisir sa victime parmi les rupins et non parmi les gens du peuple.

Twig approcha une table roulante, puis disposa un saladier plein de laitue, divers raviers et des petites bouteilles de vinaigrette. Lorsqu'il voulut presser un citron sur les légumes, Matchett l'interrompit :

— Je le ferai moi-même, Twig.

D'une main experte, il versa de l'huile et commença à mélanger la salade avec une cuiller et une fourchette en bois.

— Où étiez-vous tous les deux le mardi soir de la semaine dernière ? demanda Jury.

Sans perdre son calme, Matchett cassa un œuf au-dessus de la laitue, tandis que Vivian répondait avec une nervosité évidente :

— Chez moi... Je ne me souviens plus... Simon ?

Est-ce qu'elle s'en remettait aussi à lui pour compenser ses trous de mémoire ?

— J'ai besoin de réfléchir un peu, dit Matchett qui s'interrompit, laissant les couverts en suspens. Attendez. Vous parlez de l'avant-veille du meurtre de Small. J'étais ici pendant tout l'après-midi et toute la soirée.

— Moi, je devais être à la maison, reprit

Vivian d'une voix hésitante. Je crois qu'Oliver est passé.

Jury nota que Matchett ne put retenir une grimace.

— Vous êtes toujours en service, inspecteur ? demanda ce dernier en ajoutant du fromage râpé et des croûtons.

— Je prendrais volontiers un peu de repos, si notre meurtrier faisait de même.

Matchett leur tendit deux assiettes. Jury goûta la sienne et la trouva délicieuse. Il n'est pas donné à tout le monde de discuter d'un meurtre récent tout en préparant une salade à la César et en faisant les yeux doux à une créature aussi ravissante que Vivian Rivington. Assurément, Simon Matchett n'était pas le premier venu.

Une heure plus tard, Jury était assis à la même table en compagnie de Daphne Murch. Matchett l'avait quitté pour raccompagner Vivian à son domicile.

Daphne commença par mouiller un paquet entier de mouchoirs en papier quand l'inspecteur lui annonça la mort de Ruby Judd.

— Allons, Daphne, il faut que nous parlions d'elle. Vous étiez très amies toutes les deux, non ? Il paraît que c'est vous qui l'avez fait engager au presbytère ?

Il sortit les deux photographies de son portefeuille et les posa sur la table. La première était un portrait habituel et figé : Ruby avait de longs cheveux noirs et un joli visage inexpressif. La seconde révélait une silhouette généreuse : de gros seins comprimés dans un blouson trop ajusté et des jambes bien tournées. Sa tête était à moitié dans l'ombre, mais sa bouche se tordait de manière fort peu gracieuse, sans doute parce qu'elle était aveuglée par le soleil.

— Oui, monsieur, c'est moi qui les ai prises.

Elle ramena des mèches humides sur ses tempes, révélant un front luisant de sueur. Son visage était gonflé et rougi par les larmes.

— Vous la connaissiez depuis longtemps, Daphne ?

— Oh ! depuis des années. Depuis l'école. Nous étions dans la même classe. Je suis de Weatherington, vous savez. Quand la bonne du pasteur l'a quitté pour se marier, il n'a plus eu que Mme Gaunt pour s'occuper de lui. Une vieille bique, celle-là ! Alors j'ai demandé au pasteur s'il n'avait besoin de personne parce que je connaissais une fille très travailleuse qui était au chômage. Il m'a dit de la lui envoyer.

Daphne baissa les yeux et ajouta :

— J'aurais peut-être dû y réfléchir à deux fois, monsieur. Parce que... enfin... ce n'était pas vraiment une personne de confiance.

Elle se colla la main sur la bouche, comme si elle s'en voulait d'avoir dit du mal d'une morte.

— Pourquoi ne pouvait-on pas lui faire confiance ? demanda Jury.

Il nota au passage que Twig était en train d'astiquer le même verre en cristal depuis cinq bonnes minutes.

— Ruby s'est attiré des ennuis une ou deux fois, chuchota Daphne.

— Quel genre d'ennuis ?

En voyant la jeune fille s'empourprer, Jury devina qu'ils étaient d'ordre sexuel. Comme elle restait bouche cousue, il précisa :

— Ruby était-elle enceinte ?

— Oh non, monsieur ! Enfin, pas à ma connaissance. Elle ne m'en a jamais parlé. Mais... Bon, ça lui est déjà arrivé. Une fois. Peut-être même plusieurs fois.

A en juger par son air penaud, on aurait pu croire que c'était elle la fautive.

— Elle s'est fait avorter, c'est cela. Une ou plusieurs fois ?

Daphne hocha la tête en lançant un coup d'œil furtif dans la direction de Twig. Mais le vieux maître d'hôtel avait senti le regard pesant de Jury et s'était éloigné à l'autre extrémité de la salle à manger.

— Des fois, j'avais presque pitié d'elle. Qu'est-ce qu'une fille peut faire d'autre quand elle n'est pas soutenue par sa famille ? Les parents de Ruby sont de vieux jetons, et elle n'osait pas leur dire. Quand elle était petite, ils l'avaient envoyée vivre chez son oncle et sa tante. La tante Rosie et l'oncle Will. Elle les aimait beaucoup plus que son père et sa mère. A mon avis, ils ne pensaient qu'à se débarrasser d'elle.

— Ruby et vous étiez très proches ?

Daphne se tamponna le nez avec un mouchoir en papier.

— Oui, je crois. Mais quand elle me racontait des trucs, elle ne se confiait pas vraiment à moi. Elle me titillait plutôt pour que je lui pose des questions.

Jury apprécia ce sens de la nuance : à la place de Daphne, la plupart des jeunes filles auraient pris les allusions et les gloussements de Ruby pour d'authentiques confidences.

— Ruby ne sortait avec personne que je connaisse. Mais elle insinuait toujours qu'elle voyait plusieurs hommes.

Daphne rougit et lissa sa jupe noire de serveuse.

— Vous voulez dire qu'elle couchait avec eux ?

Elle acquiesça, comme si l'expression lui avait paru moins vulgaire dans la bouche d'un policier.

— En fait, Ruby se comportait toujours comme ça. Toujours des cachotteries. Même quand il n'y avait rien à cacher. Elle faisait des mystères pour un rien. Par exemple, elle me demandait si je voulais savoir où elle avait eu un nouveau vêtement, ou un sac, ou un petit bijou, ou n'importe quoi. Comme si quelqu'un de Long Pidd l'*entretenait*. Et puis il y avait ce bracelet en or qu'elle portait jour et nuit. Elle ne l'enlevait jamais, monsieur. Bon sang ! elle en faisait tout un roman. Elle m'a d'abord dit que c'était un cadeau, et ensuite qu'elle l'avait trouvé. C'était impossible de savoir quand elle disait la vérité. Et puis Ruby jouait tout le temps des tours à Mme Gaunt. Elle était loin d'abattre sa part de travail. Au lieu de faire le ménage, elle commençait à bavarder avec le pasteur, il lui répondait, elle l'écoutait avec un air intéressé, et il ne se rendait même pas compte qu'elle se contentait de donner un petit coup de plumeau sur son bureau. Quand on l'envoyait balayer l'église, elle s'asseyait sur un banc pour lire un magazine de cinéma ou pour écrire dans son journal. Il lui arrivait même de se vernir les ongles.

Daphne émit un petit rire.

— Ruby tenait un *journal intime* ? Vous l'avez vu ?

— Oh ! non, monsieur. Elle ne me l'aurait montré pour rien au monde. Elle était si secrète.

Jury se promit de charger Wiggins d'aller interroger Mme Gaunt à ce sujet.

— Un jour, elle m'a dit un truc qui m'a beaucoup intriguée : elle avait trouvé quelque chose sur un habitant de Long Pidd.

— Elle a employé ces mots-là ?

Daphne acquiesça.

— Vous n'avez aucune idée de ce dont elle voulait parler ?

Daphne secoua la tête si vigoureusement que ses mèches châtains se mirent à osciller autour de sa coiffe blanche amidonnée.

— Non, monsieur. J'étais drôlement curieuse, mais plus j'essayais de lui tirer les vers du nez, plus elle rigolait. Elle répétait que ça serait une sacrée surprise pour tout le monde, parce qu'elle avait ferré un gros poisson au bout de sa ligne.

Jury soupira. Avec une fille comme Ruby Judd, ce ne serait pas facile de séparer le bon grain de l'ivraie. Son secret pouvait aussi bien concerner une des villageoises qui ôtait sa culotte pour le laitier... qu'un assassinat.

Weatherington était une ville moyenne deux fois plus peuplée que Sidbury, qui à son tour représentait à peu près le double de Long Piddleton. Les distances entre ces localités étaient équivalentes : Sidbury était située à dix-sept kilomètres à l'ouest de Long Piddleton, et Weatherington à dix-sept kilomètres au sud-ouest de Sidbury. Le ministère de l'Intérieur y avait installé un laboratoire afin d'aider la police du comté. Le docteur Appelby disposait d'une salle dans le petit hôpital local pour pratiquer ses autopsies.

Les murs du commissariat étaient recouverts d'une peinture beige luisante et écaillée. Jury passa devant le standard, où une dame d'un âge certain tricotait une écharpe en laine rouge. A la réception, le policier de service était assis devant la main courante, sous un panneau jaune indiquant « Attente interdite ». Jury s'était toujours demandé qui pourrait bien avoir envie de s'attarder en pareil lieu. Il se glissa entre des comptoirs, des armoires bourrées à craquer de dossiers et des hommes qui passaient le plus clair de leur temps derrière une machine à écrire, comme des journalistes dans une salle de rédaction. Puis il saisit un téléphone et composa le numéro du docteur Appleby.

— Non, lui répondit le médecin légiste, elle n'était pas enceinte. Je ne crois pas qu'elle aurait pu avoir d'enfant à voir comment elle était abîmée à l'intérieur. Je pense qu'elle a subi plusieurs avortements. Il y a des années de ça.

Jury en éprouva un certain soulagement. Si Ruby avait été enceinte, il aurait dû explorer la piste de l'amant qui refuse d'épouser sa conquête et qui veut l'empêcher de jaser. Et un mobile de cet ordre aurait séparé cet homicide des trois autres. Le pasteur s'était trompé dans l'ordre des événements : les autres meurtres n'annonçaient pas le meurtre de Ruby, ils en découlaient.

— Merci, docteur. Excusez-moi de vous avoir appelé aussi tard.

— Tard ? ricana Appleby. Mais il n'est que 10 heures et demie, mon vieux. Nous autres médecins de campagne, nous sommes sur le pont jour et nuit.

Il y avait une douzaine d'hommes dans le commissariat. Et tous paraissaient enchantés de sa visite, car ils rêvaient de participer à une enquête aussi retentissante. Jury s'adressa à un sergent :

— Le commissaire n'est pas là ?

— Non, monsieur.

— Avez-vous reçu le dossier de l'affaire Celia Matchett ? Cette femme assassinée dans une auberge de Dartmouth il y a de ça des années ?

— Oui, monsieur. Si vous voulez patienter un instant...

— Non, je dois aller voir la famille Judd. Je le prendrai en repassant.

Il se tourna vers Wiggins, qui préparait déjà son carnet et ses crayons.

— Vous les avez prévenus de notre arrivée ?

— Oui.

— Alors en route.

M. et Mme Jack Judd habitaient un lotissement récent de Weatherington : des rangées de maisons en brique que rien ne distinguait les unes des autres, aussi bien la nuit qu'en plein jour. C'était un peu mieux que les logements sociaux grisâtres situés de l'autre côté de la ville, mais tout juste. Weatherington manquait singulièrement de charme. A l'origine, elle avait été conçue comme une cité-jardin, mais les fonds avaient dû se tarir rapidement — à moins qu'ils n'aient été détournés par des personnes peu soucieuses d'urbanisme. Le résultat était une lamentable juxtaposition de bâtiments sans plan d'ensemble ni style particulier.

Devant le pavillon des Judd, le jardinet était plongé dans l'obscurité. Jury put tout de même distinguer quelques ornements en plâtre enfouis sous la neige : sans doute des canards, des oies et un faux puits.

Une jeune femme lui ouvrit la porte. Si la photo de Ruby était fidèle, il devait s'agit de sa sœur, car elle lui ressemblait beaucoup, les rondeurs exceptées.

— Oui ? demanda-t-elle d'une voix nasillarde.

Cette manière de faire comme si elle ne savait pas à qui elle avait affaire lui rappela Lorraine

Bicester-Strachan. Mais Miss Judd n'avait pas l'allure nécessaire pour le snober.

— Vous êtes Miss Judd ?

Elle réussit l'exploit de hocher la tête en gardant le nez en l'air — un nez en trompette qui faisait saillie sur son visage émacié.

— Inspecteur Richard Jury, de New Scotland Yard. Voici le sergent Wiggins. Je crois que le sergent vous a téléphoné pour vous annoncer notre visite.

Elle s'effaça. En pénétrant dans l'entrée mal éclairée, Jury remarqua qu'elle n'avait pas l'air très éploré. Comme elle ne leur proposait pas de prendre leur manteau, Jury jeta le sien en travers de la rampe.

— Là-bas, dit-elle sèchement en leur indiquant une pièce située au bout du couloir.

Bien qu'il n'y eût pas de lumière dans la salle de séjour, qui devait être réservée aux grandes occasions, on distinguait dans un coin un sapin de Noël rabougri planté sur un tas de fausse neige. Dans la pièce du fond, chauffée par une bûche électrique, les Judd attendaient l'inspecteur avec des yeux incroyablement secs. La mère de Ruby était une femme corpulente qui parlait en gardant le regard baissé sur son tricot. A l'entendre, on aurait cru que Ruby était la fille de quelqu'un d'autre.

— C'est terrible de se saigner aux quatre veines pour voir son enfant mal tourner.

Jury eut du mal à garder son sang-froid en face d'une attitude aussi insensible.

— J'ai peine à croire que votre fille n'ait eu que ce qu'elle méritait, madame Judd. Elle n'a jamais voulu mourir au bord d'une route.

M. Judd, quant à lui, se contentait de vagues borborygmes. Il appartenait à cette race d'hommes qui laissent la parole à leur femme.

— Depuis que Ruby est toute petite, reprit sa mère, on a jamais pu la tenir. La seule qui pouvait en tirer quelque chose, c'était sa tante Rosie — la sœur de Jack. Alors on l'expédiait dans le Devon chaque fois qu'on y arrivait plus avec elle. Quand elle a grandi, elle est presque sortie de notre vie, comme si on était pas son papa et sa maman. Jamais elle n'envoyait d'argent. Elle ne payait même pas de pension quand elle avait pas de travail et qu'il fallait l'entretenir pendant des mois. Elle nous mangeait la laine sur le dos. C'est pas comme notre Merriweather...

Elle adressa un sourire à son autre fille, sèche comme un paquet d'os, qui lisait un magazine de cinéma près de la bûche électrique. Merriweather prit un air compassé et tenta de mimer le chagrin. Elle tenait même un mouchoir roulé dans sa main pour essuyer des larmes qui ne coulaient pas.

— Merriweather, elle, ne nous a jamais fait passer une nuit blanche, dit Mme Judd, le regard plein de tendresse.

Tandis que ses aiguilles à tricoter recommençaient à cliqueter, M. Judd, en maillot de corps et bretelles, se décida à rabrouer sa femme :

— Il ne faut pas dire de mal des morts, maman. Ce n'est pas très chrétien.

Jury avait rarement rencontré des parents aussi indifférents à la mort de leur enfant. Pis : au *meurtre* de leur enfant. Ni l'un ni l'autre ne manifestait le moindre intérêt pour les circonstances de ce drame atroce. Peu importe ! se dit-il. Son travail n'en serait que plus facile. Inutile de leur présenter ses condoléances, d'adoucir son vocabulaire et de tourner ses questions de manière à ne pas heurter leur désarroi.

— Madame Judd, quand avez-vous vu votre fille pour la dernière fois ?

Wiggins sortit son carnet et une boîte de pastilles. Il se mit à en suçoter une tout en notant le début de l'interrogatoire en sténo. Mme Judd posa son tricot et leva les yeux au plafond pour bien réfléchir avant de répondre.

— Voyons voir. C'était il y a deux semaines. Le jeudi... non, le vendredi. Oui, je m'en souviens, parce que je revenais de la poissonnerie. J'ai dit à Ruby que j'avais acheté des plies toutes fraîches.

— Je croyais que vous n'aviez pratiquement plus de contacts ? Cette rencontre aurait donc eu lieu quelques jours avant sa mort, puisque nous pensons qu'elle a été assassinée le 15.

— En tout cas, c'est cette date-là. Mais elle n'est restée qu'une nuit. Il fallait qu'elle soit rentrée le samedi, parce que le pasteur avait besoin d'elle. Enfin, c'est ce qu'elle m'a dit.

— Pourquoi est-elle venue vous voir ?

Mme Judd haussa les épaules.

— Allez savoir, avec Ruby ! Elle voulait sans doute voir un garçon. Elle en connaissait beaucoup, beaucoup trop même, vous pouvez me croire. Cet après-midi, le policier nous a dit qu'elle était partie de là-bas en racontant qu'elle venait nous rendre visite. C'est de la blague ! Elle a mis les voiles avec un jules.

— Il semblerait que ce ne soit pas le cas, madame Judd, répliqua Jury d'une voix posée.

Le coup porta néanmoins, et il la vit rougir.

— Elle plaisait aux hommes, n'est-ce pas ?

— Il n'y a pas de quoi se vanter, inspecteur, répondit-elle sur un ton de reproche. Quand elle était à la maison, elle passait son temps à traîner dans les rues. Ce n'est pas comme Merriweather...

Mais Jury ne s'intéressait ni à la vertu de Merriweather, ni à son visage en biseau, ni à sa mise en plis étriquée.

— Où vivait Ruby avant de revenir habiter chez vous ? Autrement dit, quel était son dernier emploi ?

— A Londres. Faut pas m'en demander plus. Elle prétendait avoir travaillé dans un salon de coiffure, mais personne ne sait où elle aurait appris le métier.

— Vous ne connaîtriez pas son adresse à Londres ? Ou celle de ses amis ? Ou encore les raisons de son retour ici ?

Mme Judd lui lança un regard mauvais, comme s'il n'avait été qu'une plie pas très fraîche.

— Je vous l'ai déjà expliqué : parce qu'elle n'avait plus les moyens de mener son train de vie habituel.

— Je ne crois pas qu'elle travaillait seulement

dans un salon de coiffure, intervint Merriweather. Elle devait avoir d'autres sources de revenus.

— Vous sous-entendez toutes les deux qu'elle se livrait à la prostitution ?

La réaction fut spectaculaire. Mme Judd, rouge comme une tomate, laissa tomber son tricot, tandis que Merriweather en restait bouche bée. Même le mari remua dans son fauteuil.

— C'est affreux de dire une chose pareille sur une malheureuse fille qui s'est fait massacrer.

Mme Judd chercha un mouchoir en papier dans la poche de son tablier, et son mari lui tapota le bras. Jury lui présenta ses excuses, avant de se tourner vers Merriweather.

— Votre remarque sur ses sources de revenus m'a induit en erreur, Miss. Je croyais que c'est à cela que vous pensiez.

— Elle disait juste que d'ici quelque temps elle allait se la couler douce. Elle comptait toucher un paquet d'argent.

Jury ne lâchait plus la jeune fille des yeux.

— Quand vous a-t-elle parlé de cela ?

Merriweather s'humecta un doigt et tourna une page de son magazine.

— Quand elle est passée à la maison. Le jour que maman vous a dit. Le vendredi d'il y a deux semaines. Elle a fait des tas d'allusions, comme d'habitude. Je n'y faisais jamais très attention.

— Quel genre d'allusions ? insista Jury.

— Oh ! des trucs du genre : « Je ne m'habillerai plus chez Marks & Spencer, mais chez Liberty. » Des bêtises comme ça.

— Elle n'a pas précisé qui lui donnerait cet argent et pour quelle raison?

Merriweather se contenta de secouer la tête sans lever le nez de son magazine.

— J'ai cru comprendre que Ruby tenait un journal intime. L'un d'entre vous l'a-t-il déjà vu?

Et tous trois de secouer la tête à l'unisson...

— J'enverrai quelqu'un demain pour fouiller sa chambre.

— Il y en a un qui est déjà venu, dit Mme Judd. Je trouve que vous pourriez être un peu plus délicat et ne pas embêter une famille dans la peine.

Devant une telle hypocrisie, Jury sentit un goût amer au fond de sa bouche. Il se leva rapidement, imité par Wiggins.

— Le corps de votre fille vous sera restitué pour les obsèques dès que le ministère de l'Intérieur aura donné son accord.

Mme Judd réussit enfin à jouer une petite comédie de circonstance en s'écriant :

— Oh! Jack, notre pauvre petite Ruby.

Son mari lui donna la réplique :

— Allons, maman, du courage!

Seule Merriweather s'abstint de tenir son rôle. Elle les raccompagna jusqu'à la porte tout en contemplant avec ravissement une photographie de Robert Redford.

Sur la route de Long Piddleton, Jury ralentit à la hauteur du dos d'âne, éclairé par des lanternes. En retrait, le Robinet et la Bouteille était plongé dans l'obscurité. La vision du bras de Ruby émergeant de la terre bien tassée lui revint en mémoire. Il frissonna et se passa la main sur le visage. Une idée presque impalpable commença alors à émerger des profondeurs de son esprit. De quoi pouvait-il bien s'agir ? Hélas ! l'idée n'avait toujours pas atteint sa claire conscience lorsqu'il gara la Morris devant la façade du Mauvais Sujet.

Ce soir-là, Jury s'assoupit avec le dossier criminel de Celia Matchett posé sur la poitrine.

14

Vendredi 25 décembre

Lorsqu'il s'éveilla le matin de Noël, le dossier gisait sur le plancher. Il le ramassa et consacra plus d'une heure à lire toutes ces feuilles volantes. Les rapports confirmaient les dires de Matchett. Celui-ci disposait d'un parfait alibi, de même que sa maîtresse, Harriet Gethvyn-Owen : ils avaient joué une pièce devant de nombreux spectateurs. La domestique, Daisy Trump, avait apporté sa tasse de chocolat à Celia Matchett. Celle-ci lui avait dit d'entrer et de poser le plateau sur un petit meuble situé juste à l'entrée de la pièce. Daisy avait donc pu témoigner que sa patronne était encore en vie à ce moment-là. Le chocolat était drogué, ce qui constituait une énigme pour la police : pourquoi diable un voleur ordinaire aurait-il versé un produit dans le cacao avant de cambrioler le bureau ? Il aurait été plus simple d'attendre son départ pour s'introduire discrètement. Jury, qui partageait la perplexité des enquêteurs, examina le plan de la pièce, sur lequel des petits carrés représentaient le mobilier. La table derrière laquelle Celia Matchett était assise faisait face à la fenêtre, si bien qu'elle tournait le dos à la porte du couloir.

Jury rangea les feuilles dans leur chemise. Nom d'une pipe! Il était arrivé l'avant-veille pour résoudre deux problèmes. Et voici qu'en ce matin de Noël il se retrouvait avec cinq homicides sur les bras...

— Encore un peu de café, monsieur? lui demanda Daphne, prête à exaucer son moindre désir.

— Non, merci. Ruby vous a-t-elle raconté qu'elle avait travaillé dans un salon de coiffure à Londres?

— Ruby? Vous voulez rire? Elle en aurait été bien incapable. Mais c'est vrai, elle avait un travail. Elle posait pour des... photos, vous comprenez?

Jury se souvint que Sheila Hogg avait été elle aussi « mannequin » à Londres, et il s'interrogea sur cette étrange coïncidence. Mais la sonnerie lointaine d'un téléphone le tira de ses réflexions, et Twig vint le prévenir que l'appel était pour lui.

— Jury, j'écoute.

— Je suis au poste de police de Long Pidd, monsieur, dit Wiggins.

Le sergent avait adopté le diminutif affectueux

par lequel les habitants désignaient leur village. Le sifflement strident de la bouilloire de Pluck tenait lieu de musique de fond. Il s'interrompit pour remercier Pluck de lui offrir une tasse de thé, avant de poursuivre son rapport :

— Je n'ai retrouvé le journal de Ruby ni chez ses parents ni au presbytère. Pourtant, ce vieux chameau de Mme Gaunt affirme qu'elle l'a souvent vue écrire dans un petit cahier rouge foncé. Elle est montée sur ses grands chevaux quand je lui ai demandé si elle avait déjà jeté un coup d'œil dedans ! Elle prétend ne pas se souvenir de la dernière fois qu'elle a surpris Ruby en train de tenir son journal.

— Très bien. Maintenant, j'ai besoin que vous contactiez les sommiers judiciaires afin d'obtenir certains renseignements. Premièrement : William Bicester-Strachan. Il travaillait au ministère de la Défense, et je voudrais en savoir un peu plus long à propos d'une enquête menée sur son compte à l'époque où il habitait Londres. Deuxièmement : demandez-leur ce qu'ils ont sur un décès accidentel survenu il y a environ vingt-deux ans en Écosse — plus précisément à Sutherland. La victime se nommait James Rivington. J'aimerais connaître la date exacte de l'accident.

— D'accord, monsieur. Joyeux Noël.

Quand il eut raccroché, Jury se sentit un peu honteux d'avoir sous-estimé Wiggins pendant si longtemps. Après tout, celui-ci accomplissait sa tâche dans la mesure où sa santé le lui permettait. Il risquait de mourir un beau jour, son carnet dans une main, son mouchoir roulé dans l'autre. Depuis des années, Jury essayait de l'appeler par son prénom, mais « Al » lui restait coincé en travers de la gorge. Impossible d'être familier avec un type qui ne se sépare jamais de son stylo et de sa boîte de pastilles. Il serait sans doute invité à dîner dans la famille du sergent Pluck. Pour sa part, Jury avait hâte de retrouver Melrose et ses amis. Mais il devait d'abord rendre une petite visite à Oliver Darrington et à Marshall Trueblood.

— Cette Ruby Judd était une vraie mouche du coche. Ce n'est pas étonnant si le pasteur l'aimait bien : elle pouvait bavasser pendant des heures. Ah, ils ont dû s'en raconter, tous les deux !

Sheila Hogg en était à son troisième gin-tonic.

— Où l'avez-vous rencontrée, Sheila ? demanda Jury.

— Dans les magasins. Elle me faisait les yeux doux dans l'espoir d'être invitée à la maison et de pouvoir contempler le Grand Écrivain.

Assise à côté de Jury, Sheila balançait une jambe gainée de soie et un pied chaussé d'un escarpin en velours assorti à sa longue jupe. Mais elle avait les yeux rivés sur Oliver — et paraissait plutôt lugubre, malgré les sarcasmes qu'elle lui adressait.

— L'avez-vous invitée ?

— Oui. Je lui ai demandé plusieurs fois de me porter mes paquets. Elle en a profité pour faire le tour de la maison en poussant des « oh ! » et des

« ah ! », et en fourrant son nez partout. Une petite fouinarde... mais bon, à présent elle est morte.

— Et vous, monsieur Darrington, aviez-vous des relations avec elle ?

Son hésitation ne dura qu'une fraction de seconde, mais elle n'échappa pas à Jury.

— Non.

— Quel toupet, mon chéri ! dit Sheila. Dans ce cas pourquoi est-elle devenue aussi collante ? Tu ne l'aurais pas un peu pelotée par hasard ?

— Mon Dieu ! Tu es d'une vulgarité, Sheila !

— Monsieur Darrington, intervint Jury, nous devons réunir un maximum d'informations sur Ruby Judd. Tout ce que savez peut nous être utile. Par exemple, vous aurait-elle parlé d'un chantage exercé sur un habitant de Long Piddleton ?

— Je ne vois absolument pas ce que vous voulez dire, répliqua Darrington, avant de tendre son verre presque vide à Sheila pour qu'elle le lui remplisse.

Jury reprit l'interrogatoire :

— Où étiez-vous tous les deux mardi de la semaine dernière ? La veille du dîner au Mauvais Sujet ?

Darrington posa son verre et lança à l'inspecteur un regard que le gin — ou la peur — avait rendu vitreux.

— Dois-je comprendre que vous me soupçonnez d'avoir tué Rubby Judd ?

— J'essaie de reconstituer l'emploi du temps de toutes les personnes qui ont dîné à l'auberge le soir où Small a été assassiné. Car à l'évidence il existe un lien entre ces deux meurtres.

Le pied de Sheila s'immobilisa en l'air.

— Vous voulez dire que le coupable est l'un d'entre *nous* ? L'un des convives du Mauvais Sujet ?

— C'est en tout cas une possibilité, dit Jury. J'aimerais donc savoir où vous étiez.

— Ici, répondit Darrington. Ensemble.

Jury se tourna vers Sheila, qui hocha la tête en guise de confirmation, sans quitter Oliver des yeux.

— Vous en êtes sûrs ? La plupart des gens ont besoin de se creuser la cervelle pour se rappeler où ils se trouvaient deux jours plus tôt. Or, les faits remontent à plus d'une semaine.

Darrington demeura silencieux. Sheila, à l'inverse, arbora un sourire radieux pour répondre d'une voix ferme :

— Croyez-moi, cher monsieur, je sais parfaitement quand Oliver est à la maison.

Puis son sourire se figea, et elle ajouta :

— Je sais également quand il n'y est pas.

La boutique de Trueblood étant fermée le jour de Noël, Jury se rendit à son cottage, situé sur la place du village. C'était une maison ravissante, ornée de fenêtres à petits carreaux. Trueblood mettait la dernière main à sa toilette (il n'y avait pas d'autre mot) avant d'aller dîner chez les Bicester-Strachan.

266

— Vous venez aussi, mon vieux ? Une bonne occasion de nous interroger tous ensemble... La crème de la crème de Long Pidd. Il ne manquera que Melrose Plant : il préférerait mourir plutôt que d'assister au grand raout de Lorraine.

Sur quoi il acheva de nouer sa cravate en soie grise.

— Non, dit Jury, je suis invité à dîner chez M. Plant.

Il chercha un endroit où s'asseoir, mais les sièges lui parurent trop délicats pour supporter son poids. Finalement, il s'installa sur une causeuse recouverte de velours prune.

— J'ai cru comprendre que Mme Bicester-Strachan avait des vues sur M. Plant ?

— Des vues ? Mais mon chou, un soir, elle a failli le violer sur le plancher du Mauvais Sujet !

Trueblood glissa sa cravate dans son gilet et ajusta sa veste merveilleusement coupée, puis il alla chercher une carafe de sherry en cristal taillé, deux verres à pied et un bol de cerneaux de noix.

— Je suppose que vous êtes au courant pour Ruby Judd ? dit Jury.

— Grands dieux oui ! Celle qui s'est fait enlever par le prince charmant. C'est triste.

— Elle ne s'est pas fait enlever, pour reprendre votre expression. Elle a été attirée dans un piège. Je pense que l'assassin lui a demandé de faire sa valise pour expliquer son absence. Sinon, les gens qui la connaissaient se seraient posé des questions.

— Le genre de questions que vous allez maintenant me poser ? dit Trueblood en allumant un cigarillo. Vous voulez savoir où je me trouvais ce soir-là ? Eh bien, quelle que soit la date, je suis innocent.

— Bien, mais j'ai une autre question : quels étaient vos rapports avec Ruby Judd ?

— *Mes rapports ?* s'exclama Trueblood. Vous rigolez ?

Il croisa les jambes, révélant un pantalon coupé par un excellent tailleur, et fit tomber sa cendre dans un cendrier en porcelaine.

— Si vos petits copains de Scotland Yard me croisaient dans une ruelle de Chelsea avec une boucle d'oreille, ils m'embarqueraient avant que j'aie eu le temps d'enlever mes faux seins.

Jury s'étrangla.

— Voyons, monsieur Trueblood !

— Appelez-moi Marsha, comme tout le monde.

Mais Jury n'avait pas le temps d'écouter son baratin.

— Est-ce que vous couchiez avec Ruby Judd, oui ou non ?

— Oui.

Jury, qui s'attendait à une nouvelle vanne, demeura bouche bée devant une telle franchise.

— Mais ça ne m'est arrivé qu'une seule fois. C'était un joli petit lot, mais pas très maligne. Une vraie cruche, même ! Maintenant écoutez-moi, mon chou, j'espère que vous n'allez pas ébruiter ça.

Jury se rendait compte qu'il devait plaire aux femmes quand il arrêtait ses minauderies.

— Vous *ruineriez* ma réputation, insista True-blood. Ce serait la faillite assurée. Et puis j'ai un *ami* à Londres, vous savez : il aurait le cœur brisé s'il apprenait que je l'ai trompé. Ruby n'était qu'une petite dinde sans cervelle. Mais que voulez-vous ? Il faut bien s'occuper dans ce trou à rats où l'on n'a rien d'autre à faire que d'écouter jacasser de vieilles biques comme Miss Crisp ou Agatha. Je suis sûr qu'elle va vous gâcher votre soirée chez Melrose. Allons, venez chez Lorraine, ce sera beaucoup plus amusant. Et puis il y aura davantage de suspects...

— J'essaie de découvrir sur qui Ruby en savait assez long pour se faire assassiner.

— J'ai peur de ne pas vous suivre, dit True-blood, interloqué.

— Je crois qu'elle faisait chanter un habitant du village.

— Moi ? Ah ! c'est bien les flics. Toujours en train de faire la chasse aux pédés et de les rendre responsables de l'augmentation de la délinquance...

— Honnêtement, je ne pense pas que ce soit vous. Mais j'aimerais tout de même que vous me fournissiez une réponse sincère.

Trueblood se calma aussitôt.

— Bon, d'accord. Je vais essayer de me souvenir si elle m'a confié des choses qui pourraient vous aider. C'était tellement rare que j'écoute ses bavardages. Elle me racontait sa vie, vous voyez le genre.

— Eh bien, répétez-moi ses confidences.

— Je la sautais, inspecteur, je n'écrivais pas sa biographie. C'est tout juste si je lui prêtais une oreille distraite.

Jury aurait pourtant donné cher pour que quelqu'un ait écouté ses histoires.

— Elle me disait que sa mère était une vieille enquiquineuse et que son père carburait au gin. Sa sœur passait sa vie devant la télé à se pâmer devant des acteurs américains. Elle avait aussi un oncle et une tante dans le Devon : elle avait passé chez eux une partie de son enfance tristounette. Et puis elle parlait des petits boulots qu'elle avait faits ici et là...

— Des photos porno, par exemple ?

— Elle ? Non, ça m'étonnerait. Elle a peut-être fait quelques passes à l'occasion, mais elle n'avait pas le physique à poser dans des magazines érotiques.

— Où étiez-vous dans la soirée du mardi 15 décembre ?

— J'étais tout seul, mon chou. Et vous ?

— Encore un peu d'oie, monsieur ?

Ruthven, debout derrière Jury, lui tendait un énorme plateau d'argent sur lequel reposaient les restes de deux oies garnies de cerises et de truffes. Mais celui-ci ne lui prêta guère attention : il avait les yeux rivés sur Vivian Rivington, assise en face de lui. Avec ses boucles fauves qui tombaient sur un pull-over en cachemire gris, elle semblait sortir tout droit de la lande brumeuse des *Hauts de Hur-*

levent. Il était si fasciné qu'il aurait à peine sur-
sauté si le volatile avait soudain bondi sur la table
en cacardant. La sœur de Vivian, Isabel, avait
quant à elle préféré réveillonner chez les Bicester-
Strachan.

— Vous n'avez pas très faim, inspecteur, dit
Lady Ardry. Si vous vous démeniez un peu plus,
cela vous ouvrirait l'appétit. Vous devriez faire
comme moi.

— Vraiment ? Et qu'as-tu fait, ma tante ?

— J'ai enquêté, mon cher Plant. Il faut bien
mettre un terme à cette série de meurtres, tu ne
crois pas ?

Elle empila de la farce aux noisettes sur un
morceau de pain et enfourna ce mets assez bourra-
tif. Ensuite, contrairement à son neveu qui refusait
l'offre de Ruthven, elle se resservit copieusement.

— Mais revenons-en à l'enquête, dit-elle.
Vivian, avez-vous un alibi ?

Jury lui lança un regard mauvais. Visiblement,
elle n'acceptait pas qu'il ait innocenté Melrose
Plant.

— En fait, répondit Vivian, je suis sans doute
celle dont l'alibi est le plus fragile. Mis à part
Simon, bien sûr. Nous étions au Cygne à Deux
Têtes lorsque cet homme a été assassiné.

Elle regarda Jury d'un air si malheureux qu'il
détourna les yeux sur son verre de vin.

— Nous sommes tous dans la même galère, ma
chère, dit Agatha en feignant la compassion. A
part Melrose, bien sûr. Il est le seul habitant de
Long Pidd à disposer d'un alibi.

Elle s'était exprimée avec une telle ironie qu'on aurait pu croire que Plant imprimait des alibis en cachette et refusait d'en distribuer les exemplaires.

— Inutile de ricaner, inspecteur, dit-elle tout en livrant un combat mortel au pilon qu'elle venait de saisir sur le plateau d'argent. Melrose n'est pas encore sorti de l'auberge. Souvenez-vous : vous n'êtes resté avec lui que de 11 heures et demie jusqu'à mon retour, vers midi.

— Mais vous avez passé les trois heures précédentes en sa compagnie, répliqua Jury.

Qu'avait-elle donc derrière la tête ?

— A vous entendre, intervint Vivian, on a le sentiment que vous regrettez que Melrose ait un alibi.

Plant sortit une pièce de monnaie de sa poche.

— Nous n'avons qu'à jouer à pile ou face, tante Agatha.

— Ne prends pas les choses à la légère, dit-elle à son neveu, avant de se retourner vers Vivian. Je *serais* ravie que Melrose soit innocenté. Mais la vérité finit toujours par l'emporter...

— La vérité ? demanda Jury. Quelle vérité ?

Elle reposa lentement son couteau et sa fourchette, et leur accorda un bref répit pour la première fois depuis une demi-heure. Puis elle mit les coudes sur la table et appuya son menton dans le creux de sa main.

— Ce que je veux dire, c'est que je ne suis pas restée en permanence avec lui. Tu te rappelles, mon cher Plant ? Je suis allée surveiller le pudding de Noël à la cuisine. Martha a tendance à lésiner sur la noix de muscade...

Si Melrose avait oublié ce détail, Ruthven, lui, s'en souvenait parfaitement. Il fit la grimace et abaissa ses paupières, mais continua à remplir un verre de vin sans verser une seule goutte à côté. Melrose lui dit de desservir la table, avant de répondre à sa tante.

— Tu ne t'es pas absentée très longtemps, soupira-t-il, avec l'air de dire que sa tante ne lui laissait que de brèves occasions de souffler.

Jury, envieux, regarda Vivian saisir la main de Plant, qui tripotait le pied de son verre à vin.

— Agatha ! Vous devriez avoir honte !

— Nous devons tous accomplir notre devoir, ma petite, même quand cela nous coûte. Nous ne pouvons pas protéger les êtres qui nous sont chers sous prétexte que nous voudrions croire à leur innocence. La fibre morale de la Grande-Bretagne ne s'est pas bâtie...

— Oublie un peu la fibre morale de la Grande-Bretagne, rétorqua Melrose Plant. Et explique-moi plutôt comment j'ai réussi à me rendre au Cygne à Deux Têtes, à tuer Creed et à rentrer ici pendant le bref laps de temps où tu persécutais Martha à la cuisine.

Agatha se beurra tranquillement un toast.

— Mon cher Melrose, tu ne t'imagines quand même pas que j'ai perdu mon temps à reconstituer tes crimes ?

Jury avait lu plusieurs traités de logique formelle, mais Lady Ardry défiait tous les systèmes de pensée élaborés par les philosophes.

— Néanmoins, reprit-elle, puisque nous en sommes au domaine des hypothèses, tu pourrais avoir sauté dans ta Bentley...

Jury ne put résister à la perche qu'elle lui tendait.

— Lady Ardry, vous vous rappelez sans doute que le moteur de la voiture était glacé. Il nous a fallu patienter cinq bonnes minutes avant de démarrer.

Vivian Rivington le récompensa d'un sourire angélique, tandis que le visage d'Agatha se décomposait.

— Tu renonces trop facilement, lui dit Melrose. Pourquoi pas à vélo ? Non, trop lent.

Après avoir soupesé les différentes possibilités, il fit claquer ses doigts.

— Mon cheval ! Voilà la solution ! J'ai sellé mon vieux Bouncer, galopé à travers champs jusqu'au Cygne à Deux Têtes, expédié Creed dans l'autre monde. Et puis demi-tour ! Comme une fusée !

— Effectivement, ajouta Vivian, ton cheval a tout d'une fusée !

— Tu vois bien, Agatha, il n'y a rien à faire. Mon alibi est indestructible.

Tandis que Lady Ardry serrait les dents de dépit, Ruthven apporta le dessert : un magnifique pudding. Il approcha une allumette enflammée du gâteau nappé de cognac. Ensuite, après avoir fait

274

le service, il versa du madère dans le troisième verre de chaque convive.

Melrose jeta un coup d'œil à Agatha : l'air lugubre, elle échafaudait un nouveau plan pour torpiller son alibi.

— Vous voyez ce petit paquet sur le manteau de la cheminée ? dit-il à Ruthven. Voulez-vous le donner à Lady Ardry ?

Le visage de celle-ci s'éclaira, et elle entreprit aussitôt de le déballer. Vivian sursauta lorsque Agatha sortit d'un écrin un bracelet d'émeraudes et de rubis. Les pierres brillaient de mille feux à la lueur des bougies. Elle se confondit en remerciements, sans manifester le moindre remords pour son attitude quelques minutes plus tôt. Elle passa le bracelet à Vivian, qui le donna à son tour à Jury après l'avoir admiré.

L'inspecteur n'avait pas vu un bijou aussi somptueux depuis sa jeunesse, lorsqu'il travaillait à la brigade des vols. A présent, il comprenait pourquoi on qualifiait les rubis de « rouge sang ». Soudain le détail qu'il ne parvenait pas à retrouver lui revint en mémoire. Rubis. Ruby. Le bracelet. Oui, la vision d'un poignet émergeant de la terre. Il n'y avait pas de bracelet sur le poignet de Ruby. Pourtant, la voix de Daphne lui résonnait encore à l'oreille : « *Ce bracelet en or qu'elle portait jour et nuit. Elle ne l'enlevait jamais, monsieur.* »

Où était-il passé ? Jury était si absorbé par le souvenir du poignet nu de Ruby qu'il releva à peine le commentaire d'Agatha :

— Il est vraiment joli, Melrose. Pour une imitation.

Les dames se retirèrent au salon, abandonnant Jury et Melrose à leur verre de porto. Le verbe « se retirer » convenait d'ailleurs assez mal à la sortie de Lady Ardry, puisque Vivian dut pratiquement l'arracher à sa chaise. Et encore, il fallut l'autoriser à revenir chercher le tas d'affaires qu'elle avait laissé sur la table : des mouchoirs, des boutons et le fameux bracelet, traité avec la même désinvolture que si les rubis et les émeraudes avaient été un vulgaire assortiment de cerises et d'olives.

— Vous vous êtes montré très généreux, monsieur Plant, dit Jury quand elle eut enfin déguerpi.

— Je crois que le symbolisme du rouge et du vert lui a échappé. Ce sont les couleurs de Noël. J'ai pensé que ce serait approprié.

Melrose examina l'extrémité de son cigare et souffla dessus pour ranimer la braise.

— Excusez mon indiscrétion, mais que vous at-elle offert de son côté ?

— Rien, répondit Plant avec un grand sourire. Elle ne m'offre jamais rien. Elle prétend économiser afin de me faire un cadeau très spécial. Elle a cela en tête depuis des années. Je me demande ce que cela peut bien être. Peut-être une nouvelle voiture piégée par l'IRA ?

— J'aimerais vous soumettre quelques idées à propos des meurtres.

— Je vous écoute.

— Je suis frappé par leur caractère très spectaculaire. Quel genre de personne a bien pu élaborer de telles mises en scène ?

— Une personne dotée de beaucoup de sang-froid. Un psychopathe, peut-être, mais je parie que rien ne transparaît de ses troubles mentaux. Néanmoins, je suis d'accord avec vous : tout cela est très *théâtral*. Si vous voulez tuer quelqu'un, pourquoi ne pas procéder *discrètement* ?

Jury sortit le *Wheatherington Chronicle* de sa veste et le déplia.

— Je pense pouvoir vous donner la réponse.

Il pointa l'index sur un article intitulé : *Meurtres des auberges : la série continue*. Un article évoquait l'assassinat de Ruby Judd et était suivi par un résumé de l'affaire Creed.

— Soit cette histoire d'auberges a un sens, dit Jury, soit elle ne veut rien dire.

Melrose Plant exhala un rond de fumée.

— Ce genre de pensée profonde a déjà été proféré par un million de philosophes du dimanche. Soit cela signifie quelque chose, soit cela ne signifie rien.

— Monsieur Plant, je commence à apprécier ma chance de ne pas être votre tante.

— Continuez sur votre lancée, et j'aurais du mal à faire la différence.

— Soyez prudent, monsieur Plant, je pourrais démolir votre alibi.

— Impossible.

— Vous n'êtes couvert que pour le meurtre Creed, mais il y a eu d'autres victimes.

— Allons, mieux vaut en revenir à nos petites théories. Et si l'assassin cherchait quelque chose dans ces auberges ? Des lingots d'or cachés dans un pressoir ? A moins que Matchett ne possède à son insu l'enseigne originale peinte par Hogarth ? Mais c'est improbable. Il se pourrait donc que cette histoire d'auberges soit un écran de fumée.

— Je constate que, vous aussi, vous avez envisagé cette hypothèse. Il arrive en effet que le meilleur moyen de commettre un crime discret, ce soit de lui donner un aspect théâtral. Songez à *La lettre volée* d'Edgar Poe. Pour cacher un objet, il faut le laisser à la vue de tous. Dans notre cas, si le tueur expose ses victimes, c'est peut-être pour dissimuler son mobile.

— Le meurtre de Ruby Judd se distingue tout de même du schéma habituel par deux caractéristiques : son corps a été enterré, et elle n'était pas une étrangère.

— Ce sont les variations qui sont intéressantes. Contrairement aux autres cadavres, celui de Ruby ne devait surtout pas être découvert.

— Mais pourquoi assassiner Ruby Judd ? demanda Melrose en faisant tourner son verre de porto entre ses doigts.

— Peut-être parce qu'elle savait quelque chose sur un habitant du village.

— Du chantage ? Nom d'un chien ! Mais qui faisait-elle chanter ?

Jury éluda la question :

— Il semblerait qu'elle ait eu des relations avec Oliver Darrington. Ce n'était pas une oie blanche.

— Cette petite paysanne toute boulotte ! s'exclama Plant, sidéré. Certains hommes ont vraiment des goûts bizarres.

— Y compris Marshall Trueblood.

Plant faillit en lâcher la bouteille de porto.

— Vous voulez rire ?

— Effectivement, dit Jury, Trueblood est un sujet de plaisanterie pour la plupart des gens de Long Piddleton.

— Pour ma part, j'ai toujours jugé du plus mauvais goût les plaisanteries portant sur la race, la religion ou les préférences sexuelles. Personne ne peut changer sa nature. Néanmoins, je ne l'apprécie pas beaucoup. S'il descendait la Grand-Rue en marchant sur les mains, il ne serait pas plus ridicule. Vous affirmez que Trueblood couchait avec la petite Judd ?

— Il prétend que cela ne s'est produit qu'une seule fois. Mais son passé, comme celui de Darrington, recèle peut-être des éléments embarrassants sur lesquels Ruby Judd a pu tomber. Il y a également les Bicester-Strachan.

— Je voterais pour Lorraine, en ce qui me concerne. Elle serait capable de tuer pour défendre sa précieuse réputation...

Agatha survint sur ces entrefaites. Pour justifier son intrusion, elle prétexta une migraine épouvantable, que seule pouvait chasser une goutte de cognac.

— Ruthven, voulez-vous m'en servir un petit verre ?

Le majordome, qui venait d'entrer pour débarrasser la desserte, monta sur ses grands chevaux.

— Mon nom se prononce *Rivv'in*, madame. *Rivv'in*, comme mon maître vous l'a répété bien des fois.

Et il emporta son plateau vers la cuisine.

— Eh bien ! s'exclama Agatha à l'intention de Melrose. Tu autorises tes domestiques à me parler sur ce ton ? Et tu déverses des calomnies sur Lorraine Bicester-Strachan.

Ruthven se retourna sur le seuil de la salle à manger et tonna :

— On prononce *Bister-Strawn*, madame ! *Bister-Strawn !*

Puis il pivota sur les talons et disparut dans la cuisine. Agatha en resta bouche bée.

Melrose avait noté qu'en ce jour de Noël l'haleine de Ruthven était un peu chargée en whisky. Il s'adressa à sa tante avec un grand sourire :

— Alors, Agatha, j'ai l'impression que Ruthven vient de te donner une bonne leçon ?

Piquée au vif, elle ressortit aussi brusquement qu'elle était entrée. Plant reprit la conversation là où il l'avait laissée.

— Bicester-Strachan est à mon avis le suspect le plus improbable. Un vieux monsieur charmant, joueur d'échecs de surcroît.

— J'ai déjà vu de vieux joueurs d'échecs tout à

fait charmants faire des choses très bizarres. Et puis il y a Simon Matchett...

Les yeux verts de Melrose Plant pétillèrent.

— Exactement ! Si seulement j'en savais un peu plus long sur le meurtre sordide de sa femme pour ramener à la raison cette petite sotte de Vivian !

— N'auriez-vous pas un préjugé défavorable ? demanda Jury, qui aurait pu s'adresser ce reproche à lui-même. Vous êtes résolument opposé à leur éventuel mariage, n'est-ce pas ?

— Maintenant que vous la connaissez, vous ne partagez pas mes réticences ?

Jury baissa les yeux sur son assiette et esquiva la question.

— Je me demande pourquoi ils hésitent autant à se marier — si telle est bien leur intention.

— Moi aussi. Ces fiançailles sont l'œuvre d'Isabel. Elles les a poussés dans les bras l'un de l'autre, et j'avoue que cela me dépasse. Isabel passe son temps à le dévorer du regard, et par ailleurs elle risque gros en remettant les cordons de la bourse non pas à Vivian, mais à Matchett. C'est sacrément déroutant.

— A moins que...

— A quoi pensez-vous ?

— Non, rien. Que savez-vous sur l'accident survenu à son père ?

— C'est drôle que vous abordiez cette question, parce que je me la suis souvent posée. Vivian semble persuadée qu'elle était une vraie petite peste, toujours à jouer les pires tours à son papa.

281

Vous serez d'accord avec moi pour avoir du mal à l'imaginer sous les traits d'une insupportable gamine. En outre, elle ne devait pas avoir plus de sept ou huit ans quand il est mort. Nous avons tous tendance à refouler les traumatismes les plus marquants de notre enfance. Pourtant, Vivian est capable de décrire cet accident avec autant de précision que s'il avait eu lieu hier. J'en arrive donc à me demander qui lui a fourni tous ces détails.

Melrose Plant examina le bout de son cigare avant d'en faire tomber la cendre.

— Vous sous-entendez qu'Isabel lui a bourré le crâne ? dit Jury.

— Qui d'autre ? Elle n'a plus d'autres parents.

— Il se pourrait donc qu'Isabel ait eu intérêt à donner à Vivian une certaine version de l'accident. Elle aurait alors un mobile pour vouloir empêcher des révélations sur son passé.

— Vous ne croyez tout de même pas qu'une femme aurait pu commettre ces meurtres ?

— Vous êtes un sentimental, monsieur Plant.

Avant que Melrose n'aille rejoindre les dames au salon, Jury lui demanda la permission d'utiliser son téléphone. Il présenta ses excuses au sergent Pluck pour le déranger en plein repas de Noël, et le pria de lui passer Wiggins.

— Écoutez, Wiggins, quand vous aurez fini de dîner, j'aimerais que vous appeliez la police de Dartmouth pour leur soumettre une série de noms.

Ensuite, vous devrez sans doute passer par les renseignements.

Il lui dicta la liste des clients et des employés de l'auberge tenue par Simon Matchett seize ans plus tôt, le Bouc Emissaire.

— Mais vous m'avez donné vingt-trois noms, dit Wiggins d'un air désolé. Beaucoup de ces gens-là ne seront plus dans le coin.

— Je sais. Mais vous en trouverez quelques-uns. Et l'un d'entre eux aura peut-être une bonne mémoire.

Jury entendit un bruit sec, puis une série de craquements : Wiggins, qui mâchonnait une branche de céleri, lui promit de se mettre au travail le plus vite possible.

Lorsque Jury entra dans le salon, Agatha était en train d'étaler sa jupe dans un fauteuil en bois de Coromandel. Marshall Trueblood serait tombé dans les pommes s'il avait vu une femme aussi corpulente sur un siège aussi délicat.

— J'imagine qu'il t'a coûté une somme coquette, dit-elle en ajustant son bracelet.

Visiblement, elle s'était rendu compte que ce n'était pas du toc.

— Je peux te donner le prix exact, Agatha.

— Ne sois pas vulgaire, Melrose. Il est ravissant. Mais bien sûr, il n'est pas *ancien*, contrairement aux bijoux de Marjorie.

— Qui est Marjorie ? demanda Jury.

— Ma mère, répondit Melrose. Elle avait une

belle collection de joyaux que je garde dans la tour, avec les corbeaux. Le ticket d'entrée est de 50 pence, si cela vous amuse.

— N'essaie pas d'être drôle, mon pauvre Melrose. Ça ne te va pas du tout.

Vivian se leva.

— Melrose, le dîner était délicieux. Mais je dois partir...

— Pourquoi, mon Dieu? dit Plant en se levant à son tour. Tu devrais rester pour aider Agatha à démolir mon alibi.

— Melrose! s'exclama la jeune femme sur le ton dont on réprimande un chenapan.

Elle paraissait sincèrement préoccupée. Jury jugea qu'elle avait tendance à prendre les choses un peu trop au sérieux. Bien entendu, ces meurtres n'étaient pas un sujet de plaisanterie, mais Plant tentait simplement de détendre l'atmosphère. Peut-être était-ce le défaut des poètes. Et des policiers. Encore que pour sa part il appréciât l'humour de son hôte.

— Vous nous quittez, dit Agatha. Moi, je crois que je vais encore rester un peu.

— Mais tu es venue avec Vivian, ma chère tante. Tu ne vas pas la laisser rentrer toute seule.

— Elle est assez grande pour se défendre, répondit Agatha d'une voix doucereuse. L'inspecteur Jury peut la raccompagner.

— A ta place, ma chère tante, ironisa Melrose, je ne me moquerais pas de l'inspecteur.

Jury aida Vivian à enfiler son manteau, et Melrose les raccompagna jusqu'à sa porte.

— Franchement, dit ce dernier, ce n'est pas très fair-play de partir avec Vivian et de me laisser avec Agatha.

— Je n'ai jamais été réputé pour mon fair-play, monsieur Plant.

— Que puis-je vous proposer, inspecteur, demanda Vivian. Un verre de quelque chose ? Un café ?

Jury lui fit comprendre qu'il ne s'agissait pas d'une visite de politesse.

— Rien, merci. Je voudrais vous poser quelques questions.

— Allez-y, soupira-t-elle. Vous ne vous accordez jamais une minute de répit.

— C'est difficile de décrocher quand on a quatre meurtres sur les bras.

— Excusez-moi, dit-elle en se frottant les bras, comme si l'atmosphère s'était soudain refroidie. Je ne voulais pas me montrer désinvolte. C'est juste que...

Elle s'assit sur le canapé et saisit une boîte de cigarettes. Jury s'installa dans un fauteuil, de l'autre côté de la table basse. Une position presque trop confortable pour mener un interrogatoire.

— Tout d'abord, j'ai cru comprendre que vous étiez fiancée à Simon Matchett ?

Il remarqua son expression de bête traquée quand elle lui offrit une cigarette.

— Oui, oui, je crois qu'on peut le dire.

Soudain elle se releva.

— Je vais me servir un verre. J'aimerais que vous m'accompagniez.

— D'accord. Whisky.

Vivian se dirigea vers un buffet gallois, où elle prépara les boissons. Puis elle retraversa la pièce et lui tendit son verre.

— En ce qui concerne Simon, je n'ai pas encore pris de décision.

— Vous voulez dire que vous ne savez pas encore si vous allez l'épouser ? Pourquoi donc ?

Elle se rassit, les yeux dans le vide :

— Parce que je ne pense pas être amoureuse de lui.

Les meubles, auxquels Jury n'avait prêté aucune attention jusque-là, se mirent à briller dans la pénombre. Il toussota afin que sa voix ait une sonorité à peu près humaine.

— Excusez mon indiscrétion, mais si vous ne l'aimez pas, pourquoi l'épouser ?

Et il avala presque tout son whisky. Vivian, qui étudiait son verre comme s'il s'était agi d'une boule de cristal, haussa les épaules avec résignation.

— J'en ai assez de ma vie solitaire. Et j'ai l'impression de ne pas lui être indifférente.

Jury reposa brutalement son verre.

— Ce n'est pas une raison suffisante, voyons !

Elle ouvrit de grands yeux.

— *Vraiment*, inspecteur Jury ? Et quelles raisons vous faudrait-il pour m'autoriser à me marier ?

Jury bondit de son fauteuil et alla regarder par la fenêtre la neige qui voletait à la lumière du réverbère.

— La passion ! L'aveuglement ! Ou le sexe, si vous voulez. L'impossibilité de désirer autre chose, de penser à autre chose ! Vous ne lui êtes « pas indifférente ». Vous parlez d'une expression misérable ! Quelle tiédeur lamentable ! Vous n'avez donc jamais éprouvé un sentiment plus fort ?

Elle l'observa un bon moment avant de répondre :

— Je n'en suis pas sûre. Mais vous, cela semble évident.

— Ne vous occupez pas de moi. De quelle somme allez-vous hériter ?

— 250 000 livres sterling, même si je ne vois pas le rapport avec cette discussion, dit-elle en haussant le ton.

— L'idée ne vous a jamais traversé l'esprit que Simon Matchett pouvait être un coureur de dot.

— Bien sûr que si ! Comme tous les hommes !

— Votre cynisme est absurde. Il y a beaucoup d'hommes désintéressés. Les femmes dans votre genre attirent les catastrophes. Vous laissez transparaître votre vulnérabilité, et après vous venez vous plaindre parce qu'on profite de vous.

Jury songea à la photographie qu'il conservait au fond d'un tiroir dans son appartement.

— Vous n'êtes pas cynique, inspecteur. Vous êtes un poète...

— Oublions la poésie, et répondez-moi plutôt : vous connaissiez bien Ruby Judd ?

Elle porta la main à son front.

— Bon sang ! J'ai l'impression de discuter avec un tourbillon. Vous me donnez le vertige.

— Vous la connaissiez ?

— Oui, bien sûr. Mais pas très bien. Je la voyais au presbytère.

— Que pensiez-vous d'elle ? Soyez sincère, Miss Rivington.

— Elle ne m'était pas antipathique. Mais il fallait toujours qu'elle écoute aux portes quand je bavardais avec le pasteur. Cette fille était vraiment trop curieuse. Et puis elle n'avait pas froid aux yeux. Il paraît qu'elle courait après tous les hommes du village. Oliver. Simon, probablement. Même Marshall Trueblood, aussi incroyable que cela puisse paraître. Melrose Plant est peut-être le seul à lui avoir échappé.

Elle s'interrompit et émit un petit rire artificiel.

— Puisque vous parliez de coureurs de dot, je suis au moins certaine que Melrose n'appartient pas à cette catégorie.

Jury fixa d'un air songeur les quelques larmes de whisky qui recouvraient le fond de son verre. Elle n'aurait pas pu tomber amoureuse de quelqu'un d'autre... De Robert Redford par exemple...

— Isabel déteste Melrose, ajouta-t-elle, je n'ai jamais su pour quelle raison.

C'était pourtant évident : elle souhaitait lui faire épouser Simon. Mais pourquoi diable Isabel voulait-elle que l'argent de sa demi-sœur, sur lequel elle avait le contrôle, passe sous la coupe d'un étranger ? A moins qu'elle ne contrôle aussi cet étranger ? L'idée qui s'était imposée à lui chez Melrose Plant lui donna la chair de poule.

— Qu'est-ce que l'opinion de votre demi-sœur peut bien vous faire ?

Elle répondit par une autre question :

— On vous a parlé de mon père ? C'est ma faute, vous savez. J'étais montée sur mon cheval, et il est entré dans l'écurie. Il faisait très sombre, c'était une nuit sans lune. Il est passé derrière mon cheval, et celui-ci lui a envoyé une ruade. Mon père est mort sur le coup.

— Je suis vraiment désolé. L'accident s'est produit dans le nord de l'Écosse, je crois ?

— Oui, dans les Highlands. A Sutherland.

— Vous étiez seuls tous les trois ? Votre père, Isabel et vous-même ?

— Oui. Ainsi qu'une vieille cuisinière qui est décédée aujourd'hui.

— Votre demi-sœur s'entendait bien avec votre père ?

— Pas très bien. Pour être franche, je crois qu'elle a toujours très mal ressenti le fait d'être aussi défavorisée. Je parle du testament.

— Pourquoi votre père aurait-il légué de l'argent à une belle-fille dont il ne s'était occupé que pendant trois ou quatre ans ?

— Oui, vous avez raison.

Elle écrasa sa cigarette dans un cendrier, chassa la fumée du revers de la main, comme pour dissiper les brumes du passé, et en prit une nouvelle dans la boîte en porcelaine.

— Vous aimiez beaucoup votre père, n'est-ce pas ?

Elle hocha la tête, et Jury eut le sentiment qu'elle était au bord des larmes.

— Selon Isabel, vous vous étiez fâchée avec lui, vous êtes partie en courant vers l'écurie et vous avez sauté sur votre cheval. Vous vous rappelez vraiment tous ces détails ?

— Comment cela ? demanda-t-elle, perplexe. Bien sûr que je m'en souviens, mais pas précisément.

— C'est le récit qu'on vous en a fait, non ? Mais votre...

Soudain, une voix l'interrompit :

— Alors comme ça, on picole ?

Ils sursautèrent, car ni l'un ni l'autre n'avait entendu Isabel arriver. Debout sur le pas de la porte, à moitié plongée dans la pénombre, elle affichait un air très mystérieux et très élégant — un peu trop peut-être au goût de Jury. Tailleur-pantalon en velours vert, collier de perles d'ambre russe, vison argenté jeté négligemment sur les épaules.

— Comment allez-vous, inspecteur principal Jury ?

Jury se leva et s'inclina légèrement.

— Très bien. Je vous remercie, Miss Rivington.

Elle traversa le salon, lança son vison sur un fauteuil comme un vulgaire paquet de linge sale et s'arrêta devant le buffet gallois.

— Ça vous dérange si je me joins à vous ?

290

— Bien sûr que non, dit Vivian sans grand enthousiasme.

Le dette morale qu'elle avait contractée envers sa demi-sœur semblait lui donner des aigreurs. Isabel se versa une bonne lampée de bourbon, ajouta un peu de soda et vint enlacer Vivian. Un geste de propriétaire plutôt qu'une marque d'affection, nota Jury. Puis elle se vautra sur le canapé.

— Vous faites une drôle de tête tous les deux. Melrose ne vous a pas assez nourris ? Vous auriez dû venir chez Lorraine : c'était un vrai festin.

— Le dîner était excellent, répliqua sèchement Vivian.

Jury se réjouit de la voir retrouver un peu de tonus.

— Simon a regretté ton absence.

Vivian ne répondit pas.

— Malheureusement, le révérend Denzil Smith était là, si bien que nous avons dû subir ses histoires pendant la plus grande partie de la soirée. Des prêtres cachés pour échapper aux persécutions, des trésors dissimulés par des contrebandiers dans des auberges en bord de mer, et bien sûr des enseignes de tavernes. Avec tous ces meurtres, il est complètement déchaîné. Le reste du temps, nous avons parlé de cette pauvre Ruby. C'est horrible. Le pasteur nous a dit que vous aviez fouillé le presbytère de fond en comble dans l'espoir de découvrir un bracelet et son journal intime.

Jury demeura muet. Il aurait apprécié que certains villageois économisent un peu leur souffle pour refroidir leur porridge !

— Merci pour le verre, dit-il en consultant sa montre. Je dois partir maintenant.

Vivian le raccompagna jusqu'à sa porte, mais lorsqu'il s'éloigna vers la Morris, elle le rappela :

— Attendez !

Elle disparut un instant à l'intérieur de la maison et en ressortit avec un petit livre.

— Je ne sais pas si vous aimez la poésie... mais quelqu'un qui cite Virgile doit...

Jury examina la couverture foncée de la plaquette, mais ne put lire le titre dans l'obscurité.

— J'aime beaucoup la poésie. C'est vous qui l'avez écrit ?

Très embarrassée, elle détourna le regard.

— Oui, c'est moi. Je l'ai publié il y a trois ou quatre ans. Cela ne se vend pas comme des petits pains, vous vous en doutez.

Comme il gardait le silence, elle continua à parler pour combler le vide qui les séparait.

— Évidemment, vous ne devez guère avoir le temps de lire autre chose que des rapports de police. Mais il ne contient que quelques poèmes. Je n'en écris pas beaucoup... En fait, j'ai même du mal à en écrire un seul...

— Je trouverai le temps.

Jury passa la nuit à lire les poèmes de Vivian au fond de son lit. Il comprit ainsi qu'elle n'avait rien d'une faible jeune femme qui se laisse marcher sur les pieds et qui épouse un homme choisi par quelqu'un d'autre.

292

Tout à coup, une idée lui traversa l'esprit : et si c'était Melrose Plant qui refusait de se marier avec elle ?

La plaquette lui tomba des mains lorsque enfin il s'assoupit en se demandant quel homme au monde refuserait d'épouser Vivian Rivington.

15

Samedi 26 décembre

Devant une platée de saucisses, d'œufs sur le plat et de harengs saurs, le sergent Wiggins annonça à Jury qu'il avait contacté New Scotland Yard la veille au soir. Il avait ainsi obtenu l'adresse de deux personnes employées jadis au Bouc Émissaire.

— Daisy Trump et Will Smollett, monsieur. Il semble que le reste du personnel qui y travaillait il y a seize ans ait disparu dans la nature. Quant aux clients de l'auberge, nous n'en avons encore localisé aucun. Je peux téléphoner à ces deux-là et vous arranger un rendez-vous.

— Très bien, dit Jury en se resservant quelques harengs. D'après le dossier, Daisy Trump et une certaine Rosie Smollett ont joué un rôle essentiel dans la découverte du corps.

— J'ai également pris quelques notes à propos de M. Rivington.

Il fit glisser une feuille de papier soigneusement dactylographiée vers l'inspecteur. Celui-ci la parcourut et constata qu'elle n'ajoutait pas grand-chose aux récits d'Isabel et de Vivian. A un détail près : l'heure exacte de l'accident, qui ne manquait pas d'intérêt.

— Merci beaucoup, sergent. C'est du sacré bon boulot. Je suis désolé d'avoir gâché votre repas de Noël.

Aux yeux de Wiggins, un compliment de Jury valait tous les dîners. Il arbora un sourire radieux, hélas interrompu par une quinte de toux — ce qui l'obligea à remonter dans sa chambre pour se désinfecter la gorge.

— Puisque vous vous levez, profitez-en pour demander à Daphne Murch de venir me voir.

Celle-ci apparut cinq minutes plus tard avec une cafetière à la main.

— Encore un peu de café, monsieur ?

— Je veux juste vous parler un instant. Asseyez-vous.

Elle n'hésita pas une seule seconde, car elle avait pris goût à son nouveau statut de témoin numéro un et de meilleure amie de Ruby Judd.

— Daphne, deux objets appartenant à Ruby demeurent introuvables : son bracelet et son journal. Vous m'avez bien dit qu'elle n'ôtait jamais ce bracelet ?

— Oui, monsieur. C'est la vérité : je ne l'ai jamais vue sans son bracelet.

— Elle ne le portait pas quand nous avons découvert son corps.

— Eh ben, c'est vraiment bizarre ! Surtout pendant un congé. Ce que je veux dire, c'est que si elle le gardait même pour faire le ménage, elle ne l'aurait pas retiré avant de partir en voyage. Peut-être que le fermoir s'est cassé. Je me rappelle, il n'y a pas si longtemps...

— Oui ?

Daphne toussota nerveusement.

— Oh ! c'est rien du tout. J'étais dans sa chambre au presbytère. Nous nous voyions régulièrement. Des fois elle venait ici, et des fois c'est moi qui allais chez elle. Nous faisions les folles... Une bataille de polochons... Nous nous tapions dessus de toutes nos forces, si bien que Ruby est tombée du lit et qu'elle s'est même retrouvée en dessous. Ça nous a donné un fou rire. J'ai glissé mon bras sous le lit pour essayer de l'attraper, et elle m'a saisi le poignet si fort que mon bracelet s'est détaché. Le fermoir n'est pas très solide. J'ai essayé de le récupérer en rigolant, et à ce moment-là elle a dit : « C'est drôle. » Je m'en souviens parfaitement. « C'est drôle. » On aurait cru qu'elle venait de voir un fantôme. Ou de recevoir un choc terrible. Elle est restée assise avec mon bracelet dans la main, comme si elle était devenue maboule. Et puis elle a regardé *son* bracelet et elle s'est mise à parler toute seule : « J'ai cru que je venais de le trouver. » Je lui ai dit de cesser de se comporter comme une dingue. Elle s'est relevée, mais elle s'est aussitôt rassise sur son lit en secouant la tête dans tous les sens. A partir de ce jour-là, elle a commencé à sous-entendre qu'elle connaissait un secret, qu'elle tenait quelqu'un à sa merci.

— A quoi ressemblait son bracelet ?

— Il n'avait rien de spécial. Un simple bracelet à breloques. Mais je crois que les breloques étaient en or massif. En tout cas c'est ce qu'elle prétendait, mais avec elle on ne pouvait jamais être sûr de rien. Je me souviens qu'il y avait une pièce de monnaie dans un des petits cubes. Et un cheval minuscule. Et un cœur. Les autres, j'ai oublié. Vous croyez qu'il y a un rapport entre ce bracelet et ce qui est arrivé à Ruby ?

Jury lut de la peur dans ses yeux.

— Cela ne m'étonnerait pas du tout.

Jury gara la Morris bleue devant le poste de police de Long Piddleton et entra dans le hall. Il était en train d'accrocher son imperméable quand le téléphone sonna. C'était le sergent Wiggins.

— J'ai eu Daisy Trump, monsieur. Et Smollett. Ou plutôt un de ses cousins qui habite à côté. Smollett est absent, et sa femme Rosie est morte il y a quelques années.

Pas de chance, songea Jury.

— Et cette Daisy Trump, puis-je la voir ?

— Oui, monsieur. Elle habite dans le Yorkshire.

— Alors faite-la venir ici, sergent. Attendez. Vous allez vous y rendre en personne, cela ne devrait pas vous prendre plus de quelques heures. Retenez-lui d'abord une chambre dans une auberge où aucun crime n'a encore été commis. Si une telle rareté existe toujours dans tout le comté de Northampton.

Jury entendit Wiggins s'entretenir à voix basse avec ses voisins, avant de revenir au bout du fil.

— Il y a le Sac et la Ficelle, près de Dorking Dean, monsieur. A quelques kilomètres du Cygne à Deux Têtes. Mais n'était-ce pas le nom d'une des auberges de Matchett ?

— Si, dit Jury, étonné par la vivacité d'esprit de son adjoint. C'est un nom assez courant. Bon, retenez-lui une chambre, et pour l'amour de Dieu mettez un policier devant la porte de cette malheureuse.

— Bien, monsieur. Le commissaire Pratt se demandait si vous pourriez passer à Weatherington. Il aimerait revoir quelques éléments de l'affaire avec vous.

Wiggins baissa alors la voix, comme si Londres avait pu l'entendre.

— Au fait, le commissaire Racer a appelé. Il était très remonté. Puis-je lui transmettre un message la prochaine fois que je l'aurai au téléphone ?

— Bien sûr. Souhaitez-lui un joyeux Noël de ma part. Avec un peu de retard, mais du fond du cœur.

Jury raccrocha tandis que Wiggins pouffait de rire. Le pauvre Racer n'avait pas beaucoup d'amis...

Melrose Plant, assis devant la baie vitrée, était

298

en train de liquider une des célèbres tourtes au veau et à l'œuf de Mme Scroggs, lorsque Marshall Trueblood poussa la porte de l'auberge. Si Melrose détestait le personnage d'un point de vue abstrait, il supportait l'homme en chair et en os. Par une longue soirée d'hiver, autour d'une pinte de bière, il lui arrivait même de le trouver divertissant.

— Salut, vieille noix, je peux m'asseoir à votre table ? dit Trueblood en retirant son écharpe en cachemire gris.

— Je vous en prie.

Trueblood avait à peine fini de replier son écharpe sur le dossier de sa chaise, que déjà la porte se rouvrait.

— Il y a foule aujourd'hui, plaisanta Melrose. Voici que Son Altesse se joint à nous.

Debout sur le seuil, Mme Withersby leur lançait des regards soupçonneux, comme si le pub avait changé de propriétaire depuis la veille et s'était brusquement transformé en repaire de brigands.

— Salut, vieille bique, dit Trueblood. Vous payez votre tournée, ou c'est moi qui vous invite ? Allons, pas de chichis entre nous, vous êtes toujours si généreuse.

Mme Withersby avait oublié de mettre son dentier : quand elle ouvrit la bouche pour lui répondre, un trou béant apparut.

— Tiens, voilà la reine des tapettes. C'est ton tour de régaler la compagnie. J'ai payé ma tournée il y a moins d'une semaine.

— La dernière fois que vous avez payé votre

tournée, grand-mère, je n'étais pas encore né. Qu'est-ce que vous prenez ?

— Comme d'habitude.

Elle s'installa à côté de Melrose et commença aussitôt à l'asticoter :

— Alors, milord, quand allez-vous enfin vous décider à travailler sérieusement ?

Melrose s'inclina poliment et lui tendit son étui à cigarettes en or, tout en amorçant un discret mouvement de recul, car son parfum était aussi redoutable que des gaz de combat : un mélange délétère de gin, d'ail et de quelque autre élixir de longue vie prôné par sa vieille mère.

— Qu'est-ce que vous fricotez dans le noir avec ce mignon, milord ? J'espère que votre chère tantine n'en saura rien.

Trueblood lui apporta une pinte de bière.

— Ah ! merci, mon chéri. Tu es un amour. Tu es le sel de la terre, je l'ai toujours dit. Dommage que tout le monde ne soit pas aussi généreux.

Et elle lança un regard mauvais en direction de Melrose.

— Dites-nous, grand-mère, dit Trueblood, que pensez-vous de tous ces malheurs qui endeuillent Long Pidd ? J'espère que vous avez offert votre concours aux enquêteurs.

Il se pencha vers elle, baissa la voix et montra la fenêtre du doigt.

— Naturellement, je n'ai pas raconté à la police que je vous ai vue ramper sur la poutre le soir du meurtre.

— Ta gueule, espèce de pédale ! T'as jamais rien vu de tel !

Elle sortit un mégot de la poche de son gilet, se le fourra dans le bec, l'alluma, souffla une bouffée pestilentielle dans la figure de Melrose Plant et déclara avec orgueil :

— J'ai écorché un putois ce matin.

Trueblood, qui venait d'ouvrir un petit canif en argent pour se curer les ongles, ne parut guère impressionné par cette information.

— Vous avez écorché un putois ?

Mme Withersby acquiesça puis cogna son verre vide sur la table.

— Ouais, s'exclama-t-elle, comme pour défier les puissances célestes. J'ai écorché un putois et je l'ai cloué sur un arbre ! Ma maman faisait toujours ça quand le diable rôdait dans les parages. Ça tient les vampires à distance.

La porte du pub s'ouvrit alors, et Lady Ardry apparut, enroulée dans sa cape écossaise.

— Pas tous les vampires, à ce qu'il paraît, commenta Melrose.

Il vit sa tante scruter la pénombre et distinguer enfin leur joyeuse bande. Ils devaient avoir une sacrée allure.

— Ah, tu es là !

— Salut, ma vieille amie, dit Trueblood en rangeant son canif. Venez vous asseoir avec nous.

— Joins-toi à l'élite de Long Pidd, renchérit Melrose en se levant pour lui avancer une chaise.

Mme Withersby s'apprêtait à lui souhaiter la

bienvenue à sa façon, mais Agatha brandit sa canne et fut à deux doigts de la décapiter.

— Il faut que je te parle, Melrose. En privé.

Et elle lança un regard noir aux deux autres. Trueblood ne fit pas mine de bouger. Au contraire, il but tranquillement une gorgée de bitter et répéta :

— Asseyez-vous. Saviez-vous que Mme Withersby avait écorché un putois ce matin ?

— Je vous ai cherché tout à l'heure, monsieur Trueblood, répondit Agatha, très en colère. J'aurais dû me douter que vous préfériez vous alcooliser plutôt que de tenir votre commerce. Vous avez d'ailleurs laissé votre boutique grande ouverte. N'importe qui peut venir se servir.

— C'est exact. Et que m'avez-vous volé ? Allons, soyez gentille, retournez vos poches. Vous pourriez dissimuler ma causeuse de style George sous votre cape.

L'insolent dut reculer sous la menace de la canne.

— Melrose, s'il te plaît, il faut que je te parle.

Son neveu bâilla.

— Allons ! Nous avons décidé de partir tous les trois en vacances au bord de la mer. Pourquoi ne viendrais-tu pas avec nous ?

Mme Withersby se leva tout à coup et s'éloigna en grommelant. Agatha en profita pour s'asseoir à sa place.

— Scroggs ! héla-t-elle. Apportez-moi un verre de sherry !

Mais déjà Mme Withersby revenait et martelait la table à coups de chope.

— S'il est par terre ce soir, s'il est tombé de l'arbre, alors le charme est rompu, et le Mal est vaincu.

— Qu'est-ce que vous nous chantez, ma bonne dame ? demanda Agatha. Vous délirez ?

— Elle parle du putois, expliqua Trueblood. Nous attendons tous qu'il tombe de l'arbre pour pouvoir enfin dormir sur nos deux oreilles.

— Monsieur Trueblood, rétorqua Agatha d'une voix doucereuse. Vous avez une dizaine de clients dans votre magasin. Pourquoi n'allez-vous pas les voir ?

Trueblood termina son verre et se leva nonchalamment.

— De ma vie, je n'ai jamais eu dix clients en même temps. Mais j'ai compris que vous vouliez me chasser.

Et il lui tourna le dos.

— Bravo, Agatha, dit Melrose, tu as tout de même réussi à faire le vide. Alors, de quoi s'agit-il ?

Elle prit un air triomphant.

— Nous avons retrouvé le bracelet de Ruby Judd.

— Quoi ? Et qui est ce « nous » ?

— Moi-même. Et Denzil Smith.

A sa façon de prononcer le nom du pasteur du bout des lèvres, Plant comprit qui l'avait vraiment découvert.

— La police a pourtant fouillé le presbytère de fond en comble. Où était le bijou ?

Elle hésita un bon moment. Melrose vit qu'elle pesait ses mots pour ne pas se trahir.

— Je préfère ne pas te le dire. Il était dans la maison.

— Ce qui signifie que tu n'en sais rien, ma chère tante. C'est donc le pasteur qui l'a retrouvé. L'a-t-il remis à l'inspecteur Jury ?

— Il l'aurait fait, j'en suis persuadée, si l'inspecteur Jury avait été *disponible*. Mais c'est à croire que celui-ci part courir la campagne chaque fois qu'on a besoin de lui.

— En as-tu parlé à quelqu'un ?

Melrose était un peu inquiet à l'idée que la nouvelle se répande dans le village.

— Moi ? Certainement pas. Ce n'est pas mon genre. Mais tu sais que Denzil Smith est un incorrigible bavard. Je viens de chez Lorraine, et ils étaient déjà au courant.

De toute évidence, elle regrettait amèrement de ne pas avoir pu le leur apprendre elle-même.

— L'inspecteur Jury sera donc le dernier informé, soupira Melrose.

— S'il était resté au village au lieu de galoper dans tous les sens, il aurait été le premier. Je suis passée au poste de police, mais impossible de tirer quoi que ce soit du sergent Pluck. J'ai passé la matinée à me demander où Jury pouvait bien être passé.

Bien qu'il n'en crût pas un mot, Melrose ne put se retenir de la titiller.

— Qu'as-tu fait exactement ?

— J'ai interrogé tous les suspects figurant sur cette liste.

Elle sortit de sa poche un morceau de papier aussi plissé qu'une feuille de salade, puis cria à Scroggs de lui apporter son sherry en vitesse.

— J'ai remonté toute la Grand-Rue à un train d'enfer !

Melrose chaussa ses lunettes pour lire la liste, répartie sur deux colonnes : *Suspects* et *Mobiles*.

— Qu'est-ce que fichent toutes ces « Jalousies » dans la rubrique *Mobiles* ? De qui veux-tu que Vivian Rivington soit jalouse ? Et pourquoi as-tu rayé le nom de Lorraine ?

— Je suis sûre qu'elle n'a rien fait. Ah ! voici mon verre de sherry.

Dick attendit qu'elle règle sa consommation, de sorte que Melrose dut chercher de la monnaie dans sa poche.

— Au fait, ce soir nous dînons tous au Mauvais Sujet.

— Que signifie « tous » ? demanda Melrose sans lâcher la liste.

— Les Bicester-Strachan. Darrington et sa poule de luxe. Et la lumière de ta vie, Vivian. A ce propos, Simon était chez elle quand je suis passée dans l'après-midi.

Melrose ignora l'insinuation.

— Comment peux-tu être sûre que Lorraine n'est pas impliquée dans ces meurtres ?

— L'hérédité, mon cher Plant, l'hérédité.

— L'hérédité innocente son cheval, mais pas Lorraine.

En parcourant la liste, il s'aperçut que son nom était inscrit en petits caractères, entre Sheila et Oliver Darrington. Elle l'avait visiblement ajouté pour réparer un oubli, et elle avait tracé un point d'interrogation dans la colonne *Mobiles*.

— Aurais-tu par hasard du mal à m'attribuer un mobile, ma chère tante ?

— Je ne t'avais pas inscrit au début. Et puis je me suis ravisée quand tu t'es fabriqué ce maudit alibi avec la complicité de Jury.

— Je remarque néanmoins que ton nom est absent.

— Bien sûr, gros nigaud. Je suis innocente.

— Tu as écrit *Drogue* en face du nom de Trueblood. Qu'a-t-il à voir avec la drogue ?

— Mon pauvre Plant ! dit-elle avec un sourire satisfait. Trueblood est bien antiquaire, non ?

— Oui, cela ne m'a pas échappé.

— Il fait venir beaucoup d'objets de l'étranger, y compris du Pakistan et des pays arabes, probablement. Où cacherais-tu ton haschich ou ta cocaïne si tu voulais en introduire clandestinement dans le pays ?

— Aucune idée.

— Et comment qualifier les victimes de ces crimes ? Des comparses. Il peut très bien s'agir d'une guerre des gangs.

Melrose se laissa entraîner malgré lui dans cette discussion absurde.

— Mais Creed était un policier à la retraite.

— Exactement ! Il était à leur poursuite, tu sai-sis ? Il allait coincer toute la bande. C'est alors que Trueblood lui a...

Elle fit le geste de se trancher la gorge avec son doigt.

— Et Ruby Judd ?

— Une intermédiaire ?

— Entre qui et qui ?

— Il y a toujours une intermédiaire.

De guerre lasse, Melrose se décida à laisser tomber.

— Écoute, il faut mettre Jury au courant pour le bracelet.

Agatha avala son sherry et arbora un sourire méchant.

— Interpol pourrait peut-être le localiser.

Jury patientait dans le bar du Mauvais Sujet, où Melrose Plant lui avait donné rendez-vous le matin même. Il consulta sa montre en bâillant : 20 h 35. Qu'est-ce que Plant pouvait bien faire ?

Il se regarda dans le miroir accroché derrière le comptoir et vit son visage complètement déformé par le verre teinté et incrusté de motifs évoquant la splendeur des vignes au soleil levant. Non, se dit-il, je n'ai tout de même pas aussi mauvaise mine. Il était simplement épuisé après avoir consacré tout l'après-midi à revoir le dossier avec le commissaire Pratt.

De plus, cela ne lui remontait guère le moral de voir Vivian Rivington tendrement assise à côté de

Simon Matchett à une table d'angle. Sheila Hogg et Oliver Darrington leur tenaient compagnie. Alors que Jury les avait surpris en pleine scène de ménage, ils affichaient à présent un sourire forcé pour donner le change à Lorraine Bicester-Strachan et à Isabel Rivington. Quant à Willie, le mari de Lorraine, il cherchait le pasteur dans toute l'auberge. Quelques minutes plus tôt, il avait encore demandé à l'inspecteur s'il n'avait pas vu Denzil Smith.

Lorsqu'une voix prononça son nom, Jury leva les yeux sur le miroir et vit le reflet de Melrose Plant. Celui-ci s'assit sur le tabouret voisin.

— Je... enfin, nous venons d'arriver. Désolé d'avoir été si long, mais ma tante me casse les oreilles depuis une heure. Elle est dans le hall d'entrée en ce moment, et c'est le tour de Bicester-Strachan d'entendre ses histoires. Avez-vous vu le pasteur?

— Non, il devrait déjà être arrivé.

Melrose parut préoccupé.

— Ecoutez, d'après Agatha...

— Agatha n'a pas besoin de porte-parole!

La nouvelle venue se glissa entre eux, obligeant Jury à s'écarter.

— Commande-moi un cocktail au gin, Melrose.

Melrose obtempéra, puis se tourna vers l'inspecteur.

— Exceptionnellement, je vous conseille de prêter une oreille attentive à ma tante.

Jury remarqua que Lady Ardry portait son bracelet de rubis et d'émeraudes sur un gant de cuir très élégant. Il se demanda où étaient passées ses vieilles mitaines et en éprouva presque du regret. Elle le toisa de haut, telle la reine d'Angleterre face à une fille de cuisine.

— Si vous aviez daigné venir me voir, inspecteur, je vous aurais fait part d'une ou deux petites choses.

— J'aimerais beaucoup que vous le fassiez maintenant, Lady Ardry, dit-il avec une feinte humilité.

Il espérait qu'elle allait rapidement vider son sac, mais cet espoir fut bien sûr déçu. Elle commença par reboutonner son gant, par réajuster son col de renard, par lisser quelques mèches qui s'empressèrent de rebiquer. Puis elle attendit que Melrose lui serve son cocktail pour entrer enfin dans le vif du sujet.

— J'ai rendu visite au pasteur cet après-midi, après être passée chez les Rivington. Et je dois dire, Melrose, que ta chère Vivian pourrait se montrer un peu plus accueillante. Si vous voulez mon avis, inspecteur...

— Arrête de tourner autour du pot, Agatha! s'exclama Melrose.

— Inutile d'être grossier. En interrogeant les différents suspects, j'ai découvert quelques petites choses que l'inspecteur paierait cher pour connaître.

Jury resta de marbre malgré ses minauderies. S'il tentait de la brusquer, la situation ne ferait qu'empirer.

— En tout cas, reprit-elle, ce n'est pas très malin d'ignorer volontairement certaines évidences, comme le fait que Trueblood soit un marchand d'antiquités...

— Venons-en au pasteur, Agatha.

— Après être allée voir presque tous les gens figurant sur ma liste...

— Le bracelet, Agatha.

— J'y arrive.

— Dois-je comprendre que vous faites allusion au bracelet de Ruby Judd, Lady Ardry?

— C'est ce que j'essaie de vous expliquer malgré les interruptions incessantes de mon neveu. J'ai trouvé le bracelet...

— Il l'a trouvé, rectifia Melrose. Tu as admis n'avoir joué aucun rôle dans cette découverte.

— Mais à quel endroit? intervint Jury. Nous avons passé le presbytère au peigne fin.

Agatha baissa les yeux, embarrassée.

— Je n'en suis pas sûre, mais...

— Bon sang! Agatha, le pasteur ne t'a rien dit parce qu'il n'avait pas envie que tu ailles le raconter à tout le monde.

— Non, ce n'est pas pour ça, répondit-elle, visiblement très inquiète. C'est parce qu'il ne voulait pas mettre ma vie en danger.

Jury sentit ses cheveux se hérisser sur sa nuque.

— Quand l'a-t-il découvert?

— Je ne sais pas exactement. Il a essayé de vous contacter, mais vous étiez en vadrouille, sans doute en train de suivre de fausses pistes.

— Vous avez vraiment *vu* ce bracelet?

— Oui, évidemment !

— Où est-il à présent ?

— Denzil m'a dit qu'il allait le remettre là où il l'avait trouvé, car il n'y avait pas de meilleure cachette. Mais il n'a pas voulu me préciser l'endroit. Selon moi, Marshall Trueblood est impliqué dans cette abominable série de crimes.

— Qu'est-ce que vous lui reprochez à Marshall Trueblood, vieille branche ?

Jury n'avait pas vu l'antiquaire arriver. Mais celui-ci ne paraissait guère froissé qu'on dise du mal de lui derrière son dos. Il adressa même un grand sourire à toute l'assistance.

— Au fait, ma chère, vous feriez mieux de me rendre mon coupe-papier avant que je vous dénonce à la police. Vous êtes entrée dans mon magasin en mon absence ce matin, vous vous rappelez ?

Agatha devint rouge comme une pivoine.

— Je vous en prie, monsieur ! Pour rien au monde je ne voudrais de votre camelote !

— Celui-là n'est pas en toc. Il m'a coûté 20 livres. Alors rendez-le-moi, s'il vous plaît.

Tandis qu'il faisait claquer ses doigts, Jury se dirigea vers le groupe de convives.

— Monsieur Bicester-Strachan, le pasteur vous a-t-il précisé à quelle heure il comptait venir ?

— Oui, dit Bicester-Strachan en consultant une énorme montre d'un âge vénérable. A 8 heures pile.

— Mon Dieu ! murmura Jury. Monsieur Plant, pourriez-vous m'y conduire avec votre Bentley ?

Et ils détalèrent tous les deux en laissant les autres abasourdis.

16

Le corps de Denzil Smith gisait au milieu de la bibliothèque, le coupe-papier planté dans la poitrine jusqu'au manche d'ivoire sculpté.

Bien que la pièce ne fût pas entièrement sens dessus dessous, on l'avait manifestement fouillée : on avait jeté des livres du haut des étagères, ouvert des tiroirs et des placards.

— Je n'y comprends rien, dit Melrose Plant. Pourquoi le tueur a-t-il pris un tel risque ? Ce n'est qu'un bijou très ordinaire, sauf pour lui et pour Ruby Judd.

— Je ne pense pas que le bracelet ait été son seul objectif. Il cherchait peut-être autre chose : le journal de Ruby. Quand il a su que le pasteur avait découvert l'un des deux objets, il a dû penser que l'autre n'était pas loin. Et il ne pouvait pas se permettre de négliger une telle occasion.

Jury alla s'asseoir derrière le bureau, décrocha le téléphone en prenant bien soin de l'envelopper dans un mouchoir, et composa le numéro du commissariat de Weatherington. Après avoir laissé un message à Wiggins pour qu'il revienne avec les techniciens de la police scientifique, il appela le sergent Pluck.

— Doux Jésus! s'écria ce dernier. Encore une victime?

— Eh oui! Je voudrais que vous alliez immédiatement au Mauvais Sujet pour recueillir les premières dépositions. Simon Matchett, les Bicester-Strachan, Isabel et Vivian Rivington, Sheila Hogg et Darrington, ainsi que Lady Ardry. Faites évacuer toutes les autres personnes.

— Je ne suis pas sûr de parvenir à destination, monsieur. C'est la Morris, vous comprenez? Elle fait un drôle de petit bruit. Je...

— Sergent Pluck, dit Jury avec une impeccable courtoisie, c'est vous qui allez faire un drôle de petit bruit si vous ne vous rendez pas sur-le-champ au Mauvais Sujet. Secouez-vous, nom d'une pipe! Trouvez une voiture. Prenez celle de Miss Crisp, votre voisine. Arrêtez quelqu'un dans la rue.

Au ton de l'inspecteur, Pluck comprit qu'il avait intérêt à obéir en vitesse.

— A vos ordres, monsieur.

Jury raccrocha brutalement et froissa le morceau de papier sur lequel il venait de dessiner une Morris en train d'emboutir un arbre. Il s'apprêtait à le jeter dans la corbeille lorsque son regard tomba sur une feuille à moitié cachée sous un bloc de roche volcanique faisant office de presse-papier. Il la saisit et parcourut une série de notes décousues, qui constituaient peut-être le brouillon d'un sermon.

— Écoutez cela, dit-il à Melrose Plant, qui se tenait toujours au milieu de la pièce, à côté du cadavre. « Sacrificiel... démonologie... bouquet mystère ». Qu'est-ce que cela peut bien vouloir dire ?

Plant s'approcha pour jeter un coup d'œil sur la feuille de papier, mais déclara vite forfait.

— Nous l'emporterons quand le spécialiste des empreintes digitales l'aura examinée, dit Jury. Mais en toute honnêteté, je n'ai guère d'espoir qu'on y trouve des indices.

Il passa en revue les autres objets posés sur le bureau : buvard, bouteille d'encre, stylos, vase plein de roses tardives. Puis il s'intéressa au contenu des tiroirs grands ouverts : on les avait fouillés, mais avec une certaine délicatesse. Puis il y eut un crissement de pneus derrière le presbytère, et un girophare bleu perça l'obscurité. Le sergent Wiggins fit son entrée avec l'équipe de la police scientifique, visiblement ahurie de devoir intervenir une fois encore à Long Piddleton. La pluie avait commencé à tomber, glaciale, sinistre, avec des coups de tonnerre qui résonnaient comme des roulements de tambour intersidéraux, et des éclairs qui déchiraient la nuit. Le temps idéal pour un assassinat.

— A qui le tour, cette fois-ci ? demanda le docteur Appleby avec un sourire radieux.

— Le révérend Denzil Smith, le pasteur de St Rules, marmonna Jury.

Il éprouvait un affreux sentiment de culpabilité : aurait-il pu empêcher ce meurtre en restant à

Long Piddleton au lieu de se rendre à Weatherington ?

Le photographe — Jury leur trouvait toujours un petit air de touriste tristounet — se contorsionnait afin de mitrailler le corps sous tous les angles possibles et imaginables. Pendant ce temps, le spécialiste des empreintes promenait sa loupe et sa brosse sur les surfaces prometteuses, depuis les poignées de porte jusqu'aux abat-jour. Un agent s'était posté à l'entrée de la maison, un second fouillait le premier étage, et un troisième se tenait à la disposition des techniciens dans la bibliothèque.

Après la séance de photos, le docteur Appleby se pencha au-dessus du corps tandis que Wiggins, les traits tirés, commençait à noter ses commentaires. D'une voix monotone, le médecin légiste ne lui épargna aucun détail : circonstances de la mort, taille, poids et âge de la victime, heure du crime — qu'il situa entre 18 heures et 20 heures, bien que l'état de rigidité cadavérique ne fût guère concluant. Tout cela sonnait faux, et en même temps très familier, comme un film qu'on aurait repassé en boucle.

Il y eut de nouveaux crissements de pneus, de nouveaux claquements de portières, et des brancardiers entrèrent dans la pièce. Ils attendirent en silence le feu vert du médecin légiste pour emporter le corps. Dès qu'Appleby eut achevé son examen, ils enroulèrent le pasteur dans une bâche en plastique.

Peu après leur départ, le spécialiste des empreintes monta à l'étage en compagnie d'un sergent. Appleby alluma alors une cigarette et souffla un petit anneau de fumée.

— J'envisageais d'acheter un cottage dans le coin pour ma retraite. Mais compte tenu des événements, je ne suis pas sûr que ce soit un bon investissement.

Puis il saisit son sac et se dirigea vers la sortie en donnant rendez-vous à Jury pour le prochain cadavre.

— Ce médecin a un curieux sens de l'humour, commenta Melrose.

Jury regagna le bureau et reprit la feuille sur laquelle Denzil Smith avait jeté quelques notes. Le pasteur avait de l'encre sur l'un de ses doigts, et l'on retrouvait la même tache sur le papier.

Wiggins s'effondra sur le canapé et sortit son mouchoir. Sa santé était d'une fragilité légendaire, et Long Piddleton ne lui réussissait pas du tout. Soudain, l'orage tonna, et le sergent poussa un hurlement. Jury se retourna brusquement et distingua, à la lueur d'un éclair, un visage blême de l'autre côté de la baie vitrée. Il se précipita vers ce fantôme, mais s'arrêta net en l'identifiant.

— Lady Ardry ! Qu'est-ce que vous fichez là ?

— Agatha ! s'exclama Melrose.

Elle entra dans la bibliothèque, ruisselante de pluie.

— Inutile d'être grossier, inspecteur. J'observais simplement vos faits et gestes.

Cette fois-ci, la patience de Jury avait atteint ses limites.

— Wiggins ! Mettez-lui les menottes !

Diverses émotions se succédèrent rapidement sur le visage de Lady Ardry, depuis l'incrédulité jusqu'à la peur panique. Wiggins, qui n'avait pas de menottes (et n'en avait d'ailleurs jamais eu), regardait Jury avec stupéfaction.

Enfin, elle retrouva sa voix :

— Melrose ! Dis à ce cinglé de policier qu'il ne peut pas...

Plant se contenta d'allumer nonchalamment un cigare.

— Ne t'inquiète pas, je vais t'engager un bon avocat.

Jury dut s'interposer pour l'empêcher de se jeter sur son neveu.

— Très bien, j'attends encore un peu avant de vous arrêter. Mais que faisiez-vous là ?

— J'observais, évidemment. Je n'étais pas en train de me faire bronzer.

— A ta place, dit Melrose, je ne prendrais pas ce ton-là avec l'inspecteur. *Tu es peut-être la dernière personne à avoir vu le pasteur vivant !*

Elle devint blanche comme un linge. Son désir de se mettre au premier plan n'allait pas jusque-là.

— Je vous ai suivis. Juste après que vous avez quitté l'auberge. J'ai emprunté le vélo de Matchett. Et ça n'avait rien de drôle par un temps pareil.

— Vous êtes restée dehors pendant tout ce temps ?

— Quand je suis arrivée, le docteur était en train de tripatouiller le corps. Je l'ai vu ! Le coupe-papier de Trueblood ! Je vous avais prévenus !

Elle dut alors se rappeler que le pauvre Denzil Smith était un de ses bons amis, car elle se prit la tête à deux mains en poussant des gémissements.

— Vous avez vu le bracelet tout à l'heure ? demanda Jury.

Elle opina du chef.

— J'ai comme une faiblesse. Pourriez-vous m'apporter un doigt de brandy ?

Tandis que Plant allait lui chercher un verre, Jury s'assit devant elle.

— Lady Ardry, que faisait le pasteur pendant que vous étiez chez lui ?

— Il me parlait, naturellement.

— Et en dehors de cela ? dit Jury avec impatience.

— Je n'en sais rien. Attendez une seconde. Oui, il préparait son sermon. Un vrai galimatias, comme d'habitude.

Elle prit le remontant que lui tendait Melrose, s'en versa la moitié dans le gosier, s'essuya la bouche avec son gant de cuir d'un geste fort inélégant, puis promena un regard hébété sur la bibliothèque.

Jury lui montra la feuille de papier.

— Le pasteur aurait-il introduit dans son sermon certains de ces éléments ?

Agatha chaussa ses lunettes et étudia soigneusement la série de notes.

— Qu'est-ce que c'est que ce charabia ? « Démonologie... sacrificiel... » Tout ça n'a aucun sens. Et ce n'est pas du tout le style de Denzil. Trop religieux.

Jury plia la feuille et la glissa dans la poche intérieure de sa veste.

— Où se trouvait le bracelet ?

— Il l'a sorti d'un tiroir du bureau.

— Et il vous a précisé qu'il allait le remettre là où il l'avait découvert, n'est-ce pas ?

— Oui.

— Nous avons pourtant fouillé le presbytère de fond en comble.

— Pourquoi pas dans l'église ? intervint Melrose.

— Bien sûr ! s'écria Jury. Personne n'a pensé à l'église. Allons y jeter un coup d'œil.

Et il ordonna à Wiggins de rester dans la maison.

— Attention à ne pas marcher sur le chien, dit Agatha alors qu'ils remontaient l'allée en file indienne.

— Le quoi ?

— Vous savez, on enterre toujours un chien du côté des suicidés et des bébés morts avant d'avoir reçu le baptême.

— Passionnant, répondit Jury.

L'inspecteur avait une torche électrique sur lui, et Plant était allé en chercher une autre dans la Bentley. L'église était humide, glaciale et faiblement éclairée par les rayons de lune qui s'immisçaient dans les entrelacs des fenêtres. Jury alluma sa lampe et balaya les rangées de bancs qui emplissaient la nef. Sur les panneaux latéraux, de petits carrés plus clairs tranchaient sur le bois patiné : ils rappelaient que les noms des propriétaires étaient autrefois indiqués, mais qu'on les avait supprimés par souci démocratique. L'un de ces bancs, sans aucun doute, appartenait jadis à la famille Plant. Les plus grands étaient matelassés ; les autres, en bois nu, étaient destinés aux paysans et aux simples villageois.

Comme Agatha n'avait pas de torche et qu'elle n'arrivait pas à s'emparer de celle de son neveu, elle dut les suivre en s'accrochant à leurs basques comme une aveugle. A un moment donné, elle trébucha sur l'un des tapis qui protégeaient les plaques tombales en cuivre et faillit s'étaler de tout son long.

— Où diable sont les lumières ? demanda Jury.

Mais personne n'en savait rien. Aussi descendirent-ils la nef en éclairant les bas-côtés et en remorquant Agatha derrière eux.

Le jubé, de toute évidence, avait été refait après la Réforme protestante, et l'on avait taillé un escalier dans la maçonnerie. Jamais encore Jury n'avait admiré une chaire aussi haute. C'était un des fameux « trois-ponts » du xviiie siècle, dans lesquels la chaire, le lutrin et le siège du pasteur s'étageaient sur trois degrés différents.

— Je vais jeter un coup d'œil là-haut, dit Jury en s'engageant dans l'étroit escalier en colimaçon.

Deux livres étaient posés sur une étagère aménagée à l'intérieur de la chaire. Il braqua sa torche dessus et constata qu'il s'agissait d'un Nouveau Testament usagé et d'un rituel de l'Église anglicane.

— Vous avez trouvé quelque chose ? demanda Melrose.

— Non.

C'est alors que Jury remarqua une lampe fixée au-dessus de la chaire grâce à un bras métallique. Il tira sur le cordon, et une chaude lumière se répandit sur la chaire, sur le jubé, et jusqu'à l'autel. Dès que Jury fut descendu, ils passèrent tous les trois sous l'arcade du jubé. Lady Ardry n'avait pas lâché le manteau de son neveu un seul instant, comme si l'assassin s'était tapi, le souffle rauque, à l'ombre d'un pilier. L'autel avait été récemment fleuri en vue de l'office du dimanche. En ce lieu humide et faiblement éclairé, une fragrance entêtante et exotique émanait des bouquets. Dans le coin sud-est, une porte aménagée dans la paroi du jubé donnait sur une petite sacristie. Jury l'ouvrit et balaya la pièce minuscule avec le faisceau de sa lampe. Sans doute mû par son insatiable curiosité professionnelle, il s'approcha du calice et souleva le napperon qui était posé dessus.

A l'intérieur du vase sacré se trouvait un bracelet à breloques. Il sortit un mouchoir de la poche arrière de son pantalon, le déplia et s'empara de l'objet. Puis il rejoignit les deux autres près de l'autel.

— Dieu tout-puissant ! s'exclama Lady Ardry en voyant ce qu'il tenait.

— Il était dans le calice, vous vous rendez

compte ? Je me demande pourquoi le pasteur ne l'a pas découvert dimanche dernier.

— Il n'y a pas eu de communion, dit Lady Ardry. Denzil oubliait toujours la communion. De toute façon, il ne se serait pas servi du calice, pour des questions d'hygiène. Il utilisait des petites tasses en argent quand il en avait besoin.

— Vous pensez que c'est Ruby qui l'a caché là ? interrogea Melrose. Avant sa disparition ?

— Oui. C'était très malin de sa part : ce bracelet était une sorte d'assurance-vie. Elle savait qu'il était important et qu'on finirait par le découvrir si elle ne venait pas le rechercher elle-même. Finalement, cette fille était loin d'être sotte.

— Vous me permettrez d'en douter, répliqua Lady Ardry.

Quand ils regagnèrent le Mauvais Sujet un quart d'heure plus tard, Jury constata que Pluck avait empêché les convives de se disperser et que ceux-ci ne semblaient guère apprécier cette entrave à leur liberté. Trueblood, Simon Matchett, les Bicester-Strachan et Vivian Rivington s'étaient agglutinés devant le comptoir. Isabel, assise un peu à l'écart, buvait une liqueur sirupeuse. Quant à Sheila Hogg, elle était partie juste avant l'arrivée de Pluck, parce qu'elle n'avait pas supporté de voir Darrington flirter avec Lorraine Bicester-Strachan.

Jury demanda à Daphne Murch de lui apporter des cigarettes et commença à lire les dépositions recueillies par Pluck. Aucun des témoins n'avait d'alibi pour la période d'une ou deux heures précédant leur arrivée à l'auberge. Plant lui avait déclaré que Lady Ardry se trouvait avec lui pendant ce laps de temps, ce qui l'innocentait, mais il prit un malin plaisir à oublier momentanément cette précision. Par ailleurs, tous les convives avaient eu l'occasion de quitter l'auberge sans attirer l'attention. Le presbytère n'était qu'à quelques minutes de là, et les voitures ne cessaient d'entrer ou de sortir de la cour pavée. Les notes de Pluck apprirent à Jury que Darrington avait accompagné Lorraine chez elle pour qu'elle prenne son carnet de chèques. Un prétexte cousu de fil blanc — et qui avait provoqué la crise de jalousie de Sheila. Jury se rappelait aussi que Matchett avait quitté le bar pendant un moment, et qu'Isabel avait fait de même un peu plus tard. Sans doute pour aller aux toilettes, mais on ne pouvait être sûr de rien. Bref, ils étaient tous suspects, sans exception.

Lorsque Jury releva la tête, il vit que tout le monde le regardait fixement en tripotant un bouton, un morceau de dentelle ou une mèche de cheveux. Il ordonna à Wiggins de se rendre chez Sheila Hogg pour recueillir sa déposition. De son côté, il allait rester sur place et poursuivre le travail de Pluck. Simon Matchett tenta alors de réchauffer l'atmosphère.

— J'ai une impression de déjà vu. On se croirait le soir où Small a été assassiné...

Mais sa voix se brisa avant la fin de la phrase.

— C'est exactement cela, monsieur Matchett. A présent, j'aimerais m'entretenir avec chacun d'entre vous. Sergent Pluck, je pense que la petite pièce de devant conviendra parfaitement.

— Monsieur Bicester-Strachan, je comprends que les circonstances soient extrêmement douloureuses pour vous. Je sais que vous étiez un très bon ami du pasteur. Si j'en crois votre déposition, vous aviez rendez-vous ici avec le révérend Smith ?

Bicester-Strachan, les yeux baissés, ne cessait de sortir son mouchoir de sa poche, puis de le remettre aussitôt en place.

— Oui. Nous devions jouer aux dames après le repas. Enfin, il ne devait pas dîner avec nous, mais il avait prévu de nous rejoindre quand il aurait terminé de rédiger son sermon pour demain.

— A quel moment avez-vous pris rendez-vous ?

— Cet après-midi. Je l'ai vu vers 2 heures.

Le regard du vieil homme se promena à travers la pièce, dans l'espoir de se fixer sur un objet qui le distrairait de la mort du pasteur.

— Vous êtes sorti tout à l'heure. Avez-vous quitté l'auberge ?

— Oh non ! J'ai juste fait les cent pas dans la cour. Le bar est si enfumé avec toutes ces cigarettes. Et puis je m'inquiétais pour Denzil. Il est si ponctuel d'habitude.

Bicester-Strachan se tourna vers la porte,

comme si le pasteur allait l'ouvrir d'un instant à l'autre.

— Reconnaissez-vous cet objet ?

Le bracelet de Ruby, toujours protégé par le mouchoir de Jury, était posé sur la table à abattants. Bicester-Strachan secoua la tête, visiblement irrité par la frivolité de la question en de pareilles circonstances.

— Mais vous saviez que le révérend Smith l'avait découvert ce matin ?

— J'ignore à quoi vous faites allusion.

— Le pasteur ne vous a pas dit qu'il avait retrouvé un bracelet appartenant à Ruby Judd ?

— Ruby ? La pauvre fille qui a été... Oui, c'est bien possible, mais je n'y ai pas prêté attention.

Jury remercia Bicester-Strachan — qui lui donnait l'impression d'avoir vieilli de dix ans depuis le début de la soirée.

— Monsieur Darrington, vous avez conduit Mme Bicester-Strachan à son domicile pour qu'elle prenne son carnet de chèques. Est-ce exact ?

— Oui, répondit Oliver en fuyant son regard.

— Pourquoi en avait-elle besoin ?

— Pourquoi ? Je n'en sais fichtre rien.

— Son mari avait sûrement de quoi régler leur dîner. Et j'imagine que Matchett aurait fait crédit à n'importe lequel d'entre vous.

— Inspecteur, je n'ai *aucune idée* de la raison

pour laquelle Lorraine avait besoin de ce carnet de chèques.

— Reconnaissez-vous ce bracelet, monsieur Darrington ?

— Il me dit vaguement quelque chose.

Quel menteur ! songea Jury en constatant qu'il le dévorait des yeux.

— Vous l'avez déjà vu ?

Darrington alluma une cigarette et haussa les épaules.

— Peut-être, oui.

— Au poignet de Ruby Judd, par exemple ?

— C'est possible.

— D'après votre déposition, vous avez déposé Mme Bicester-Strachan à son domicile, puis vous êtes passé chez vous. Pourquoi ?

— Pour prendre de l'argent, c'est tout.

— Tout le monde avait donc besoin d'argent ce soir... Vous êtes certain de ne pas avoir amené Mme Bicester-Strachan à votre domicile ?

— Ecoutez, inspecteur, vos insinuations commencent à me fatiguer...

— Elle n'est pas venue chez vous ?

— Non !

— Très bien. C'est dommage, dans un sens. Car vous auriez alors disposé tous les deux d'un alibi.

Lorraine Bicester-Strachan approcha son fauteuil le plus près possible de Jury et croisa ses jambes gainées de soie. Comme sa longue jupe de tweed n'était boutonnée que jusqu'au-dessus du genou, elle révéla ainsi un bon morceau de cuisse.

— Non, je n'ai jamais vu ce bracelet. Vous croyez qu'il m'appartient ? Vous l'avez trouvé sur les lieux du crime ?

Jury était toujours sidéré par l'absence totale de compassion chez certaines personnes.

— Votre mari est très affecté par la mort du pasteur. Ils devaient être très proches ?

Pour toute réponse, Lorraine fit tomber la cendre de sa cigarette sur le pare-étincelles de la cheminée.

— Bien entendu, il se peut que l'amitié et la loyauté ne signifient pas grand-chose pour vous.

— A quoi faites-vous allusion ?

— A l'information que votre mari a jadis laissée tomber en de mauvaises mains. Il s'agissait des vôtres, n'est-ce pas ? Ou du moins l'information est passée par vos mains avant d'atterrir dans celles d'un individu dont le patriotisme n'était pas vraiment la qualité dominante.

Elle s'était figée.

— Un individu qui était votre amant. Et l'« ami » de votre mari. Pour sauver votre réputation, M. Bicester-Strachan a sacrifié la sienne. Et il continue. Voilà ce qu'on appelle la *loyauté*. D'autres préfèrent employer le mot *amour*.

Lorraine se pencha vers lui avec l'intention de le gifler. Mais Jury attrapa son poignet sans effort et la repoussa doucement.

— Si nous en venions à l'affaire en cours ? Vous vous ennuyiez tout à l'heure, madame

Bicester-Strachan ? C'est pour cela que vous avez invité M. Darrington chez vous ?

A la colère s'ajouta la perplexité : le visage impassible de Jury ne lui fournissait aucun indice sur ce qu'Oliver avait raconté.

— Eh bien ? insista Jury, ravi d'avoir plongé Darrington et Lorraine dans un dilemme inextricable.

— S'il prétend que je suis allée chez lui, c'est un mensonge.

Jury sourit en la voyant jouer avec le petit anneau de diamants qui ornait le bracelet de sa montre.

— Je n'ai rien dit de tel, madame. Ce n'était qu'une supposition.

Son petit air triomphant lui donna envie d'éclater de rire. Il la regarda sortir en agitant légèrement la croupe, et se dit qu'il n'y avait rien de moins érotique que l'idée de la voir faire l'amour avec Oliver Darrington dans un recoin obscur.

Matchett fit rouler son cigarillo entre ses lèvres et répondit sans la moindre hésitation :

— C'est le bracelet de Ruby Judd.

— Pourquoi êtes-vous si catégorique, monsieur Matchett ?

— Parce qu'elle venait souvent voir Daphne et qu'elle l'avait toujours au poignet.

— Vous vous êtes absenté ce soir ? Entre 6 heures et 8 heures ?

— Vous voulez savoir si j'ai un alibi ? Je n'en sais rien, inspecteur.

— Avez-vous quitté l'auberge ?

— Non. Je suis juste allé voir le compteur électrique quand il y a eu un court-circuit dans la cuisine.

— A quel moment ?

— Vers 7 heures, 7 heures et demie.

— D'après la déposition que vous avez faite au sergent Pluck, vous êtes allé à Sidbury cet après-midi, et vous êtes rentré ici vers 6 heures et demie.

— Oui, dans ces eaux-là. Les magasins ferment à 6 heures, et il faut à peu près une demi-heure pour rentrer.

— Je vois.

Le rapport du sergent mentionnait la dernière boutique où Matchett s'était rendu. Il serait donc facile de vérifier. Jury préféra changer d'angle d'attaque.

— Monsieur Matchett, quel type de relation entretenez-vous avec Isabel Rivington ?

— Avec *Isabel* ?

— Vous m'avez parfaitement compris.

— J'ai peur de ne pas vous suivre.

— Mais si, vous me suivez très bien. J'ai l'impression que ses sentiments à votre égard ne sont pas simplement amicaux. Et je suis persuadé que vous avez la même impression.

Matchett réfléchit un long moment avant de répondre.

— Écoutez, c'est terminé depuis longtemps. Depuis très longtemps. Même si ce n'est pas très galant de ma part, je vous dirai qu'en ce qui me concerne, c'est de l'histoire ancienne.

Jury fut un peu décontenancé. En effet, il n'avait pas envisagé l'hypothèse d'une *ancienne* liaison — hypothèse qui expliquait parfaitement l'attitude d'Isabel.

— Vivian est-elle au courant ?

— Mon Dieu, j'espère bien que non !

Jury le foudroya du regard.

— Une pensée qui vous honore, monsieur Matchett.

Isabel Rivington s'assit avec un calme très étudié. Elle portait une robe toute simple, taillée dans un tissu brun d'apparence grossière, mais qui avait dû lui coûter une petite fortune.

— Miss Rivington, où étiez-vous ce soir avant de venir au Mauvais Sujet ?

— Je l'ai déjà dit au sergent Pluck.

— Je sais. Mais vous allez me le répéter.

— Je suis allée me promener dans la Grand-Rue. J'ai fait quelques boutiques, puis j'ai remonté la route de Sidbury et le chemin qui passe à travers champs.

Elle n'avait pourtant pas un profil de randonneuse...

— Quelqu'un vous a-t-il vue ?

— Dans la Grand-Rue, j'imagine que oui. Ensuite, je ne pense pas.

Tandis qu'elle tapotait sa cigarette sur le rebord d'un cendrier de porcelaine, son regard se porta sur le bracelet. Mais elle s'adossa sans manifester aucune réaction.

— Avez-vous déjà vu ce bijou, Miss Rivington ?

— Non. Pourquoi ?

— Quel type de relation entretenez-vous avec M. Matchett ?

Le changement abrupt de sujet la prit à contre-pied.

— Avec Simon ? Que voulez-vous dire ? Nous sommes de bons amis, c'est tout.

Jury émit un grognement sceptique et passa encore à une toute autre question : celle qui lui brûlait la langue depuis deux jours.

— Miss Rivington, pourquoi avez-vous laissé croire à Vivian pendant toutes ces années qu'elle était responsable de la mort de son père ?

Elle en resta comme deux ronds de flan. Totalement immobile, la cigarette brandie à mi-hauteur, elle ressemblait à un mannequin de cire. Lorsque enfin elle se décida à rompre le silence, ce fut d'une voix tremblante et suraiguë.

— Je ne comprends pas.

— Allons, Miss Rivington. Même s'il s'agit effectivement d'un accident, c'est vous, et non pas Vivian, qui étiez sur le cheval.

— Mais elle s'en souvient ! Elle s'en souvient !

Jury poussa un petit soupir de soulagement. Avec un peu plus de sang-froid, elle aurait pu s'en tirer, car il ne possédait aucune preuve.

— Non, elle n'en a aucun souvenir. Ni sa version des faits ni la vôtre n'est satisfaisante. Elle récite une histoire apprise par cœur. Que *vous* l'avez obligée à apprendre par cœur. Vivian adorait son père, c'est évident. En outre, si la petite fille d'autrefois ressemble un tant soit peu à la jeune femme d'aujourd'hui, j'ai peine à croire qu'elle lui ait mené la vie dure. Le plus remarquable, c'est la manière dont vous décrivez toutes deux la soirée du drame : « Il faisait très sombre, c'était une nuit sans lune. » Même si l'on admet qu'une enfant de huit ans n'ait pas encore été couchée à une heure aussi tardive, la scène se déroule à *Sutherland*. Or, il se trouve qu'un artiste de mes amis aime beaucoup peindre dans les Highlands. Non seulement pour la beauté des paysages, mais aussi pour la qualité de la lumière. Il dit toujours en matière de plaisanterie qu'il fait encore jour à *minuit* et qu'on peut lire un livre en pleine rue.

Jury sortit d'une chemise le rapport dactylographié sur le décès de James Rivington. Isabel était de plus en plus pâle.

— « Heure de l'accident : 23 h 50. » Je suis surpris que la police n'ait pas attaché plus d'importance à ce détail. De mon côté, j'en ai tiré un certain nombre de conclusions. J'ignore s'il s'agit d'un banal accident de cheval ou d'un acte délibéré de votre part. Voici comment j'imagine la scène : vous êtes sur le cheval quand une ruade tue votre beau-père, vous vous précipitez dans la chambre de votre petite sœur, vous lui enfilez quelques vêtements et vous l'amenez dans l'écurie. Vous n'avez même pas besoin de la monter sur le cheval. Il vous suffit de lui bourrer le crâne. Au cours des années suivantes, vous faites des allusions incessantes aux querelles qu'elle aurait eues avec son père, vous la culpabilisez pour conserver votre emprise sur elle.

Jury se permettait rarement des jugements moraux. Mais cette fois-ci il ne put se retenir.

— Quelle bassesse, Miss Rivington ! Quelle épouvantable bassesse ! Pourquoi l'avez-vous tué ? Vous avez dû être affreusement déçue lors de la lecture de son testament ?

Avec son teint livide et ses lèvres rouge vif, elle avait l'air d'un clown.

— Que comptez-vous faire ?

— Nous allons passer un marché. Vous révélerez la vérité à Vivian...

Elle voulut protester, mais il l'interrompit d'un geste.

— Dites-lui-en suffisamment pour qu'elle n'ait plus à porter cette écrasante culpabilité. Dites-lui que vous êtes à l'origine de l'accident. Expliquez-lui que vous vous êtes débarrassée de ce fardeau à ses dépens parce que vous vous trouviez sur le cheval et que vous risquiez d'être accusée d'homicide. Faites-lui tout un cinéma : vous étiez terrifiée, etc. Vous n'aurez qu'à verser quelques larmes. Je suis sûr que vous vous en sortirez très bien. Vous lui mentez depuis vingt ans, vous n'êtes donc plus à cela près.

Isabel avait en partie retrouvé ses couleurs et son aplomb.

— Et si je refuse ? Vous ne pouvez rien prouver !

334

— Peut-être. Mais n'oubliez pas que vous avez un joli petit mobile pour les crimes qui viennent d'être commis.

— C'est absurde !

Jury secoua la tête.

— Si vous ne lui parlez pas, c'est *moi* qui le ferai. Et j'omettrai peut-être de préciser qu'il s'agissait d'un accident.

Elle bondit de son fauteuil et se dirigea vers la porte.

— Une dernière chose, Miss Rivington. Il me suffit de glisser un mot dans l'oreille d'une des personnes ici présentes pour mettre un terme à tous vos espoirs.

Elle pivota sur les talons.

— Vous n'avez donc aucune déontologie. Aucun policier convenable ne ferait une chose pareille.

— Je n'ai jamais prétendu être convenable.

Vivian, vêtue d'une robe en laine rose très dépouillée, n'arrêtait pas de croiser et décroiser ses doigts.

— Je ne peux pas à y croire. Qui aurait pu faire du mal au pasteur ? Un vieux monsieur inoffensif.

— Les victimes sont en général inoffensives. Sauf pour leur meurtrier. Reconnaissez-vous ce bracelet, Miss Rivington ?

— C'est celui qu'il a trouvé.

— Vous étiez donc au courant ? Quand vous en a-t-il parlé ?

— Cet après-midi. Quand je suis passée au presbytère pour bavarder avec lui.

— A quelle heure ? demanda Jury, accablé par cette information.

— Vers 5 heures. Peut-être un peu plus tard. Je... Non ! Vous n'allez tout de même pas me dire que je me trouvais une fois de plus sur les lieux d'un crime ?

Elle enfouit son visage dans ses mains. Avec un sourire plein de tristesse, Jury consulta les notes de Pluck. Pourquoi diable ne restait-elle pas tranquillement chez elle à écrire des poèmes ?

— Entre le moment où vous avez quitté le presbytère et votre arrivée ici, êtes-vous repassée à votre domicile ?

— Oui, répondit-elle, complètement prostrée.

— Désirez-vous un verre de cognac, Miss Rivington ? Ou autre chose ?

Jury inclina la tête pour essayer de voir son visage. A en juger par ses mouvements d'épaules, elle devait pleurer... oui, il en était certain. Instinctivement, il tendit la main vers elle, avant de la retirer aussitôt. Bien qu'il ne pût distinguer son expression, il imaginait sa figure toute chiffonnée, comme celle d'une petite fille. Alors il sortit un mouchoir propre de sa poche, le déposa sur ses genoux, et marcha jusqu'à la fenêtre.

— Votre sœur était-elle là quand vous êtes repassée chez vous ?

Elle répondit sans lever la tête :

— Non. Isabel était sortie.

— Et la domestique ?

— Non plus, dit-elle en se mouchant.

Jury soupira, de plus en plus malheureux.

— Merci, Miss Rivington. Puis-je vous faire raccompagner par le sergent Pluck?

Elle se leva, les yeux toujours rivés sur le plancher. Elle tenait le mouchoir roulé en boule dans sa main gauche et lissait sa jupe de la droite.

— Miss Rivington!

Elle se retourna sur le pas de la porte.

— Vous... euh... votre jupe est vraiment très jolie.

Jury maudit sa stupidité, mais elle le regarda avec un petit sourire. Son visage devint alors si grave, ses yeux d'ambre si sérieux, qu'il fut terrifié à l'idée qu'elle allait lui confesser ses crimes. Tous ses crimes.

Lorsqu'elle ouvrit la bouche, il eut envie de la bâillonner.

— Inspecteur Jury...

— Oui?

— Je vous laverai votre mouchoir.

Et elle sortit de la pièce.

Marshall Trueblood s'assit et croisa sagement les jambes.

— Je crains que Lady Ardry ne me passe les menottes, inspecteur. Elle est convaincue de ma culpabilité. Pauvre de moi! Alors que je ne ferais pas de mal à une mouche, et encore moins à ce cher vieux pasteur.

— Quand avez-vous vu ce coupe-papier pour la dernière fois, monsieur Trueblood ?

Il regarda le plafond pendant un petit moment avant de répondre :

— Je ne sais pas exactement. Il y a deux ou trois jours.

— Vous laissez souvent votre magasin sans suveillance ?

— Quand je vais boire un verre chez Scroggs, oui. C'est la porte à côté. Je ne me donne pas la peine de fermer à clef.

— Cet après-midi, quelqu'un aurait donc pu entrer et ressortir de chez vous sans que vous vous en aperceviez ?

— Oui, mais pourquoi voler ce coupe-papier ? Il existe bien un *modus operandi*, inspecteur ? Pourquoi l'a-t-on poignardé alors que les autres ont été étranglés ? Excusez ma franchise.

— Il n'y a pas de quoi, monsieur Trueblood. Vous ne manquez pas de perspicacité. A mon avis, ce coupe-papier remplit la même fonction que le livre de Darrington au Cygne à Deux Têtes : il cherche à impliquer une autre personne. Qui est venu dans votre magasin aujourd'hui ?

— Eh bien, Miss Crisp est sortie de sa brocante pour essayer de me refiler des couteaux à fromage. Cette bonne femme trafique avec les manouches et voudrait ensuite me faire croire que c'est de l'argenterie d'époque géorgienne. Vous vous rendez compte ? Pour qui me prend-elle ?

— J'ai l'impression que nous nous écartons du sujet.

— Désolé. Il y a eu ensuite un couple de Manchester, de vrais ploucs amateurs d'Art Déco, cette horreur ! Puis j'ai eu la visite de Lorraine, qui courait derrière Simon Matchett. Elle avait dû le chercher d'un bout à l'autre de la Grand-Rue. Ensuite, je ne sais plus.

Il alluma une cigarette rose.

— Quand vous êtes-vous aperçu de la disparition du couteau ?

— C'est un coupe-papier, mon chou. Cet après-midi, quand Lady Ardry a débarqué chez Scroggs et que son charme inimitable a déclenché un sauve-qui-peut général.

Tout à coup, Trueblood repéra le bracelet et se pencha pour l'observer de près.

— Où avez-vous pêché ce truc affreux ? C'est bien celui de la petite Judd ?

— Donc vous le reconnaissez ?

— Oui. De la camelote.

Il se renversa en arrière et fit semblant d'être horrifié par le bijou.

— Je vous fournis probablement des informations que vous retiendrez contre moi. Avec mon coupe-papier planté dans ce pauvre vieux Smith, mon compte est bon, non ?

Derrière ses fanfaronnades pointait une certaine inquiétude.

— Encore faudrait-il déterminer votre mobile. Dites-moi, monsieur Trueblood, y a-t-il des aspects de votre passé que vous préféreriez garder secrets ?

Trueblood manifesta un étonnement sincère.

— Vous plaisantez, vieille branche ?

17

Dimanche 27 décembre

Alors qu'une aube morose se levait sur le poste de police de Long Piddleton, Jury examinait la feuille de papier qu'il avait trouvée sur le bureau du pasteur.

— Si ce n'est pas le brouillon d'un sermon, qu'est-ce que cela peut bien être ?

Melrose Plant jeta un coup d'œil par-dessus son épaule.

— « Sacrificiel... démonologie... » Ce n'était vraiment pas le vocabulaire du révérend Smith. Pour la première fois de ma vie, je suis d'accord avec ma tante.

— Il s'agit peut-être d'une citation biblique. Mais qu'est-ce que vient faire là-dedans ce « bouquet mystère » ?

Ils se creusèrent la tête pendant cinq bonnes minutes, les yeux fixés sur les trois expressions énigmatiques. Et puis Jury, écœuré, jeta son stylo sur la table.

— Je suis peut-être un imbécile, mais je n'y

comprends rien. Au risque de me tromper, je pars de l'hypothèse suivante : le meurtrier vient rendre une visite « amicale » au révérend Smith, dans le but de lui soutirer une information essentielle. Il veut découvrir ce que le pasteur sait exactement. Au cours de la conversation, ce dernier devine que son hôte pourrait bien être l'assassin. Assis à son bureau, il prend donc discrètement ces notes. Pourquoi n'écrit-il pas tout simplement le nom du coupable ? Parce qu'il sait que sa vie est menacée et que le tueur emportera avec lui les éléments compromettants. Je pense que nous avons sous-estimé le révérend Smith. Et j'espère que de son côté il ne nous a pas surestimés. Il s'attendait à ce que nous soyons assez malins pour lire un message que le meurtrier aurait laissé passer.

Jury aspira plusieurs bouffées de cigarette avant de poursuivre :

— Mon hypothèse tient debout. De toute façon, je n'ai rien à perdre à supposer que ces trois expressions signifient quelque chose. En revanche, je risque de négliger un indice capital en les écartant avec dédain.

Il se leva, s'étira et tendit la feuille à Melrose Plant.

— Tenez. Puisque vous faites les mots croisés du *Times* en un quart d'heure, vous devriez vous en sortir.

La réponse de Plant fut interrompue par la sonnerie du téléphone.

— Jury.

— Inspecteur Jury, dit le commissaire Racer

sur un ton d'une exquise politesse. Depuis votre arrivée, trois nouveaux meurtres ont été commis. Oserai-je vous demander quelles mesures vous avez prises ?

Jury soupira et entreprit de fouiller les tiroirs de Pluck pour trouver quelque chose à manger. Il finit par mettre la main sur un vieux paquet de gâteaux apéritifs.

— Ah ! j'attendais votre appel, commissaire.

Et il se mit à mâchonner un biscuit rassis.

— *Vraiment ?* J'ai pourtant essayé de vous contacter *un certain nombre de fois*, mon vieux. Et vous n'avez pas daigné me rappeler. Mais qu'est-ce que j'entends ? Vous avez la bouche pleine ? Serait-ce trop exiger que de vous prier d'arrêter de manger et de boire pendant que vous me faites votre rapport ? Vous auriez dû tenir un pub ou une épicerie plutôt que d'entrer dans la police ! Bon, ça suffit ! Je serai là demain midi. Non, aujourd'hui à midi. La situation est la suivante, Jury. Nous sommes le 27 décembre et vous êtes arrivé sur place le 22. Sans tenir compte d'aujourd'hui, nous obtenons donc une moyenne de deux tiers de meurtre par jour de présence !

— Oui, monsieur. D'un point de vue arithmétique, vous avez raison.

Jury griffonna de petites enseignes d'auberge pendant que Racer dressait la longue liste des châtiments qu'il lui réservait : pilori, supplice du pal, écartèlement, potence. En matière de sanctions, le commissaire avait une tendresse certaine pour le Moyen Age.

— Je suis désolé d'avoir aussi peu avancé, monsieur. Mais vous savez qu'il est déjà difficile de résoudre un meurtre. Or, j'en ai cinq sur les bras.

— Qui peut le plus peut le moins, Jury.

— C'est d'autant plus difficile que nous sommes en pleines fêtes de Noël.

— Noël ? *Noël ?* répéta Racer, comme s'il s'agissait d'une nouvelle fête votée récemment par le Parlement. C'est bizarre, Jury, mais les criminels sexuels ne respectent pas la trêve de Noël. Prenez Jack l'Éventreur...

Jury ne put s'empêcher de saisir la perche qu'il lui tendait.

— Si ma mémoire est bonne, monsieur, Jack l'Éventreur ne rôdait pas dans les rues le jour de Noël.

— Vous vous croyez drôle, Jury ?

— Oh non ! Le sujet ne prête guère à la plaisanterie.

Après un moment de silence, Racer explosa :

— Attendez-moi au train de midi. Briscowe sera avec moi.

— Très bien, monsieur. Puisque vous insistez.

Jury dessina une petite locomotive crachant des nuages de fumée qui s'apprêtait à percuter un autre train. Il avait beau tenir le combiné à dix centimètres de son oreille, la voix stridente de Racer résonnait dans toute la pièce.

— De plus, je n'ai pas l'intention de coucher dans une de vos auberges infestées de punaises. Retenez-moi une chambre dans le meilleur hôtel de la région. Et débrouillez-vous pour en trouver un où l'on ne risque pas d'être étranglé pendant son sommeil. Comme je n'ai que vous pour assurer ma protection, je ne suis pas très tranquille, mon vieux. N'oubliez pas non plus de vérifier si l'établissement a un menu correct et une cave à vins bien fournie. Il serait également souhaitable que la serveuse soit accorte...

Irrité par les accents lubriques de son supérieur, Jury eut du mal à ne pas lui suggérer d'aller au diable.

— Mais j'imagine qu'il ne faut pas trop en demander dans un trou pareil. A tout à l'heure.

Racer raccrocha brutalement.

— Un de vos amis ? dit Plant.

— Non, c'était le commissaire Racer. Il n'apprécie guère la manière dont je mène l'enquête. Il va venir en personne, et il veut que je lui retienne une chambre dans un palace. Ou du moins dans le meilleur quatre-étoiles du village.

— Écoutez, mon vieux, je serais ravi de demander à Ruthven de lui préparer une...

— Non, répondit Jury en poussant le téléphone vers lui. Je ne pensais pas à Ardry End.

Melrose alluma un cigare avec un sourire jusqu'aux oreilles.

— Je crois avoir deviné votre intention.

Il composa un numéro et attendit un bon moment avant qu'une voix se décide enfin à glapir dans le combiné.

— Tante Agatha ? Excuse-moi de te réveiller de si bonne heure. Mais l'inspecteur Jury se demande si tu accepterais de lui rendre un grand service...

Une heure plus tard, alors qu'ils étaient toujours penchés sur les notes du pasteur, Wiggins et Pluck entrèrent dans le poste de police en secouant les flocons de neige qui recouvraient leurs manteaux.

— Daisy Trump est arrivée, monsieur, dit Wiggins à Jury.

— Nous l'avons installée dans l'auberge qui se trouve à la sortie de Dorking Dean, le Sac et la Ficelle, ajouta Pluck. Elle ne voulait descendre dans aucun autre établissement, et on ne peut pas l'en blâmer. Nous avons laissé un agent sur place, parce qu'on ne peut pas savoir dans quelle auberge aura lieu le prochain meurtre.

Pluck semblait très fier de jouer un rôle de premier plan..

— Qui est Daisy Trump ? demanda Plant.

Wiggins allait répondre, mais il se dit que l'information était peut-être confidentielle, et il se referma comme une huître.

— Il n'y a pas de problème, sergent, dit Jury. M. Plant m'apporte son concours. Allez, en route pour le Sac et la Ficelle !

— Vous voulez que je vous accompagne ? s'étonna Melrose.

— Si vous êtes d'accord. Wiggins gardera le château fort pendant que le sergent Pluck nous conduira...

La serveuse qui leur apporta du café les informa que Miss Trump venait de monter dans sa chambre pour faire un brin de toilette et qu'elle allait redescendre d'un instant à l'autre.

— Daisy Trump, expliqua Jury en sucrant son café, travaillait au Bouc Émissaire. Drôle de nom, hein ? Il ne faut pas être surpris si votre tante a du mal à prononcer nos patronymes typiquement anglais, du genre *Bister-Strawn* au lieu de *Bicester-Strachan*.

— Ou bien *Rivv'n* et non *Ruthven*, *Ruthven*, *Ruthven*, ironisa Plant.

Soudain, Melrose se figea.

— Pluck.

— Oh ! à mon avis, même votre tante est capable de prononcer *Pluck*.

Mais Melrose n'était plus d'humeur à plaisanter.

— Pluck.

Jury le dévisagea.

— Dites à Pluck de venir, et en vitesse.

Jury avait si peu l'habitude de recevoir des ordres de Plant qu'il obtempéra aussitôt et revint avec le sergent quelques secondes plus tard.

— Répétez ce que vous avez dit, Pluck !

Ce dernier regarda les yeux verts étincelants de Melrose en tripotant sa casquette, comme un braconnier surpris en flagrant délit par son seigneur.

— Répéter quoi, milord ?

— Ce que vous nous avez dit quand vous êtes entré dans le poste de police avec le sergent Wiggins. Allez-y, mon vieux, allez-y !

Pluck chercha du secours du côté de Jury, qui lui dit avec un haussement d'épaules :

— Vous nous avez annoncé que Daisy Trump était arrivée et que...

— Exactement, renchérit Melrose. Et que vous l'aviez installée dans une auberge...

Il aurait voulu lui arracher les mots de la bouche, mais Pluck continuait à se gratter la tête avec un air idiot.

— C'est ça, milord, l'auberge où nous sommes en ce moment, le Sac et la Ficelle.

Melrose se tourna vers Jury, qui ne semblait pas plus avancé que le malheureux sergent.

— Voilà ! s'écria Plant. Voilà !

Si Lady Ardry l'avait vu à cet instant, en train de marmonner dans sa barbe, les yeux fermés, elle aurait été renforcée dans sa conviction que son neveu était cinglé.

— Voilà la solution ! Comment ai-je pu être aussi stupide ? Répétez encore une fois, Pluck.

— Heu... le Sac et la Ficelle, milord.

— Vous avez entendu, inspecteur ? Ce nom sonne différemment quand il est prononcé par Pluck. Cela vient de sa diction, du fait qu'il n'articule pas très bien — excusez-moi, sergent. Vous comprenez, inspecteur ? *Le Sac et la Ficelle.*

Tout à coup, Jury se donna une grande tape sur le front.

— Grands dieux ! *Sacrificiel* !

Pluck était toujours plongé dans un abîme de perplexité, ce dont Jury se réjouit, car il ne tenait pas à ce que toute la région soit au courant.

— Sergent, vous allez retourner au poste et dire à Wiggins de ne pas s'éloigner du téléphone. Je vais sans doute bientôt l'appeler.

Pluck salua et sortit.

— A présent, dit Melrose, le Bouc Émissaire. Inspecteur, répétez ce nom deux ou trois fois sans faire l'effort d'articuler.

Jury grommela à mi-voix jusqu'à ce que la clef de l'énigme lui apparaisse.

— Le Bouc Émissaire... le Bouc émissaire... le bouquet mystère ! Matchett ! C'est Matchett ! Ces deux auberges lui ont appartenu. Mais il reste la troisième. Je ne vois aucune enseigne qui évoque la démonologie.

— Bien sûr que non. Comme pour les deux autres, il s'agit d'un à-peu-près, d'une sorte de calembour. Bon sang ! je ne m'étonne plus de ce que le pasteur vous ait cru capable de comprendre son message. Il nous avait rebattu les oreilles avec ses enseignes d'auberges. Vous avez raison, nous l'avions sous-estimé. Quel coup de génie !

— Et quel courage ! Rares sont les gens qui auraient eu une telle présence d'esprit.

— Comment s'appelait la troisième auberge de Matchett ?

Jury ouvrit son dossier et chercha la chemise relative au meurtre de Mme Matchett.

— Démonologie... Démonologie... dit-il en tournant les pages. Voilà, j'y suis. Oh, nom d'une pipe !

— Alors, comment s'appelait-elle ?

— Le Démon du Logis.

Daisy Trump était une petite bonne femme toute ronde et âgée d'une cinquantaine d'années. Elle n'avait pas la moindre idée de ce que Scotland Yard pouvait bien lui vouloir, mais considérait l'aventure comme de véritables vacances aux frais de la princesse. Elle avait d'ailleurs eu le temps de se faire faire une permanente.

— Depuis quand habitez-vous dans le Yorkshire, Miss Trump ?

— Depuis une dizaine d'années. Je suis allée tenir le ménage de mon frère après la mort de ma belle-sœur. Dieu ait pitié de son âme...

Jury l'interrompit avant qu'elle se lance dans son autobiographie.

— Il y a environ seize ans, vous avez travaillé comme femme de chambre dans l'auberge de M. et Mme Matchett à Dartmouth, dans le Devon. Exact ?

— Oui. C'est à cause de ce meurtre affreux que vous voulez m'interroger ? C'est Madame qui a été tuée. Et ils ont jamais trouvé le coupable. Celui qui est entré dans le bureau et qui a chipé l'argent.

— Vous vous souvenez sans doute des Smollett ? La femme était cuisinière, mais je ne sais pas ce que faisait le mari.

— Pas grand-chose. Will Smollett n'était qu'un vieux feignant. Alors que Rosie était ma meilleure amie. Elle est morte depuis, la pauvre chérie.

D'un geste mécanique, elle sortit un mouchoir

de la manche de sa robe et s'essuya le bout du nez.

— Cette chère Rosie. Le sel de la terre. Son mari venait un peu bricoler de temps en temps. Avec Ansy la Tapette.

— Qui donc ? demanda Jury.

— Pédé comme un phoque, celui-là. Mais avec Smollet, ils étaient comme larrons en foire.

Le dossier de Jury ne faisait aucune mention de cet individu.

— Comment s'appelait-il ? Enfin, en dehors de ce surnom ?

— Je me rappelle plus très bien. Andrew, peut-être. On l'appelait toujours Ansy. Oui, ça serait bien Andrew.

— Nous avons essayé de localiser M. Smollett pour l'interroger. J'imagine que vous n'êtes pas restée en contact...

— Non, pas depuis la mort de Rosie. Je suis allée à son enterrement. Ils habitaient dans la banlieue de Londres. A Crystal Palace, je crois.

Elle demanda une tasse de thé, et Jury héla la serveuse avant de lui poser la question suivante.

— Vous vous souvenez du soir du meurtre ? Je sais que les années ont passé, mais...

— Si je m'en souviens ? Des fois, je donnerais cher pour l'oublier. Vous savez, même moi j'ai été soupçonnée. Ils voulaient savoir si j'avais drogué le chocolat de cette malheureuse. Alors je leur ai dit que Mme Matchett prenait tous les soirs un médicament pour dormir. Mais il paraît que ce jour-là elle en a pris plus que d'habitude. C'était toujours moi qui lui portais son plateau. Ensuite, c'était des fois Rosie, ou des fois moi, qui allions le rechercher. Ce soir-là, Rosie y est allée, la pauvre chérie ! Ça a dû lui filer un sacré choc de trouver la patronne couchée sur son bureau. Elle a d'abord cru qu'elle dormait. Et puis elle a vu tout le désordre dans la pièce. L'argent envolé. Cela dit, il y avait pas de quoi tuer quelqu'un. Quelques centaines de livres...

— La cour intérieure de l'auberge avait été aménagée en théâtre, n'est-ce pas ? dit Jury. Et un couloir étroit menait de la scène au bureau de Mme Matchett ?

— C'est ça, monsieur. Elle voulait toujours avoir l'œil sur M. Matchett. Je me suis toujours demandé comment il avait réussi à fricoter avec cette fille sans qu'elle s'en aperçoive.

— Vous parlez d'Harriet Gethvyn-Owen ?

— Exactement. Un drôle de nom pour une drôle de poulette. Beaucoup plus jeune que lui. Mais lui, il était plus jeune que la patronne. Je crois qu'il l'avait épousée pour assurer ses arrières.

Jury sortit le bracelet de sa poche et le déballa de son mouchoir.

— Avez-vous déjà vu ce bijou, Miss Trump ?

Elle l'examina soigneusement, et son visage se décomposa.

— Où l'avez-vous trouvé, monsieur ? C'est son bracelet... celui de la patronne. J'en mettrais ma main au feu, ma parole ! Je m'en souviens parfaitement, parce que chaque breloque voulait dire quelque chose de spécial. Mais ça, j'ai un peu oublié. Le renard, c'est parce qu'elle aimait la chasse à courre. Le petit cube avec une pièce de monnaie à l'intérieur, c'est parce qu'elle avait fait un pari avec M. Matchett. Je me rappelle...

Elle ne quittait pas le bracelet des yeux.

— On donnait une pièce ce soir-là, dit Jury. *Othello*. M. Matchett jouait le rôle principal et la fille — Harriett Gethvyn-Owen — interprétait Desdémone. C'est bien cela ?

— Je me rappelle plus la pièce. Un truc un peu morbide, je crois. Je suis pas assez futée pour ce genre de trucs. Mais quand je suis allée porter le plateau à la patronne, j'ai entendu M. Matchett qui criait après l'un des autres acteurs.

— Oui. Et ensuite ?

— J'allais laisser le plateau dehors, comme d'habitude, quand j'ai vu que la porte était entrouverte. Mme Matchett a demandé si c'était moi, et elle m'a dit de poser le plateau sur une petite table à côté de son fauteuil. Alors je suis entrée.

— Où se trouvait Mme Matchett ?

— Derrière son bureau, comme toujours. Elle m'a remerciée et je suis partie.

— Pourriez-vous fermer les yeux pour visualiser la pièce, Miss Trump ? Et me décrire exactement comment cela s'est passé ?

Daisy obéit avec autant de zèle que si elle avait eu affaire à un hypnotiseur de music-hall.

— Elle me dit à travers la porte : « Daisy ? Posez votre plateau sur la petite table à côté du fauteuil, s'il vous plaît. » Alors j'entre, je pose le

plateau, et elle me remercie. Je lui demande :
« Vous avez besoin d'autre chose, madame ? »
Elle me répond : « Non merci. » Et elle se
replonge dans ses registres. Elle faisait toute la
comptabilité. C'était une tête, cette femme-là.
Mais pas très causante. Le contraire de M. Matchett, qu'était toujours si gentil. Très apprécié des
femmes, ça n'a rien d'étonnant, lui qu'était si bel
homme. C'est ça qui la travaillait. Elle avait installé son bureau juste à côté du théâtre pour qu'il
sache qu'elle le tenait à l'œil. Je peux vous assurer
qu'elle le lâchait pas d'une semelle. Une tigresse !
J'ai jamais vu une femme aussi jalouse.

— A votre avis, qui a tué Mme Matchett ?

Elle n'eut pas l'ombre d'une hésitation.

— Un voleur, évidemment. C'est ce que la
police a dit. Il est passé par la fenêtre et il a tout
piqué. Pour être honnête, je me suis posé des
questions sur Smollett et Ansy la Tapette. Je les
aurais bien vus dans le coup. Mais j'ai tenu ma
langue à cause de Rosie, vous comprenez.

— Pourtant, dit Jury, tout le monde a été innocenté, y compris le personnel.

Elle fit la grimace, visiblement pas très
convaincue.

— Vous n'avez pas soupçonné son mari ?

— Bien sûr que si, répondit Daisy avec une
admirable franchise. Avec Rosie, on les entendait
se disputer sans arrêt. Leur chambre était juste au-
dessus de la cuisine. Il voulait toujours divorcer,
et elle, elle hurlait comme une mégère. Il était à
elle, et elle était prête à tout pour le garder. Je me

souviens qu'avec Rosie, on s'est dit juste après le meurtre : « Ça y est, il l'a fait. » Mais la police a décidé qu'il y était pour rien et sa poulette non plus. C'était donc pas un crime... Comment les Français appellent ça, déjà ?

— Un crime passionnel, dit Jury avec le sourire.

— Oui. C'est une belle expression, hein ? L'horaire collait pas. Elle a été tuée entre le moment où j'ai apporté le plateau et celui où Rosie est venue le rechercher et où elle a découvert la malheureuse. Ils ont tout calculé pratiquement à la minute près. M. Matchett et sa poulette étaient en scène pendant tout ce temps. Et la pauvre Rosie qu'était sens dessus dessous...

Un souvenir venait de traverser l'esprit de Jury. Le Devon. Dartmouth se trouvait dans le Devon. Comment avait-il pu être aussi aveugle ? Rosie. Mme Rosamund Smollett. Will Smollett. *On l'envoyait chez sa tante Rosie et son oncle Will.* Les paroles de Mme Judd lui revenaient en mémoire. Will Smollett. William Small. Il ne s'était pas creusé la cervelle pour changer de nom.

Jury sortit de son dossier des photographies de Small et d'Ainsley.

— Miss Trump, reconnaissez-vous ces hommes ?

Elle saisit celle de Small et l'étudia de près.

— Oui, je le reconnais. C'est son portrait tout craché... Oui, c'est Will. Seulement, à l'époque, il avait une moustache.

Elle passa ensuite au second cliché.

— Dieu tout-puissant ! Si c'est pas Ansy la Tapette. Seulement lui, il avait pas de moustache.

— Il ne s'appelait pas Andrew, dit Jury, mais Ainsley. Ansy était le diminutif d'Ainsley.

— Ainsley... *Ainsley*. Oui, c'est ça. On se moquait de lui parce qu'il prononçait pas les « h ». Il s'appelait Hainsley. Rufus Hainsley. Pour blaguer, on lui disait toujours : « T'es même pas capable de prononcer ton nom correctement ? »

Comme Smollett, il n'avait pas fait preuve de beaucoup d'imagination.

— Où vous avez eu ces photos, monsieur ?

Jury répondit par une autre question :

— Les Smollett avaient-ils une nièce qu'ils hébergeaient de temps en temps ?

— Plutôt deux fois qu'une ! s'exclama Daisy en prenant un air faussement accablée. Ruby. Curieuse comme une pie. Mais la malheureuse, fallait pas s'attendre à autre chose avec des parents qui la fichaient à la porte dès qu'ils en avaient assez d'elle.

Jury lui montra la bracelet.

— Elle aurait donc pu le voler ?

— Non, je crois pas, monsieur. Mme Matchett le quittait jamais, tellement elle y tenait. Un peu comme certaines femmes avec leur bague de mariage. Non, Ruby aurait jamais eu l'occasion de le piquer. Sauf sur son cadavre.

Daisy Trump sortit de la pièce, pour être raccompagnée dans le Yorkshire par la police du comté de Northampton. Jury repoussa sa tasse de café froid et examina le plan du bureau de Celia Matchett au Bouc Émissaire. Matchett l'avait obligatoirement assassinée, sinon il n'aurait eu aucune raison de commettre la série de meurtres récents. Par conséquent, la petite scène organisée le soir du drame n'avait été jouée que pour une seule spectatrice, à savoir Daisy Trump. Bien loin de croire au témoignage de cette dernière, Jury aurait parié son insigne que Celia était déjà morte quand on lui avait apporté son chocolat. La femme qui se tenait derrière le bureau n'était pas Celia, mais une doublure. Et il était probable que Matchett avait confié ce rôle à sa maîtresse, Harriett Gethvyn-Owen. Les gens voient ce qu'ils s'attendent à voir, et Daisy Trump n'avait pas douté d'avoir affaire à sa patronne. La femme se présentait de dos, elle portait les vêtements de Celia, peut-être aussi une perruque, et l'éclairage était tamisé.

Restait le problème de l'alibi, en apparence insurmontable. Jury relut le rapport de police. Matchett et sa maîtresse se trouvaient tous deux sur scène à l'heure du crime : les spectateurs étaient unanimes. Le rôle d'Othello exigeant un maquillage très élaboré, un autre comédien aurait pu prendre la place de Matchett sous la peau noire du More. Mais un tel stratagème aurait mis un larron de plus dans le complot — hypothèse fort peu vraisemblable. En outre, Ainsley, Creed et Small étaient beaucoup plus petits que Matchett, et aucun d'entre eux n'avait la classe nécessaire pour interpréter une pièce de Shakespeare. Enfin, ultime objection : s'il s'était fait remplacer sur scène, Matchett n'aurait pas eu besoin de demander à sa maîtresse de se faire passer pour Celia.

Découragé, Jury se leva et alla jeter un coup d'œil à l'extérieur de l'auberge. Melrose Plant était en train de bavarder avec le sergent Pluck auprès de la Morris bleue. Jury soupira et ouvrit la fenêtre.

— Pluck ! Je vous avais demandé de vous rendre au poste de police. Cela vous gênerait-il d'obéir à mes instructions ?

— Oh ! mais je suis allé à Long Pidd, monsieur. Et puis je suis revenu en me disant que vous pourriez avoir besoin de la Morris.

— D'accord. Je vous remercie. Voulez-vous venir un instant, monsieur Plant, j'aimerais discuter avec vous d'un point précis.

Dès que Plant l'eut rejoint, Jury commanda d'autres cafés, puis il lui confia ses soucis :

— Je suis sûr que Matchett a tué sa femme dans cette auberge du Devon. Mais je ne comprends pas comment il s'y est pris.

Il lui résuma méthodiquement les faits, avant de conclure :

— C'est leur alibi qui m'ennuie. Selon tous les témoignages, ni l'un ni l'autre ne pouvait se trouver près de Celia au moment du crime.

— Cela arrive très souvent, non ? Vous tuez quelqu'un, puis vous le balancez au fond d'un puits, par exemple. Et vous demandez à un complice de le remplacer à l'instant critique afin de vous forger un alibi.

— Bien sûr, mais pas dans le cas présent. Celia Matchett était vivante avant le début de la pièce. Une bonne demi-douzaine de personnes l'ont vue avant le spectacle, et ce dans des circonstances différentes. Le problème est donc le suivant : comment notre homme s'est-il dédoublé ?

Plant réfléchit un moment.

— D'une certaine manière, le propre d'un comédien consiste à se dédoubler.

— Je ne vous suis pas.

— A quelle heure la pièce a-t-elle commencé ?

Jury ouvrit la chemise.

— A 20 h 30 ou 35.

— Et à quelle heure a-t-on apporté le chocolat à Celia — ou à sa remplaçante ?

Jury tourna la page.

— Vers 10 h 40, si l'on en croit Daisy Trump.

Pendant plusieurs minutes, Plant fuma en silence. Ses yeux verts brillaient dans le recoin mal éclairé où ils s'étaient installés. Enfin il rendit son verdict :

— La solution est dans la pièce, inspecteur.

— Pardon ? Vous avez trouvé comment il a fait ?

— Oui, mais je préférerais vous le montrer plutôt que de vous l'expliquer. Excusez-moi, je vais devoir appeler Ruthven pour qu'il effectue quelques préparatifs.

Avant que Jury ait eu le temps de protester, il se dirigea vers le téléphone.

Une heure plus tard, Pluck déposa Jury devant le poste de police de Long Piddleton. A l'intérieur, Wiggins était en train de s'administrer des gouttes dans les narines.

— Je vais à Ardry End, Wiggins.

— Bien, monsieur. Le commissaire Racer est parti à Weatherington avec le commissaire Pratt.

— Aucune importance. Je voudrais que vous filiez au Mauvais Sujet pour surveiller Matchett. Ne le perdez pas de vue une seule seconde, mais sans qu'il s'en aperçoive.

— Vous le suspectez? demanda Wiggins, ébahi.

— Oui, sergent. Par ailleurs, vous...

Jury fut interrompu par une quinte de toux. Il se moucha en priant Dieu de lui épargner les abominables maladies de Wiggins.

— Par ailleurs, lorsque vous verrez le commissaire Racer, si jamais vous aviez oublié que je suis à Ardry End, sachez que je ne vous en tiendrai pas rigueur.

— J'ai souvent des trous de mémoire, dit Wiggins avec un grand sourire.

Puis il sortit une boîte de pastilles toute neuve de sa poche et la lui tendit, ravi d'offrir l'un de ses médicaments favoris à son supérieur hiérarchique.

— Vous feriez mieux de prendre ça. Il ne faut jamais négliger ce genre de toux.

Jury tenta de lui rendre son bien.

— Je n'en ai pas besoin...

Si Wiggins était un policier hésitant, en
revanche il ne plaisantait pas avec la pharmacie.

— J'insiste, monsieur. Prenez cette boîte.

Et Jury s'inclina, penaud.

18

En entrant dans le salon d'Ardry End, Jury fut surpris d'y trouver Lady Ardry et Vivian Rivington. Un étonnement partagé par Agatha :

— Vous ici, inspecteur? Vous savez que le commissaire Racer — un homme extrêmement désagréable, soit dit en passant — vous suit à la trace depuis son arrivée.

Elle était visiblement partagée entre le désir d'aider Racer à le coincer et la curiosité. Elle se tourna vers son neveu :

— Quand tu m'as appelée, Melrose, je t'ai demandé si tu savais où il était, et tu m'as répondu que tu ne l'avais pas vu de la journée.

— Je t'ai menti.

— Où se trouve le commissaire Racer? demanda Jury, soucieux de connaître les endroits à éviter.

— Je n'en sais *absolument* rien. J'ai fait préparer sa chambre, car *moi*, je suis toujours heureuse de rendre service. Ce type épouvantable est entré dans la chambre, il a jeté un coup d'œil et il est ressorti aussi sec ! Pas étonnant que ce pays soit aussi décadent...

Ruthven toussota discrètement.

— Je vous demande pardon, milord. Mais je crois que le commissaire est descendu au Mauvais Sujet. Il souhaitait dormir sur les lieux du crime.

En réalité, il avait été attiré par la carte des vins de Matchett, la plus belle à des kilomètres à la ronde, et par sa cuisine réputée.

— Merci, Ruthven, dit Melrose. Martha est-elle prête ?

— Oui, milord.

— Et je vois que vous avez préparé l'alcôve. Parfait, parfait...

Effectivement, l'extrémité du salon, devant les portes-fenêtres qui donnaient sur le jardin enneigé, avait été équipé d'un rideau et ressemblait ainsi à un théâtre miniature. De plus, la table et les chaises de style Tudor avaient été remplacées par une chaise longue recouverte de coussins et de dessus-de lits en velours, de manière à former une sorte de matelas.

— Que se passe-t-il ? demanda Jury.

— Ce n'est pas à *moi* qu'il faut poser la question, dit Agatha en martelant sa poitrine imposante. Encore une invention de Melrose ! C'est un garçon très théâtral.

— Si seulement vous arrêtiez de râler, intervint Vivian, cela irait mieux pour tout le monde. Mais j'avoue que, moi aussi, j'aimerais bien savoir de quoi il retourne.

— Vous n'avez pas besoin d'en savoir davantage, répliqua Melrose. Tout ce qu'on vous demande, c'est de jouer votre rôle. A présent, inspecteur, j'aimerais que vous nous accordiez quelques minutes de répétition.

Ruthven raccompagna Jury dans le hall d'entrée avec la raideur d'un policier qui escorte un prisonnier. Après être resté un bon moment en tête à tête avec les hallebardes et les piques qui ornaient les murs, il vit passer une femme qui ne pouvait être que Martha, l'épouse de Ruthven. Elle lui fit une petite révérence et entra dans le salon. Dix minutes s'écoulèrent encore avant que Melrose ne vienne le chercher et lui offre un fauteuil situé à une dizaine de mètres du théâtre improvisé.

— A présent, inspecteur, nous allons représenter une scène d'*Othello*. Je joue le rôle titre, Martha celui d'Emilia et Vivian celui de Desdémone. Tout le monde est prêt ?

— Vous avez vos textes à dire, protesta Agatha. Moi, je n'ai qu'à...

— Tais-toi et fais ce que tu as à faire, ordonna Melrose.

— Je ne vois toujours pas pourquoi je ne joue pas Desdémone. Vivian n'avait pas...

— Bon sang ! Ce n'est pas une audition pour la Royal Shakespeare Company ! C'est une simple démonstration à l'intention de l'inspecteur. Il faut qu'il voie cela de ses propres yeux. Maintenant, va derrière le rideau et suis mes instructions !

Agatha obéit, l'air maussade.

— Je n'ai même pas un vers à réciter.

— Si je te donnais un vers à dire, tu nous le serinerais tout l'après-midi.

Agatha lui fit une grimace et disparut derrière le rideau. Melrose se tourna alors vers la cuisinière.

— Martha, vous n'avez qu'à lire les lignes que j'ai soulignées, sans vous soucier de la manière dont vous les prononcez.

Martha devint rouge comme une tomate : c'étaient ses grands débuts de tragédienne. D'un geste majesteux, Melrose désigna l'extrémité du salon.

— Voici la scène. La chaise longue est le lit de Desdémone. Iago a accusé celle-ci d'adultère et Othello a cru ses mensonges. Desdémone est couchée.

Vivian s'allongea avec une certaine gaucherie sur le tas de coussins et de dessus-de-lits, puis elle récita :

— *Tuez-moi demain ; laissez-moi vivre ce soir !*

— A présent, dit Melrose, le texte indique : *Il l'étouffe.*

Il saisit un oreiller et l'approcha du visage de Vivian. Puis il s'éloigna un peu, lâcha l'oreiller et tira le rideau afin de masquer le lit.

Sur la gauche de la scène, Martha s'avança et fit semblant de frapper à une porte invisible. On entendit un bruissement d'étoffe derrière le rideau, puis la voix plaintive de Vivian :

— *O Seigneur ! Seigneur ! Seigneur !*

Martha continuait à marteler la porte. Melrose regarda la porte, puis le lit, avant de déclamer :

— *Elle n'est pas morte ? Pas encore morte ?*

Il écarta la rideau, révélant en partie le corps de Desdémone au milieu des coussins. Puis une fois de plus il abaissa l'oreiller en récitant :

— *Je ne voudrais pas prolonger ta souffrance.*

Pendant que Martha-Emilia continuait à taper des deux mains sur le battant imaginaire, Melrose se releva au-dessus du cadavre de Desdémone et referma le rideau. Puis il alla ouvrir à Martha, qui fit semblant d'entrer et ânonna :

— *Souffrez que je vous dise un mot. O mon bon seigneur !*

Melrose la prit par le bras.

— C'est très bien, Martha. La démonstration est terminée. Ensuite, inspecteur, il y a une petite modification. Normalement, Emilia s'approche du lit, et Desdémone dit : *Je meurs innocente*, avant de rendre l'âme. Ce passage est supprimé pour la simple et bonne raison que Desdémone est déjà morte.

Plant tira brusquement le rideau, et Agatha se rassit sur le lit en se frottant la gorge.

— Tu l'as fait exprès, Melrose. Tu as failli me tuer, espèce de cinglé !

A cet instant précis, Vivian franchit les portes-fenêtres en grelottant.

— Nom d'un chien, Melrose ! La prochaine fois que tu me demandes de jouer Desdémone, donne-moi un manteau. Il gèle à pierre fendre dehors.

Jury en resta bouche bée. Une substitution ! Une fois droguée, Celia Matchett avait été glissée dans le lit de Desdémone à la place de Harriett Gethvyn-Owen. Il applaudit, et Melrose s'inclina.

— Ce sera tout, mesdames. Je vous remercie.

Agatha, qui rajustait ses jupes après être descendue du lit, se mit à fulminer :

— *Ce sera tout ?* Tu nous attires dans un piège, tu nous soumets à une devinette ridicule, et tu ne veux même pas nous donner la solution ? Tu n'es qu'un idiot !

Même Vivian paraissait ulcérée.

— C'est vrai, Melrose, tu nous dois une explication.

Jury songea alors que, à son insu, Melrose Plant venait sans doute de lui sauver la vie.

Une fois débarrassé des femmes, Plant alla s'installer avec Jury devant la cheminée. Ils sirotèrent un verre de whisky en grignotant des canapés préparés par Martha après sa brève carrière théâtrale.

— Une comédienne n'aurait eu aucun mal à tromper Daisy Trump, dit Jury. D'autant plus qu'elle était assise de dos et qu'elle n'a prononcé que quelques mots.

— Absolument. Elle devait porter les vêtements de Celia Matchett sous son costume de scène, et elle avait dû se coiffer comme elle sous sa perruque. Il est également probable que Harriett Gethvyn-Owen n'avait allumé qu'une seule lampe. Pour eux, il était indispensable qu'un témoin puisse certifier que Celia était encore vivante pendant qu'ils jouaient la pièce. Alors qu'en réalité le corps était caché sur la scène.

Plant alluma un cigare.

— Eh oui, sur la scène! dit Jury. Il faut un sacré sang-froid pour étouffer une femme devant le public.

— Matchett l'avait probablement droguée avant de transporter son corps sur le lit de Desdémone. Celui-ci était masqué par un rideau, et un second rideau a permis à Celia de faire ses allers et retours. Dans ma petite mise en scène, Vivian s'est levée, est sortie par la porte-fenêtre, et Agatha est venue prendre sa place. Bien entendu, Harriett portait le même costume que Celia, et elle a dû l'installer sur le lit avant de s'esquiver. Avec la distance, les coussins, les dessus-de-lits et la silhouette d'Othello au premier plan, aucun spectateur ne s'est rendu compte qu'il y avait en fait deux Desdémone.

— Ensuite, continua Jury, Harriett Gethvyn-Owen franchit les quelques mètres qui la séparent du bureau de Celia, elle ôte son costume et sa perruque, et elle s'assied le dos à la porte. Après la visite de Daisy Trump, elle repart chercher le corps sur scène. Cela n'a pas dû être trop difficile, car Celia Matchett était une femme très menue. Et la distance était très courte. Finalement, il ne lui reste plus qu'à se rhabiller et à venir saluer le public. Mon Dieu, quel sang-froid!

— Si cette Harriett avait un tel cran, pourquoi n'est-elle pas allée la tuer dans son bureau? Ç'aurait été beaucoup plus simple.

— Vous croyez? répliqua Jury. En agissant ainsi, elle aurait fourni un parfait alibi à son amant, mais sans garantir ses propres arrières. Or, elle n'était pas idiote. Avec ce plan, ils étaient tous les deux embarqués sur le même bateau. Même si votre hypothèse ne peut être complètement exclue, n'oublions pas non plus que cinq personnes viennent d'être tuées à Long Piddleton pour préserver le secret sur un homicide commis il y a seize ans. A mon avis, quand elle était petite fille, Ruby Judd a ramassé le bracelet près du lit de Desdémone. De quoi donner des sueurs froides à Simon Matchett... Il a dû faire une drôle de tête en découvrant seize ans plus tard le bracelet de sa femme, ce bracelet qu'elle ne quittait jamais, au poignet de Rubby Judd. Je pense qu'il a deviné où elle l'avait trouvé. A compter de ce jour-là, il a vécu dans la peur qu'elle se souvienne des circonstances dans lesquelles elle avait ramassé le bijou.

Jury se servit un nouveau whisky avant de poursuivre son raisonnement :

— Il s'aperçoit ensuite que d'autres personnes sont au courant. L'oncle Will Smollett, auquel Ruby a dû demander conseil. Ansy la Tapette, le vieux copain de Will. Enfin Creed, qui a été contacté par l'un des deux — j'ignore encore lequel. La présence de cet ancien policier vient encore compliquer la situation de Matchett, qui est confronté à une série de révélations catastrophiques. Ruby reconnaît d'abord qu'elle a tout raconté à son oncle. Ensuite, Smollett lui avoue qu'il a mis dans le bain Hainsley, et peut-être Creed. Matchett doit donc les attirer à Long Piddleton. Comme le temps joue contre lui et qu'il ne peut s'absenter du village, il leur téléphone en imitant la voix de Smollett grâce à son talent d'acteur. C'est ce qui explique le côté étrange et ostentatoire des assassinats. Ce n'est pas facile de se débarrasser d'un corps, alors quand on en a quatre sur les bras... Il ne pouvait tout de même pas se promener dans Long Piddleton avec une pelle pour les enterrer ! Il a choisi la solution opposée : l'exposition des corps. Quel culot ! C'était aussi un moyen de faire croire qu'un psychopathe courait les rues.

— Vous pensez que Ruby faisait chanter Matchett ? demanda Melrose.

— A mon avis, elle voulait plutôt l'obliger à l'épouser. Après tout, elle avait déjà essayé avec tous les hommes du village, et Matchett était le plus séduisant d'entre eux. Quelle petite sotte ! Heureusement pour nous, elle a laissé le bracelet derrière elle. Et son journal.

— Mais pourquoi Small et ses deux amis voulaient-ils faire chanter un homme qui n'avait presque pas d'argent. Ah si ! Je suis bête... Matchett allait épouser Vivian Rivington.

— Matchett avait probablement promis à Ruby de l'épouser une fois qu'il aurait empoché l'argent de Vivian et qu'il se serait débarrassé d'elle. En toute franchise, je le crois capable d'embobiner n'importe quelle femme. Comme par exemple...

— Oui ?

— Isabel Rivington.

Plant réfléchit quelques instants.

— Que voulez-vous dire ?

— Vous vous demandiez pourquoi Isabel poussait Vivian dans les bras de Matchett alors qu'elle était folle de lui, n'est-ce pas ? Et vous ajoutiez qu'elle risquait ainsi de perdre tout contrôle sur la fortune de sa demi-sœur ?

— Vous ne pensez tout de même pas que Matchett avait conclu un « marché » avec Isabel ? Tout comme avec Ruby ?

— Bien sûr que si. Nous aurons du mal à le démontrer, mais j'en suis convaincu depuis le début.

— Et selon vous, qu'est-il arrivé à Harriett Gethvyn-Owen ?

— Ce qui a failli arriver à Vivian Rivington.

Ils échangèrent un regard, puis contemplèrent le feu de bois en sirotant leur whisky-soda.

19

Jury rejoignit lentement la Grand-Rue et prit la direction opposée au Mauvais Sujet. Il repoussait le plus possible l'inévitable affrontement avec Racer. En arrivant à la hauteur de l'allée qui montait jusqu'à l'église, il s'arrêta et gara la voiture. Ici, au moins, il pourrait réfléchir tranquillement, sans risquer de tomber sur le commissaire.

En ce début de soirée, l'église St Rules était aussi froide et humide qu'aux premières heures de la matinée. La pénombre envahissait presque à vue d'œil les bas-côtés et les recoins du bâtiment. Assis sur un des bancs du fond, Jury promena son regard sur les voûtes, sur les bossages du plafond, sur la chaire à « trois ponts », puis sur le petit tableau qui indiquait le numéro des hymnes que l'assemblée des fidèles aurait entonnés ce matin-là si l'office avait eu lieu. Des livres de cantiques étaient rangés sur l'étroite étagère aménagée à l'arrière du banc qui se trouvait juste devant lui. Jury en prit un, l'ouvrit au n° 136 et chantonna

quelques vers de « En avant, soldats du Christ ! »
Puis, se sentant un peu ridicule, il referma le
volume, les yeux fixés sur la couverture.

Le titre, *Cantiques*, était imprimé en lettres d'or
un peu passées. C'était un livre de petit format.
Pas plus de 12 centimètres de large sur 15 ou 16
de haut. Relié en cuir rouge. Une phrase prononcée par Mme Gaunt — ou par Daphne ? — lui
revint alors en mémoire : *Je l'ai souvent vue
écrire dans un petit cahier rouge foncé.*

Il lui fallut un peu moins d'un quart d'heure
pour mettre la main dessus. Après avoir examiné
un par un les livres de cantiques répartis sur tous
les bancs de l'église, il repéra enfin un volume un
peu plus épais et d'un rouge un peu plus voyant.
Bien qu'assez nettes, ces différences sautaient
d'autant moins aux yeux que les volumes étaient
en partie masqués par les étagères étroites aménagées au revers des dossiers. Si un paroissien s'était
assis à cet endroit le dimanche précédent, il
l'aurait découvert. Mais de nos jours les paroissiens sont beaucoup moins nombreux que les
livres de cantiques. Ruby l'avait-elle laissé là en
guise d'assurance-vie, un peu comme le bracelet ?
Ou bien s'agissait-il d'un simple oubli ?

Sur la couverture, le mot *Journal* était inscrit en
lettres d'or, à peu près à la même hauteur que le
mot *Cantiques* sur les autres volumes. Elle avait
écrit sur la première page, en capitales gigantesques, *RUBY JUDD*.

Jury avait dû utiliser sa torche électrique pour fouiller les bancs. Comme l'obscurité était complète désormais, il monta dans la chaire par le petit escalier, alluma la lampe de cuivre et dirigea le faisceau sur les pages du journal intime. Les premiers mois de l'année contenaient un tissu de sornettes sur les garçons de Weatherington et sur les hommes de Long Piddleton. Des commerçants, un représentant, mais aucune référence à Trueblood ni à Darrington. Bref, le genre de fadaises auxquelles il s'attendait. Simon Matchett n'apparaissait que dans la période suivante, entre diverses remarques concernant Trueblood (amant remarquable en dépit de ses penchants sexuels) et Darrington (tout à fait décevant au lit). Elle en revenait sans cesse à Matchett : *Il est tellement beau... Ses yeux sont aussi bleus que l'eau d'un lac.* Une jolie métaphore qui surprit Jury venant d'un esprit aussi prosaïque. *Quand je pense que Daphne l'a sous la main alors que je suis coincée entre la matonne (vraisemblablement Mme Gaunt) et le pasteur. Qu'est-ce qu'ils diraient s'ils savaient que je suis en train d'écrire ça au lieu de faire le ménage ? J'aimerais drôlement avoir le salaire de Daphne et travailler pour lui par-dessus le marché.* Elle décrivait ensuite à longueur de pages ses exploits sexuels avec Darrington, un marchand de journaux à mi-temps et divers autres partenaires, tout en se plaignant de l'ennui mortel qui régnait à Long Piddleton. Jury tourna plusieurs pages avant de trouver ce qu'il cherchait : le récit de la bataille de polochons avec Daphne Murch. *Je tombe du lit, son bras descend vers moi pour m'attraper, et son bracelet, un truc ringard avec une croix en or, glisse de son poignet. Tout d'un coup ça me revient. Moi sous un lit, le bras qui pendouille, le bracelet. Exactement comme autrefois.* La petite fille curieuse qu'elle avait dû être jadis était donc allée fureter sous le lit de Desdémone et elle y était restée pendant toute la pièce. Peut-être avait-elle vu Matchett étouffer Celia sans comprendre ce qu'il faisait. *Bon Dieu!!! Ça m'est revenu en un éclair. Le bracelet, c'était celui de Mme Matchett, celle qui a été assassinée. Qu'est-ce que ça veut dire???* Ces derniers mots étaient soulignés plusieurs fois. Il n'y avait pas d'entrées les jours suivants. Puis elle laissait entendre qu'elle était allée feuilleter de vieux journaux à la bibliothèque de Weatherington afin de lire les comptes rendus du meurtre perpétré au Bouc Émissaire. Elle savait désormais que Celia n'avait pas été tuée dans son bureau, mais sur le lit de Desdémone. La vision du bras tout flasque était restée gravée à jamais dans la mémoire de la fillette de sept ans.

Malgré cela, elle avait continué à se rendre au Mauvais Sujet dans l'espoir de séduire Simon Matchett. En même temps, elle avait commencé à imaginer un plan. *J'ai appelé l'oncle Will aujourd'hui. Au début, il m'a traitée de dingue : « Ruby, t'avais sept ans, tu sais pas ce qui s'est passé. » Il m'a fallu un bon bout de temps pour le convaincre que c'est Simon qui l'a tuée. Lui ou cette Harriett, la fille dont ils parlent dans le jour-*

nal. Je me rappelle la frousse que j'ai eue. Le bras tout mou. Ah glagla! Et j'ai jamais parlé du bracelet à personne, parce que j'avais pas envie de m'attirer des ennuis.

Le lendemain, elle notait : *Oncle Will m'a rappelée pour me dire de ne pas bouger. Il va téléphoner à ses copains, dont un ancien flic. Quand je lui ai demandé s'il voulait faire arrêter Simon, il a rigolé. Je crois plutôt qu'il veut lui soutirer de l'argent. Je lui ai dit que Simon devait épouser cette vieille fille mal fagotée. Et elle a paquet d'oseille, l'héritière.*

Le lendemain, nouvelle remarque : *S'il arrive à lui faire cracher de l'argent, pourquoi je ne pourrais pas obtenir autre chose ?* Jury imaginait ses yeux brillants de convoitise et ses gloussements de collégienne.

Après deux ou trois jours de silence, Ruby reprenait : *Il est descendu chercher du vin à la cave pour le dîner. Je l'ai rejoint en bas, je lui ai montré le bracelet, et je lui ai demandé si ça lui rappelait quelque chose. Sans doute que oui, à voir comment il s'est mis à le tripoter sur mon poignet. Alors je lui ai tout raconté. Au début, j'ai cru qu'il allait me cogner. Mais au lieu de ça, il me prend dans ses bras et il m'embrasse !!!!! Il me dit que c'est dommage d'en avoir parlé à mon oncle et il me demande si j'ai prévenu quelqu'un d'autre. Non, je lui réponds. Ce qui n'est pas un mensonge. Il me dit qu'il n'y a plus rien à y faire, et que c'est dommage, parce que je lui ai toujours plu. Mais il n'osait pas m'aborder à cause de la différence d'âge. Il a vraiment l'air triste. A ce moment-là, il me propose de partir en week-end avec lui pour qu'on puisse s'arranger. Je lui réponds qu'il faut pas me prendre pour une idiote. Alors il casse le goulot d'une bouteille de champagne, et on reste là tous les deux à rigoler et à s'embrasser. Maintenant je suis sûr qu'il a le béguin pour moi. Je dois préparer une valise et dire que je vais à Weatherington pour que personne ne s'inquiète. Mais je me souviens que l'oncle Will m'a dit d'enlever le bracelet et de le laisser quelque part. Je serai bientôt couverte de diamants! J'ai pensé à une cachette super pour le bracelet!!! Une idée géniale!!!*

La dernière entrée était très brève : *Je n'ai pas le temps d'écrire. La voilà* (Mme Gaunt, probablement). *LA SUITE DEMAIN!!!!*

Selon toute vraisemblance, Ruby avait alors glissé son journal sur l'étagère, au milieu des livres de cantiques, et ramassé son balai. Ensuite, dans l'excitation du départ, elle avait tout simplement oublié de venir le reprendre.

LA SUITE DEMAIN!!!! Jury relut ces mots pathétiques. Pauvre sotte. Il n'y avait pas eu de lendemain pour Ruby Judd. Assis dans l'église obscure, les yeux rivés sur les pages blanches éclairées par la petite lampe, Ruby était si fasciné par cette passion adolescente qu'il entendit à peine la lourde porte de chêne s'ouvrir, puis se refermer doucement.

Soudain, la voix de Matchett s'éleva dans la nuit :

— J'ai aperçu de la lumière depuis la route, et je me suis demandé qui pouvait bien se trouver là à une heure pareille. C'est bizarre de voir un policier dans une chaire.

A en juger par le bruit de ses déplacements, Jury estima qu'il venait de s'asseoir sur un des bancs du fond.

— Et vous, monsieur Matchett, que faites-vous dans une église aussi tard ? Les aubergistes seraient-ils plus pieux que les policiers ?

— Non, mais ils sont tout aussi curieux.

Il est toujours déconcertant de discuter avec une voix désincarnée. Avec cette tache de lumière provenant de la petite lampe, Jury se sentait aussi vulnérable qu'un cerf pris dans le faisceau d'un projecteur.

— Nous avons eu la même idée, inspecteur. Si le journal n'était pas dans le presbytère, pourquoi pas dans l'église ? J'imagine que vous n'êtes pas en train de lire le Nouveau Testament ?

— Dois-je considérer vos questions comme une forme d'aveux ?

Un éclat de rire retentit dans la nuit.

— Allons, inspecteur ! Votre sergent ne me lâchait pas d'une semelle. J'avais beau multiplier les tentatives, impossible de le semer. Mais je vous rassure : il va bien. Il dort devant le feu de bois. Un bon vieux grog généreusement relevé aux sédatifs. A présent, j'aimerais que vous me donniez ce journal.

Jury déduisit de son ton plein d'assurance qu'il braquait une arme sur lui.

— Si vous avez un pistolet sur vous, inspecteur, je vous suggère de le jeter par terre. Je ne vous ai jamais vu armé, mais on ne sait jamais.

Jury ne portait pas d'arme, car il avait compris depuis longtemps qu'il est encore plus dangereux d'en porter une. Mais il préféra laisser planer le doute. Pour l'instant, il avait besoin d'un peu de répit afin d'analyser la situation — à commencer par la disposition de la galerie du jubé, qui surplombait la chaire d'à peu près un mètre.

— Monsieur Matchett, si vous comptez me liquider — c'est bien votre intention, n'est-ce pas ? — comment pouvez-vous être certain que personne d'autre n'est au courant de votre culpabilité ?

Jury ne voulait à aucun prix mentionner Plant, mais il fallait que Matchett continue à parler.

— Allons, inspecteur, la ficelle est un peu grosse. Même votre commissaire n'est au courant de rien. Quant à votre sergent, je m'occuperai de lui ensuite.

La distance qui le séparait du jubé n'était pas bien grande, mais Jury, hélas ! n'avait plus la souplesse de ses vingt ans.

— Pourriez-vous satisfaire ma curiosité sur un ou deux points, monsieur Matchett ? Pourquoi avez-vous disposé les cadavres de manière aussi extravagante ? Vous auriez pu vous contenter de laisser le corps de Hainsley et d'aller enterrer Ruby dans un bois.

Jury connaissait la vanité démesurée des tueurs en série, leur fascination devant leur propre intelligence. Pour eux, c'est une véritable torture que de se donner autant de mal sans pouvoir révéler leurs manœuvres géniales à personne. Pendant quelques instants, Jury craignit que Matchett ne lui réponde pas. Sous ces voûtes obscures qui amplifiaient le moindre murmure, il crut même entendre le cliquetis du cran de sécurité. Mais en fin de compte, son calcul s'avéra juste : Matchett ne put s'empêcher de chanter sa propre gloire.

— Vous avez compris qu'il s'agissait d'une diversion, inspecteur. Le meilleur moyen de masquer un bruit modéré, c'est de produire un bruit assourdissant. Je n'avais guère de temps pour les subtilités. La fille Judd, son oncle, Hainsley et Creed, leur ami policier, me sont tombés dessus presque simultanément. Puisque je ne pouvais pas les éliminer en douceur, j'ai opté pour la solution inverse : commettre des meurtres si ostentatoires et si étranges qu'on les attribuerait à un tueur en série sans mobile réel. A un psychopathe.

— Et cela a marché pendant quelque temps.

Des bruissements indiquèrent à Jury que Matchett s'était levé et qu'il descendait la nef. Une fois grimpé sur le jubé, Jury n'aurait aucune difficulté à rejoindre la galerie qui courait sur les trois autres côtés de l'église. Mais il n'aurait pas une seconde à perdre.

— Laissez-moi vous poser une question à mon tour, inspecteur. Vous avez vraisemblablement découvert que j'ai assassiné ma femme. Mais comment diable...

— Ce n'est pas très malin de votre part de le

reconnaître, monsieur Matchett. En fait, je m'interroge depuis le début sur votre relation avec Miss Rivington.

— Laquelle des deux ?

— Je prends cette réponse comme un aveu, dit Jury en continuant à évaluer les distances. Par ailleurs, j'aimerais savoir si c'est Small, c'est-à-dire Smollett, qui a attiré les deux autres ici ? Ou bien si c'est vous ?

— C'est moi. Sa voix n'était pas difficile à imiter. Je leur ai simplement téléphoné pour qu'ils me rejoignent. Je leur ai dit de prendre une chambre à la Forge et au Cygne à Deux Têtes. Je ne pouvais quand même pas tous les tuer au Mauvais Sujet, non ?

— Vous êtes donc arrivé au Cygne à Deux Têtes à 10 h 30, et non pas à 11 heures. Vous avez garé votre voiture dans le petit bois... Vous avez dû apprendre que nous avions trouvé la fenêtre et les traces de pneus ?

— Oui, bien sûr. C'était prévu. Comme j'étais attablé en compagnie de Vivian à l'heure du crime — à un quart d'heure près — cela m'était égal que vous soupçonniez quelqu'un de s'être introduit par la fenêtre. Je n'ai eu besoin que de bottes un peu trop grandes pour moi et d'une combinaison d'ouvrier pour protéger mes vêtements.

Jury le relança aussitôt :

— Comment avez-vous réussi à déjouer la méfiance de Creed ?

— Je me suis fait passer pour un plombier. La

combinaison m'a aidé. N'oubliez pas que je suis un comédien, inspecteur...

— J'avais remarqué. Mais pourquoi ne pas lui avoir donné rendez-vous ailleurs qu'à Long Piddleton ?

— Parce que vous ne m'auriez pas laissé m'absenter. Je n'avais pas d'alternative. Et puis cette histoire de tueur des auberges montée en épingle par les médias commençait à m'amuser.

Jury était trop occupé à répéter les gestes qu'il allait devoir accomplir pour s'indigner des fanfaronnades de cet homme invisible. Il n'avait pas d'énergie à gaspiller.

— Je vois. Tuer devenait pour vous une habitude.

— C'est possible. A présent, j'insiste pour que vous me remettiez ce journal, inspecteur. Vous allez descendre ces marches *tout doucement*...

— Vous ne me laissez pas le choix, mon vieux.

Jury éteignit brusquement la lumière et s'accroupit, tandis qu'une première balle faisait voler des éclats de bois au-dessus de sa tête. Puis il sauta sur le rebord de la chaire et s'élança vers le jubé. La nuit noire était sa seule protection, et il dut bander tous ses muscles pour s'agripper solidement. Son corps se balança dans le vide, jusqu'à ce qu'il parvienne, dans un ultime sursaut d'énergie, à se hisser sur la structure de bois. Une deuxième balle alla se loger dans la voûte de l'église, puis le silence se rétablit. Bien que ses poumons fussent sur le point s'éclater, il retint sa respiration pour ne pas se faire repérer. Ironie du sort : avec son jubé et sa galerie, l'église ressemblait à un théâtre. Mais il chassa cette pensée afin de se concentrer sur un problème plus urgent : quel était le modèle du pistolet et combien de balles restait-il dans le chargeur ? Matchett n'était pas assez naïf pour gaspiller ses munitions à tirer dans l'obscurité.

Jury entendit alors un bruit de pas sur sa gauche : Matchett était en train de gravir l'escalier du jubé, taillé dans le mur de pierre. Plié en deux, il progressa dans la direction opposée, et sauta sur la galerie au moment où Matchett parvenait en haut des marches. Un nouvel éclair zébra la nuit, et une balle siffla à quelques centimètres de son oreille. Sans se redresser, il se fraya un chemin entre les bancs et s'arrêta à l'extrémité de la galerie. Nouveau silence. Il sortit avec précaution sa torche électrique de son imperméable, la posa sur la balustrade, l'alluma, et se précipita à l'abri tandis qu'une autre détonation retentissait. La torche roula sur elle-même et tomba sur le sol de la nef.

En prenant la lampe dans la poche de son imperméable, Jury avait senti la boîte de pastilles pour la toux que lui avait donnée Wiggins. Et dans son autre poche se trouvait le lance-pierres offert par le petit Double. *Dieu te bénisse, James...* En prenant bien soin de ne faire aucun bruit pour ne pas révéler sa position, il dégagea un bonbon poisseux de son emballage de cellophane, l'inséra dans la bande de caoutchouc et visa la fenêtre la plus proche. Le tintement du projectile sur la vitre fut aussitôt suivi d'un coup de feu. Dans l'espoir de provoquer une fois de plus un tir réflexe de Matchett, il rechargea rapidement son lance-pierres et expédia une seconde pastille dans la nef. Quelque chose se brisa en mille morceaux. La statuette en plâtre de la Vierge ? se demanda Jury, qui ne savait plus à quel saint se vouer.

Cette fois-ci, aucune détonation ne lui répondit, mais il entendit Matchett redescendre l'escalier du jubé et parcourir la nef. Après un long silence, un faisceau lumineux balaya la galerie, l'obligeant à se recroqueviller.

— J'admire vos tactiques de diversion, inspecteur. Mais si j'ai commis une erreur en oubliant ma torche, vous avez eu le tort de me laisser la vôtre. Puisque de toute évidence vous n'êtes pas armé, vous feriez peut-être mieux de descendre à présent.

Comme Matchett était bien décidé à économiser ses munitions, Jury comprit qu'il était coincé. Matchett allait-il l'abattre dès qu'il serait à sa portée ? Ou bien attendrait-il d'avoir récupéré le journal ? Il fallait prier pour qu'il choisisse la seconde option.

— Descendez dans la nef, inspecteur. J'ai vraiment besoin de ce journal. Ensuite nous irons faire un petit tour en voiture.

Jury ruisselait de sueur. Mais il avait encore l'espoir de trouver une solution avant d'être enterré dans un bois.

— Je descends.

— Doucement. Tout doucement, dit Matchett, qui se tenait au milieu de la nef.

Jury se glissa entre les bancs pour rejoindre la galerie orientale, saisit au passage un petit livre de cantiques, et s'arrêta en haut des marches que Matchett avait empruntées à deux reprises quelques minutes plus tôt. Arrivé en bas de l'escalier, il leva les mains en l'air en brandissant le petit volume.

— A présent, apportez-moi ce journal.

Jury avança jusqu'à ce que Matchett lui ordonne de s'arrêter. Trois mètres environ les séparaient. A cet instant précis, Jury laissa tomber le livre sur le tapis qui recouvrait une plaque tombale en cuivre.

— Vous êtes bien maladroit, dit Matchett, debout sur le tapis.

Jury se pencha en sachant très bien que Matchett ne le laisserait pas le ramasser.

— Non, non, inspecteur. Envoyez-le-moi plutôt avec le pied, si ça ne vous ennuie pas.

Jury, qui n'attendait que cela, pria pour que sa jambe ne le trahisse pas. D'un violent coup de talon, il fit glisser le tapis vers lui afin de déséquilibrer Matchett. La dernière balle lui érafla le bras, et il se lança à l'attaque. La colère rentrée pendant si longtemps explosa brutalement et décupla ses forces, si bien qu'il n'eut aucun mal à frapper Matchett à la mâchoire et au creux de l'estomac. Le tueur se plia en deux, puis s'écroula sur le pavé entre deux bancs.

Jury ramassa le livre de cantiques. Le journal de Ruby se trouvait toujours là-haut, dans la chaire, sous l'énorme Bible enluminée où il l'avait caché tout en discutant avec Matchett. Son regard se porta sur la forme inconsciente qui gisait à ses pieds : sur le malade mental qui avait un faible pour les meurtres comme d'autres ont un penchant pour les huîtres.

— Monsieur Matchett, vous pouvez garder le silence si vous le souhaitez. Tout ce que vous serez amené à déclarer pourra être retenu contre vous. Compris ?

Il se dirigea vers l'autel et remonta en chaire. Puis il ralluma la lampe et souleva la Bible. Les bras largement écartés, comme un pasteur en plein sermon, il contempla le petit volume qui allait sceller le sort de Simon Matchett.

De nouveau, il entendit la lourde porte de l'église s'ouvrir, puis la voix sarcastique du commissaire Racer s'élever dans l'église obscure :

— Alors, Jury, vous avez fini par trouver votre vocation ?

Racer et son bras droit, l'inspecteur Briscowe, procédèrent à l'arrestation officielle de Matchett et le conduisirent au commissariat de Weatherington. Un peu plus tard dans la soirée, Racer déclara aux journalistes qu'il était venu à Long Piddleton pour « boucler l'affaire ». De fait, son arrivée coïncidait avec la solution de l'énigme. Il n'osa pas décrire son intervention de manière aussi favorable, mais les médias londoniens le comprirent à demi-mot.

— Quel salopard ! s'exclama Sheila Hogg en versant une généreuse rasade de scotch dans le verre de Jury. C'est vous qui avez tout fait, et il s'en attribue le mérite. Vous avez même failli y laisser votre peau. Tenez.

Il saisit le verre de sa main valide. Son autre bras avait été bandé par les soins du docteur Appleby, qui pour une fois lui avait épargné ses remarques ironiques.

Une heure après l'arrestation, tous les habitants de Long Piddleton étaient au courant grâce au zèle de Pluck (Jury avait beaucoup apprécié les efforts du sergent pour écarter Briscowe lors des séances de photographies). Puis Sheila avait ramené Jury de force à son domicile, car il était devenu un héros à ses yeux.

— Oh ! peu importe, lui répondit l'inspecteur. Du moment que l'affaire est réglée...

Darrington, qui n'appréciait déjà pas beaucoup Jury, était désormais malade de jalousie.

— Heureusement pour vous que le commissaire est venu, dit-il. Sinon, vous auriez fait une sacré boulette en m'arrêtant.

Jury feignit l'étonnement :

— Vous arrêter ? Voyons, je ne vous ai jamais soupçonné. Je croyais que c'était évident. Vous n'avez aucune imagination, contrairement à Matchett. S'il n'avait pas été aussi cinglé, lui, il aurait pu être écrivain.

Sheila émit un petit rire de femme ivre. Rouge comme une tomate, Darrington se leva.

— J'aimerais que vous fichiez le camp maintenant. Ma vie est devenue un enfer depuis votre arrivée à Long Pidd, et vous n'avez plus rien à faire ici !

— Moi non plus ! s'écria Sheila.

Elle reposa son verre violemment et se redressa. Elle aurait voulu le toiser avec dédain, mais ses jambes vacillaient.

— Toi aussi, Oliver, tu n'es qu'un salaud. J'enverrai quelqu'un prendre mes affaires.

Darrington lui prêta à peine attention. Les yeux fixés sur le fond de son verre, il lâcha :

— Tu es saoule.

Jury la rattrapa au moment où elle pivotait vers Darrington.

— Espèce de crétin ! J'aime mieux être ivre que... que... que de n'avoir *aucune imagination*. C'est bien ça, inspecteur ?

Malgré sa prononciation pâteuse et son allure chancelante, Jury partageait entièrement son point de vue. Il lui offrit son bras et la guida vers la sortie.

— Il croit que je ne parle pas sérieusement, mais il se trompe. Je vais prendre une chambre chez les Scroggs.

Elle lui lança un regard plein d'espoir sous ses cils très maquillés.

— Désolé, ma petite. Le Mauvais Sujet est fermé au public.

Tout en l'aidant à enfiler son manteau, il vit la déception se peindre sur son visage.

— Mais vous pouvez toujours retourner à Londres, non ?

— Un peu que je vais y retourner, mon chéri ! s'exclama-t-elle, soudainement requinquée.

Ils allaient monter dans la voiture lorsque la silhouette de Darrington apparut sur le pas de la porte.

— Sheila ? Mais qu'est-ce que tu fiches...

Après avoir confié Sheila aux soins maternels de Mme Scroggs, Jury regagna le Mauvais Sujet, un peu étourdi par les événements. En descendant de la Morris, il aperçut une lumière dans le bar.

C'était Daphne Murch qui l'attendait, rongée par l'angoisse. Il en déduisit qu'elle avait vu les policiers emporter des affaires pour Matchett. Elle se précipita vers lui.

— Je peux pas y croire ! C'est impossible ! M. Matchett ! Lui qu'était toujours si correct.

— Je suis désolé, Daphne. Vous devez être bouleversée.

Il s'assit à l'une des tables, sur laquelle Daphne avait disposé une théière et des tasses. Le thé, remède typiquement anglais adapté à toutes sortes de maux, allant des pieds douloureux aux meurtres en série. La jeune fille ne cessait de secouer la tête pour manifester son incrédulité.

— Écoutez, Daphne, vous avez perdu votre travail ? Mais j'ai des amis à Hampstead Heath.

Il sortit son petit carnet, nota une adresse sur une feuille et la lui donna.

— Je ne sais pas si vous vous plairez à Londres (à en juger par son expression, cette perspective l'enchantait), mais je vous assure que ces gens-là sont charmants et qu'ils cherchent une employée de maison.

Jury s'abstint d'ajouter qu'ils avaient déjà un jeune chauffeur tout à fait présentable.

— Si vous voulez, je peux les appeler dès mon retour à Londres et...

Il ne put achever sa phrase, car Daphne avait déjà fait le tour de la table. Elle l'embrassa et s'enfuit dans sa chambre, rouge de confusion.

20

Lundi 28 décembre

Quand il se réveilla le lendemain matin, Jury se
souvint à peine d'avoir gravi les marches et titubé
jusqu'à son lit. Il ne s'était même pas déshabillé.
Les scotches avalés chez Darrington, ajoutés au
manque chronique de sommeil, s'étaient avérés
redoutables. Il prit alors conscience que quelqu'un
frappait timidement à la porte.

— Entrez.

Le battant s'entrouvrit, laissant apparaître la
tête de Wiggins.

— Je suis désolé de vous avoir réveillé, monsieur. Mais le commissaire Racer est en bas, dans
la salle à manger, et il vous réclame depuis une
heure. Je l'ai fait patienter le plus possible, mais là
ce n'est plus tenable.

Wiggins s'en voulait terriblement d'avoir laissé
filer Matchett. Pour apaiser ses remords, Jury lui
raconta à quoi lui avaient servi ses pastilles contre
la toux.

— Sans vous, sergent...

En sous-entendant qu'il lui avait sauvé la vie, Jury lui redonna un moral de vainqueur. Planté fermement au milieu de la chambre, Wiggins lui dit ce qu'il avait sur le cœur :

— Franchement, monsieur, je trouve son attitude scandaleuse. Vous avez à peine dormi depuis une semaine. Vous travaillez beaucoup trop, si vous m'autorisez à vous donner mon avis. C'est pourquoi j'ai dit au commissaire Racer que je refusais de vous réveiller avant une heure décente.

Il s'interrompit brusquement, comme si ses paroles risquaient de voler jusqu'à New Scotland Yard. Jury se redressa sur un coude.

— Vous lui avez vraiment dit cela ?

— Oui, monsieur.

— Je ne vous aurais jamais cru aussi courageux, Wiggins.

Radieux, le sergent sortit pendant que Jury s'habillait. Celui-ci nota que, durant toute leur conversation, il ne s'était pas mouché une seule fois...

— Vous vouliez me voir ? dit Jury en omettant volontairement le « monsieur ». Puis-je m'asseoir ?

Le commissaire Racer était attablé devant les restes d'un copieux petit déjeuner : miettes de pains au lait, vestiges d'œufs brouillés, arêtes de harengs saurs. L'onyx de sa bague scintilla lorsqu'il porta à sa bouche le cigare qu'il venait d'allumer.

— Vous avez rattrapé votre retard de sommeil, Jury ? C'est un soulagement d'avoir réglé cette affaire, vous ne trouvez pas ? Parce que dans le cas contraire, vous auriez eu de sacrés ennuis.

Jury nota qu'il ne précisait pas par qui l'affaire avait été réglée. Daphne Murch entra alors, toute rosissante, adressa un grand sourire à Jury en déposant une cafetière en argent devant lui, et se retira sans se soucier du commissaire qui la déshabillait du regard.

— Joli petit lot, apprécia ce dernier.

Il remonta un peu l'élégant pardessus qu'il avait jeté négligemment sur ses épaules et se pencha vers Jury.

— Bien que je ne puisse pas approuver entièrement la manière dont vous avez mené cette enquête, nous avons fini par clore le dossier. Je ne vous en veux donc pas. Je ne vous ai jamais considéré comme un mauvais policier, même si je n'apprécie guère vos excès de familiarité avec les subalternes. Ça ne rime à rien d'être « sympa ». Il faut se faire *respecter*, Jury, pas se faire *aimer*. Ce n'est pas tout. Vous avez désobéi aux ordres. Vous deviez m'appeler tous les jours pour me tenir au courant de chacun de vos gestes, et vous n'en avez rien fait. Ce n'est pas comme ça que vous passerez commissaire, Jury. Vous devez trouver votre vraie place entre les officiers et les hommes.

Jury jugea que cette formule sonnait comme le titre d'un navet hollywoodien.

— Bon, je mets les voiles, dit Racer. Vous

vous débrouillerez bien tout seul pour les derniers détails.

Il jeta une poignée de pièces de monnaie sur la table (il fallait au moins reconnaître qu'il n'était pas pingre) et regarda autour de lui.

— Je m'attendais à pire dans un trou pareil. J'ai même dîné décemment hier soir. Un homme qui brasse sa propre bière ne peut pas être tout à fait mauvais.

Si seulement Jack l'Éventreur avait été brasseur..., songea Jury en se beurrant un toast. C'est alors que Wiggins surgit comme un diable de sa boîte.

— Qu'y a-t-il, sergent? aboya Racer.

— Le sergent Pluck vient d'arriver avec la voiture, monsieur.

— Très bien.

Wiggins allait se retirer, quand Racer le rappela :

— Au fait, sergent, je n'ai pas beaucoup apprécié le ton sur lequel vous m'avez parlé ce matin.

La patience de Jury était à bout.

— Le sergent Wiggins m'a pratiquement sauvé la vie. Vous connaissez l'histoire du soldat qui échappe à la mort grâce à l'insistance de sa vieille maman pour qu'il porte une bible dans sa poche de poitrine?

Jury jeta la boîte de pastilles sur la table. Racer la repoussa du doigt, comme s'il s'était agi d'un rat crevé.

— A quoi vous ont servi ces espèces de pilules?

Jury but sa tasse de café et décida de broder un petit roman.

— J'ai réussi à me tirer d'affaire en les utilisant comme projectiles au moyen d'un lance-pierres. Wiggins savait que je ne porte jamais d'arme. Ç'a été un coup de génie de sa part.

Ce compliment inattendu alla droit au cœur de Wiggins, tout en le plongeant dans un abîme de perplexité, car de telles louanges étaient à l'évidence imméritées. Il ne savait vraiment pas comment interpréter ce message énigmatique adressé par Jury à son supérieur.

Racer les regarda l'un après l'autre, grogna et finit par lâcher une ultime perfidie d'une voix mielleuse :

— Si vous n'y voyez pas d'inconvénient, inspecteur, nous ne rendrons pas public le fait que les hommes de New Scotland Yard assurent leur protection avec des lance-pierres.

Jury souhaitait retarder le plus possible le moment de faire ses adieux à Vivian Rivington. Il alla donc classer des paperasses au poste de police de Long Piddleton, tout en écoutant Pluck et Wiggins débattre avec ardeur des grandeurs et des misères de la vie rurale. Pluck était en train d'éplucher les faits divers du *Times*, afin d'écraser son adversaire sous le poids des viols, des agressions et des meurtres commis récemment dans les arrière-cours londoniennes, lorsque Lady Ardry entra en coup de vent. Melrose Plant, visiblement confus de cette arrivée fracassante, la suivait. En voyant Agatha, les deux sergents échangèrent un coup d'œil et amorcèrent une retraite prudente.

Elle s'empara de la main de Jury et la secoua énergiquement.

— Alors, nous avons réussi, inspecteur Jury ?

Emportée par le vent qui gonflait les drapeaux de la victoire, elle avait jeté sa rancune à la rivière.

— Pourquoi *nous*, ma chère tante ? demanda Melrose.

Il s'assit dans un coin de la pièce mal éclairée et alluma un cigare aux arômes particulièrement envoûtants.

— Peu importe les acteurs, dit Jury avec le sourire. Ce qui compte, c'est le résultat.

— J'étais venu vous inviter à déjeuner, inspecteur, et par le plus grand des hasards j'ai croisé ma tante dans la rue...

— A déjeuner ? répéta Lady Ardry en disposant sa cape autour de sa chaise comme le manteau d'hermine d'une impératrice. Bonne idée. A quelle heure ?

— Ma chère tante, cette invitation ne concerne que l'inspecteur.

Elle écarta l'objection d'un revers de main.

— Nous devons discuter de choses beaucoup plus importantes que la nourriture.

Elle s'appuya fermement sur sa canne, et Jury fut ravi de constater qu'elle avait remis ses bonnes vieilles mitaines marron. Il reconnut aussi à son poignet le bracelet d'émeraudes et de rubis offert par son neveu. Curieusement, le bijou lui parut avoir déjà perdu un peu de son éclat.

— Ça ne pouvait être que lui. Je me suis toujours méfié de ce Matchett ! A cause de ses yeux, inspecteur. Des yeux de fou, des yeux de psychopathe. Un regard dur et glacial. Enfin ! Je suis bien contente que vous soyez resté à la place de cet affreux commissaire. Vous ai-je raconté la manière épouvantable dont il s'est comporté chez moi ?

— Oui, Agatha, tu nous l'as déjà raconté, dit Melrose, qui disparaissait peu à peu dans un nuage de fumée.

— Oh ! toi, tu n'es bon qu'à siroter un verre de porto dans ton salon d'Ardry End.

Au risque d'écorner sa gloire récente, Jury intervint :

— Sans l'aide de M. Plant, nous n'aurions jamais réuni les preuves nécessaires pour envoyer Matchett derrière les barreaux.

— C'est très élégant de votre part, mon cher Jury, répliqua Agatha. Mais je connais votre générosité et votre indulgence.

Dans son dos, Plant faillit s'étouffer.

— Nous savons très bien qui a trouvé la solution, poursuivit-elle avec un sourire flagorneur. Ce n'est pas Melrose, et encore moins ce maudit commissaire, qui était beaucoup trop occupé à reluquer les filles du village. Il paraît qu'hier soir, il a passé la soirée à la Forge en compagnie de Nellie Lickens.

— Et qui est donc Nellie Lickens ? demanda Jury, dont la curiosité s'était éveillée.

— Vous savez bien, la fille d'Ida Lickens. Elle donne parfois un coup de main chez Dick Scroggs, mais elle ferait mieux de rester chez elle...

— Ce ne sont que des ragots, Agatha.

— Comme tu voudras, Melrose. Quoi qu'il en soit, même si mon humble demeure n'a pas la classe d'Ardry End, ce commissaire Machin-Chose n'avait pas le droit de me traiter avec une telle désinvolture. Il est entré dans mon cottage, il a jeté un coup d'œil, et il est ressorti aussi sec. Alors que le dîner était déjà servi : une excellente matelotte d'anguille. Inutile de prendre un air dégoûté, Melrose. Ce type a même eu le culot d'aller dans ma cuisine et de soulever le couvercle de la casserole !

— Lady Ardry, dit Jury, je regrette profondément les désagréments que vous avez pu subir à cause de Scotland Yard...

— En fait, je me sens très capable d'accueillir des hôtes avec toute la chaleur nécessaire. Je songe même à accrocher un panneau *Bed and Breakfast*. J'ai le sentiment d'être douée pour ce genre d'activité.

La voix de Plant émergea d'un nuage de fumée :

— Dans ce cas, les prochains meurtres en série risquent de concerner les touristes égarés dans le comté de Northampton.

— A vrai dire, Melrose, je me demande pourquoi tu ne suivrais pas mon exemple. Ça te ferait du bien de travailler un peu.

— Tu me suggères de transformer Ardry End en gîte rural ?

— Exactement. Tu gagnerais des fortunes.

En voyant ses yeux scintiller, Jury comprit que cette idée utopique venait de lui traverser l'esprit. Mais il n'y avait plus moyen de l'arrêter.

— Vingt-deux chambres ! Mon Dieu, comment n'y avons-nous pas pensé plus tôt ? Avec Martha aux fourneaux et moi à la caisse, ce serait une vraie mine d'or !

— Malheureusement, je n'ai pas le temps, répliqua Melrose avec un calme olympien.

— Du temps ? Tu en as à revendre. Ton poste à l'université ne te prend pas plus d'une heure par semaine. Tu dois trouver une occupation, Melrose...

Plant adressa un sourire en coin à Jury.

— J'en ai déjà une. Je veux devenir écrivain. Je travaille sur un livre.

Lady Ardry se releva si brusquement qu'elle faillit renverser sa chaise.

— Qu'est-ce que tu racontes ?

— Tu as bien compris, Agatha. Je suis en train d'écrire un livre sur cette affreuse série de meurtres.

— Mais tu n'as pas le droit ! Nous ne pouvons pas faire la même chose tous les deux. Je t'ai expliqué que je préparais un document romancé. Comme Truman Capote sur cette tuerie en Amérique.

— Pas *Ca-pote*, bon sang ! *Ca-po-te*, en trois syllabes. Tu n'es pas obligée de massacrer le nom de tes propres concitoyens.

— Aucune importance. Mon plan est déjà achevé.

— Dans ce cas, mets-toi vite au travail. Sinon je risque d'avoir terminé avant toi.

— Terminé ? Ce n'est pas si facile, tu sais. Il faut trouver un éditeur. Nous autres qui passons nos journées à noircir des pages blanches, nous connaissons les difficultés du métier d'écrivain.

— Eh bien, je paierai un éditeur, dit Melrose sans quitter Jury des yeux.

— C'est bien ton genre, Melrose.

— N'est-ce pas ? J'ai déjà fini mon premier chapitre.

Tandis que Plant faisait tomber la cendre de son cigare dans la paume de sa main, Lady Ardry se tourna vers Jury, comme pour lui demander de mettre un terme à ce délire. Mais elle n'obtint qu'un haussement d'épaules.

— Très bien, vous pouvez continuer à débiter des âneries tout l'après-midi. Moi, mon travail d'écriture m'attend.

Dans sa sortie précipitée, sa canne heurta le montant de la porte.

— Nous voici débarrassée d'elle pour un moment, dit Melrose. Nous pourrons donc déjeuner tranquillement. Si vous êtes disponible, bien sûr.

— Très volontiers.

— Bien que ce soit un peu délicat à avouer

dans les circonstances actuelles, je regrette beaucoup que l'affaire soit réglée. Il est si rare de rencontrer quelqu'un dont l'intelligence ne parte pas en quenouille dès que la réalité devient un peu problématique.

Melrose Plant enfila ses gants de chevreau et remit sa casquette. Alors qu'il se dirigeait vers la sortie, Jury l'interpella :

— Juste une question, monsieur Plant : pourquoi avez-vous renoncé à votre titre de noblesse ?

Melrose réfléchit quelques instants.

— Je vous répondrai si vous me promettez de ne le répéter à personne.

Jury hocha la tête avec un sourire.

— Voyez-vous, inspecteur, à la chambre des Lords, quand je revêtais la toge et la perruque, j'étais le portrait tout craché de ma tante Agatha.

Il se retourna sur le pas de la porte et ajouta :

— Il y a une autre raison que je vous avouerai un jour. Au revoir, inspecteur.

Puis il toucha du bout des doigts la visière de sa casquette en guise de salut.

Lorsqu'il sortit du poste de police quelques minutes après Plant, Jury constata que les deux sergents poursuivaient leur débat.

— Regarde ce qui s'est passé hier à Hamstead Heath, s'exclama Pluck en montrant à son collègue une page du *Daily Telegraph*. On a agressé une fille de quinze ans ! Et tu prétends que

Londres est une ville sûre ! Ah ! Tu ne m'y ferais habiter pour rien au monde. On y risque sa vie.

En s'éloignant, Jury l'entendit avaler une gorgée de thé et conclure :

— Oui, mon vieux, en ville on risque sa vie !

Il avait rendez-vous avec Vivian vers midi. Plus l'heure se rapprochait, plus il tentait de repousser cette entrevue. Aussi fut-il soulagé d'apercevoir Marshall Trueblood derrière la vitrine de son magasin.

— Alors, mon chou ! Il paraît que vous nous quittez ? Je n'en croyais pas mes oreilles quand on m'a dit que c'était Simon. Simon ! Un homme si attirant ! A-t-il voulu m'impliquer dans l'affaire en me piquant mon coupe-papiers, cette ordure ?

— C'est probable. Je ne crois pas qu'il aurait pu étrangler le pasteur par surprise, comme il l'a fait avec les autres.

— Mon Dieu ! Et cette pauvre Vivian... Quand je pense qu'elle a failli l'épouser !

Trueblood frissonna et alluma une cigarette rose.

— Matchett a donc assassiné sa femme autrefois ?

— Oui, il a fini par le reconnaître, dit Jury en consultant sa montre. Si jamais vous venez à Londres, monsieur Trueblood, n'hésitez pas à passer me dire bonjour.

— Je ne raterai pas une occasion pareille, mon chou !

La place du village était à nouveau recouverte d'un manteau blanc luisant, car il avait neigé au cours de la nuit. Assis sur un banc, Jury observa les canards, avant de lever les yeux sur les pierres sombres de la demeure des Rivington. Il s'était engagé à aller la voir, mais quelque chose l'empêchait de tenir sa promesse. Finalement, il vit la porte d'entrée s'ouvrir sur une silhouette emmitouflée dans un manteau et une écharpe. Elle marcha droit vers lui, en imprimant des traces de pas bien nettes sur la surface immaculée.

Lorsqu'elle contourna l'extrémité de la mare, il se leva.

— Je vous guettais par la fenêtre, dit-elle en souriant. Quand j'ai vu quelqu'un s'asseoir sur le banc, je me suis demandé si c'était vous.

Comme Jury restait muet, elle reprit :

— Je voulais vous remercier pour tout ce que vous avez fait.

Bien que ses lèvres fussent engourdies par le froid, il finit par répondre :

— J'espère que vous n'avez pas été trop... découragée en apprenant la nouvelle, Miss Rivington.

Elle le dévisagea en croisant les bras sur la poitrine pour se réchauffer. Puis elle repoussa la neige du bout de sa botte en caoutchouc.

— Découragée... Le mot est bien choisi. Mais non, j'ai simplement été choquée. Il semble que je me sois entourée de gens indignes de confiance. Isabel m'a avoué la vérité sur la mort de mon père. Elle m'a dit que ça lui pesait sur la conscience. J'ai un peu de mal à la croire. Après toutes ces années, pourquoi sa conscience se serait-elle soudain réveillée ? Sa conscience, c'est vous, n'est-ce pas ?

Fuyant son sourire, Jury examina la neige à ses pieds. Il n'aurait pas été surpris de voir des pâquerettes en jaillir, comme dans les documentaires tournés en accéléré. De nouveau, elle dut meubler le silence :

— Il y a tout de même une chose que j'aimerais savoir.

— Laquelle ? dit-il d'une voix qui sonna étrangement à ses propres oreilles.

Elle enfonça ses mains dans ses poches et se baissa, de sorte qu'il ne distinguait plus que le sommet de son béret tricoté.

— Simon et Isabel. Étaient-ils amants ? Est-ce qu'ils me réservaient un sort déplaisant avant de disparaître avec le magot — pour reprendre leur expression ?

Malgré son sourire, Jury lut une peine infinie au fond de ses yeux. Il était certain que Matchett avait cette idée précise derrière la tête, et qu'il s'était servi d'Isabel pour pousser Vivian dans ses bras. Celle-ci devait être hantée par la vision de son fiancé et de sa sœur en train de faire l'amour et de se moquer d'elle derrière son dos.

— C'est bien ce qu'ils avaient prévu ?

— Non. Je pense que Matchett se serait satisfait de vous... et de votre argent.

Vivian expira profondément, comme si elle avait longtemps retenu sa respiration.

— Je ne sais pourquoi cette idée me tourmente, puisqu'il a été arrêté. Mais j'en frémis rétrospectivement. C'est peut-être égoïste de ma part, mais je suis soulagée de ne plus être obligée de l'épouser.

— Obligée? Vous ne l'avez jamais été.

— Je sais.

— De toute façon, je crois qu'il n'était pas fait pour vous, dit Jury en regardant courir les nuages dans un ciel hivernal d'un bleu outremer. Ce n'était pas votre genre.

Il se leva, en priant pour que Dieu lui vienne en aide.

— Et quel est mon genre?

— Oh! il vous faut quelqu'un de plus posé.

— C'était quoi, ce vers que vous avez cité l'autre jour. *Agnosco*...

— « *Agnosco veteris vestigia flammae*. Je reconnais en moi les vestiges du feu dont j'ai brûlé. »

— Ce devait être un homme exceptionnel.

— Qui? Énée?

— Non, celui que Didon avait aimé avant lui. Même Énée n'a pas pu le remplacer.

— A mon avis, il aurait pu.

— Je n'en suis pas sûre... Je crois que je vais partir en France. Ou en Italie.

Ou sur la planète Mars.

Elle resta un bon moment debout devant lui, avant de lui effleurer la main.

— Au revoir. Je ne pourrai jamais assez vous remercier.

Il la regarda s'éloigner en traçant une nouvelle série d'empreintes dans la neige immaculée. *Tu es un sacré tombeur, Jury. Dès que tu sors dans la rue, les femmes se jettent sur toi en hurlant pour t'arracher tes vêtements.* Avec la distance, il eut l'impression de voir une poupée rentrer dans sa maison de poupée et refermer la porte derrière elle.

Il demeura longtemps assis sur son banc, à regarder les canards barboter dans l'eau libre, sous les massifs de joncs marron. Certains d'entre eux se déplaçaient par couples, comme pour se moquer de Jury. Alors qu'il se levait péniblement pour aller déjeuner chez Melrose Plant, un bruissement dans les buissons le fit se retourner. Il eut tout juste le temps de distinguer une petite tête brune avant qu'elle ne s'évanouisse derrière la végétation.

— Sortez de là, et en vitesse ! ordonna-t-il d'une voix menaçante. Si je vous truffe de plomb avec mon bon vieux 457 Magnum, vous allez ressembler à du gruyère.

Il y eut de petits rires. Puis les Double émergèrent du couvert. La petite fille baissa les yeux et dessina un cercle dans la neige avec le bout de sa vieille botte.

— Tiens donc ! James et James. Pourquoi me suivez-vous à la trace aujourd'hui ? Allons, mettez-vous à table !

Tandis que sa sœur gloussait en se penchant vers l'avant, le garçon répondit :

— Il paraît que vous vous en allez, monsieur. Alors on est venu vous donner ça.

Il sortit de la poche de son manteau tout avachi un objet emballé dans un vieux morceau de papier de Noël. Le paquet était tout plat et maintenu par un ruban qui avait dû être blanc autrefois.

— Un cadeau ? Merci beaucoup.

Il défit le paquet et trouva un morceau de carton faisant office de cadre rudimentaire, sur lequel ils avaient collé une photo découpée dans un magazine. Elle représentait le versant d'une montagne enneigé, avec en arrière-plan une étrange créature évoquant vaguement King Kong. Jury se gratta la tête.

— C'est l'Abominable Homme des Neiges, expliqua James en tirant la langue pour prononcer « abominable ». Il habite dans...

Il se tourna vers sa sœur dans l'espoir d'obtenir l'information, mais la gamine secoua vigoureusement la tête et resta muette comme une carpe, comme de coutume.

— Dans l'Himalaya ?

— C'est ça, monsieur. Il lui ressemble, hein ?

— C'est extraordinaire, dit Jury, un peu embarrassé. Il lui ressemble comme deux gouttes d'eau.

— Et puis regardez les *traces*, monsieur. Je me suis dit qu'elles vous plairaient drôlement, les traces. Vous imaginez ce qu'il pourrait faire ici.

Le gamin écarta les bras pour englober tout le square. C'est alors qu'il repéra les deux séries d'empreintes que Vivian avait laissées derrière elle.

— Qui est-ce qui a tout cochonné ?

Jury sourit et remballa soigneusement la photo.

— L'autre cadeau que vous m'avez fait l'autre jour m'a sauvé la vie, dit-il.

Leurs yeux s'arrondirent comme des soucoupes quand il leur raconta sa bagarre dans l'église avec Matchett, sans omettre le moindre détail.

— Jésus, Marie, Joseph ! s'exclama la fillette, avant de coller sa main sur sa bouche.

— Je vous dois donc une récompense, dit Jury en leur montrant la Morris. Peut-être aimeriez-vous faire un petit tour avec moi ?

— Mince alors ! dit James. Vous voulez dire dans cette voiture de police-là ?

Abasourdis, ils échangèrent un regard, puis se mirent à opiner du chef. Ils étaient d'accord, et plutôt dix fois qu'une. En les embarquant à bord de la Morris, Jury se sentit déjà beaucoup mieux. Il songea au paysage d'une pureté absolue qui l'attendait : Ardry End, dressé au milieu de ses prairies ondulantes, disparaissant sous un manteau d'une blancheur aveuglante. Lorsque la Grand-Rue fit place à la route de Dorking Dean, il se dit : « Au diable le règlement ! »

Et il brancha la sirène.

Lettre de Melrose Plant à Richard Jury

Le 15 avril

Mon cher Jury,

Trois mois se sont écoulés depuis votre départ, mais, n'ayant que ma tante Agatha pour toute compagnie, il me semble que cela fait trois ans. Cela dit, ses visites se sont considérablement espacées, car elle est convaincue que nous sommes lancés dans une compétition haletante dont l'enjeu est de savoir lequel des deux achèvera son livre le premier. Il me suffit de lui annoncer que j'ai terminé un nouveau chapitre pour qu'elle rentre chez elle au grand galop.

A propos d'écrivain, Darrington est parti aux États-Unis afin de ramener le roman américain au stade où il se trouvait voilà plusieurs siècles. Je n'ai pas été vraiment surpris d'apprendre qu'il se livrait au plagiat : vous ne vous imaginiez tout de même pas que Pluck allait garder le silence, non ? Bon débarras pour Sheila. Celle-ci a l'intention de révéler les dessous de cette escroquerie littéraire dans les journaux, quitte à atterrir en prison. Cette fille possède donc une conscience morale.

Lorraine vieillit à vue d'œil. Elle se rend très souvent à Londres et raconte qu'elle vous a croisé. Vous avez intérêt à vous barricader chez vous, mon vieux. Quant à Willie, il est très ami avec le nouveau pasteur, un homme beaucoup plus jeune que son prédécesseur — mais quel que soit leur

âge, les pasteurs ont toujours l'air un peu poussiéreux.

Isabel et Vivian aussi sont parties, mais pas
ensemble. Vivian a donné un peu d'argent à sa
sœur, à condition qu'elle disparaisse de sa vie.
Elle s'est acheté une villa à Naples. Vous devriez
aller y passer quelques jours de vacances.

J'ai un chien. J'avais l'intention depuis quelque
temps de m'acheter une levrette, le genre d'animal
efflanqué qu'on voit sur les gravures de manoirs
campagnards. Mais par un après-midi humide, je
suis allé à vélo au Mauvais Sujet (pour des raisons
sentimentales, peut-être, à moins que ce ne soit
pour assouvir des pulsions macabres). J'ai
contemplé les écuries, la poutre et la vieille
enseigne sous une pluie battante, et devinez ce que
j'ai trouvé dans la cour ? Mindy. Le chien de Matchett, abandonné sans rien à manger. Je
comprends très bien qu'on assassine cinq personnes, mais abandonner un chien représente à
mes yeux le comble de l'abjection. J'ai donc
ramené le fauve chez moi, ce qui m'a demandé un
certain temps car, vous vous en souvenez peut-
être, Mindy n'est pas réputé pour ses pointes de
vitesse.

Ces drôles de gamin (les Double ?) me rendent
visite de temps en temps. Je vois leurs têtes surgir
au milieu des buissons à des heures étranges.
J'éprouve beaucoup d'admiration pour la fillette,
qui a déjà compris à son âge le secret d'une
conversation agréable : le silence. Elle parle si peu
que mon esprit peut fuser sans retenue, et nous

avons ensemble des discussions délicieuses, bien qu'un peu unilatérales.

Puis-le vous demander une faveur ? Si jamais vous héritez d'une autre affaire intéressante (je ne serai pas difficile), n'hésitez surtout pas à faire appel à moi. Ici, il est bien rare que mon imagination soit mise à contribution.

La neige a fondu.

L'épaisse feuille de papier, à en-tête en relief, était signée de cinq lettres à l'encre noire : PLANT.

Jury replia la feuille dans l'enveloppe et la posa sur le manteau de la cheminée, comme si quelqu'un lui avait laissé un message. L'adresse, inscrite en petits caractères noirs au milieu de l'enveloppe blanche, lui rappela les champs de neige immaculée barrés par des traces de pas. Mais Plant lui avait bien précisé que la neige avait fondu. Il regarda par la fenêtre la pluie tomber, grisâtre, sinistre.

Il saisit son imperméable, accroché derrière la porte, et sortit de l'appartement.

Car Jury aimait aussi la pluie.

**A retourner à : Univers Poche
Service Marketing éditorial et Développement
12 avenue d'Italie - 75013 Paris**

Nom :................................**Prénom :**...........................
Adresse :...
Code postal :...........................**Ville :**...........................
Type d'agglomération : □ commune rurale   □ 2 000 à 20 000 hbts
□ 20 000 à 100 000 hbts □ + de 100 000 hbts □ Paris / RP

Sexe : □ M   □ F
Age : □ 15/19 ans □ 20/25 ans □ 26/35 ans
        □ 36/50 ans □ plus de 50 ans

CSP : □ étudiant   □ agriculteur   □ cadre, profession libérale
□ artisan, commerçant, chef d'entreprise □ profession intermédiaire
□ enseignant   □ employé   □ ouvrier
□ retraité   □ inactif

Titre du livre dans lequel ce questionnaire est inséré :
....

Que lisez-vous ?
□ Romans français □ Romans étrangers   □ Essais/Documents
□ Classiques   □ Terroir/Litt. régionale □ Spiritualité/Religion
□ Policier/Thriller □ Terreur/Fantastique □ Litt. sentimentale
□ Pratique   □ Science-fiction/Fantasy
□ Sc. humaines   □ Méthodes de langues

Combien de livres lisez-vous par an ?
□ - de 5 livres □ 6 à 10 livres □ 11 à 15 livres □ + de 15 livres

Lisez-vous les collections de romans policiers suivantes ?
□ Grands détectives (10/18)   □ Livre de Poche Policier/Thriller
□ Points Policier   □ Folio Policier   □ J'ai lu Policier/Thriller
□ Série noire   □ Le Masque   □ Rivages Noir/Mystère
□ Labyrinthes

Quels sont vos 3 auteurs de romans policiers préférés ?
1. ....
2. ....
3. ....

⇒

Combien de livres des collections Pocket Policier et Pocket Thriller lisez-vous par an ?
☐ 1 ou 2 livres ☐ 3 à 5 livres ☐ 6 à 10 livres ☐ + de 10 livres

Quels sont vos 3 auteurs préférés dans les collections Pocket Policier et Pocket Thriller ?
1. ....
2. ....
3. ....

Les collections Pocket Policier et Pocket Thriller vous ont-elles permis de découvrir un auteur ? ☐ oui ☐ non
Si oui, lequel ?...

Si vous lisez la collection Grands détectives (10/18), quelles sont vos 3 séries préférées ?
1. ....
2. ....
3. ....

Lisez-vous les auteurs de romans policiers suivants ?
☐ R. Ampuero ☐ L. Block ☐ S. Brussolo ☐ A. Christie
☐ M. Connelly ☐ P. Cornwell ☐ M. Crichton ☐ D. Daeninckx
☐ D. Easterman ☐ J. Ellroy ☐ E. George ☐ M. Grimes
☐ J. Grisham ☐ M. Higgins Clark ☐ P. Highsmith ☐ T. Hillerman
☐ C. Izner ☐ T. Jonquet ☐ D. Lehane ☐ D. Leon
☐ H. Mankell ☐ A. McCall Smith ☐ V. McDermid ☐ A. Perry
☐ E. Peters ☐ J.-B. Pouy ☐ R. Rendell ☐ A. Upfield
☐ F. Vargas ☐ M. Walters ☐ P. Wentworth

Consultez-vous le site Internet Pocket ? ☐ oui ☐ non

La charte graphique des couvertures de Pocket Policier et Pocket Thriller vient de changer. Le saviez-vous ? ☐ oui ☐ non
Appréciez-vous cette nouvelle charte graphique ?
☐ oui ☐ non

Etes-vous d'accord pour que nous reprenions éventuellement contact avec vous dans le cadre d'autres enquêtes concernant nos collections ?
Si oui, merci de nous indiquer votre e-mail :..................................
ou votre numéro de téléphone :..................................

"Apparences trompeuses"

Mary London
Le mort de la Tamise

Une enquête
de sir Malcolm Ivory

(Pocket n°11336)

Lorsque Jack Boyleston, trente ans, est découvert assassiné au bord de la Tamise, sir Malcolm Ivory et Douglas Forbes sont chargés de l'enquête. Mais qu'allait donc faire ce jeune noble, membre héréditaire de la Chambre des Lords, dans ce quartier désert des docks, par une nuit de brouillard épais ? Les deux inspecteurs découvrent que derrière le respectable aristocrate, se cachait en réalité un coureur de filles, joueur, buveur, et escroc. Quant à l'illustre famille de Jack, elle n'est peut-être pas aussi innocente qu'elle en a l'air…

Il y a toujours un Pocket à découvrir

Achevé d'imprimer sur les presses de

BUSSIÈRE

GROUPE CPI

à Saint-Amand-Montrond (Cher)
en décembre 2003

POCKET - 12, avenue d'Italie - 75627 Paris Cedex 13
Tél. : 01-44-16-05-00

— N° d'imp. 37922. —
Dépôt légal : janvier 2004.

Imprimé en France